WIOSNA EUROPY

Mnisi, królowie i wizjonerzy

Stefan Bratkowski

WIOSNA EUROPY

Mnisi, królowie i wizjonerzy

ISKRY

Projekt obwoluty, okładki i stron tytułowych
Krystyna Töpfer

Fotografia na obwolucie
Andrzej Guranowski
(Archiwum Wydawnictwa Naukowego PWN)

ISBN 83-207-1556-3

Mediewistom polskim –
bez Ich bowiem źródłowych i wnikliwych studiów
książka ta nigdy by nie powstała

I

Przeszłość więcej niż przekorna

Nie lada niespodzianką było dla mnie spotkanie pionierów wspólnej Europy, Europy równych sobie państw i narodów, tysiąc lat przed nami. Nie zdawałem sobie sprawy, że pierwsi twórcy takiej Europy podjęli swe próby właśnie wtedy. Tym głębiej zauroczony, śledziłem tropy ich działań i dowody ich myśli.

Ich losy i dzieje nie mają nic wspólnego z wędrówkami, które od kilku już lat odbywam na łamach miesięcznika *Wiedza i Życie* śladami rozwoju pieniądza i banków, a pośrednio, co za tym idzie, śladami rozwoju całej naszej cywilizacji. Trafiałem wszelako przy tej okazji na różne kapitalne postacie, nie mające nic wspólnego z pieniądzem i bankowością, postacie, które ludzkość, nie wiedzieć czemu, odesłała do lamusa wraz z ich epokami. Tak właśnie stało się z największym umysłem X wieku, z kimś, kto dziś, po tysiącu lat, staje się dla nas kimś szczególnym jako jeden z pierwszych twórców wspólnej Europy. I to nie sam. Z całym gronem swoich przyjaciół i zwolenników.

Mędrzec i uczony, chrześcijanin w autentycznym tego słowa znaczeniu, benedyktyn Gerbert z Aurillac, w latach 999 – 1003 papież Sylwester II, nie miał szczęścia do potomnych. Ani do tych bliższych, ani do późniejszych. Zwolennicy pognębionego Canossą Henryka IV i jego antypapieża, Klemensa III, dopatrzywszy się w swoim znienawidzonym przeciwniku,

Grzegorzu VII, wychowanka uczniów Gerberta – z lubością powtarzali o Gerbercie coraz to sroższe bzdury. Zarejestrował je w sporej części Pierre Riché, francuski autor pierwszego współczesnego, poświęconego mu studium, historyk wcześniejszego zresztą średniowiecza, ale Gerbertem zafascynowany. Miał być Gerbert nekromantą, czyli wróżyć, wywołując duchy zmarłych, w komitywie z diabłem, który go potem uśmierci. A to nie wszystko. Angielski kronikarz z pierwszej połowy XII wieku, William z Malmesbury, w swej *Historii królów angielskich* będzie już opisywał z przerażeniem czarownika o potędze mitycznego Merlina.

Riché wiąże te reakcje z późnym wiekiem XI. Zgoda, przez wiek XI, co się tu okaże, świat chrześcijański znowu cofnął się intelektualnie, ale ja podejrzewam, że przezabawne dziś insynuacje i epitety rodziły się we własnej epoce Gerberta. Uczony i technik, człowiek ponad swój czas, już wtedy budzić musiał naturalną, zdrową zawiść i niechęć, uczucia tym łatwiejsze do usprawiedliwienia, że – co również tu wyjdzie – wsparte najszczytniejszymi ideałami.

Późniejszych potomnych wielkość Gerberta jakby raziła. Wywoływała jakby uczucie niepewności, czy ktoś umysłu tej miary może być świętym. Z jego epoki awansowało na ołtarze całe gremium różnych postaci, władców, mnichów i biskupów. Wśród nich, nie wymawiając, wieloletni notoryczny zbój i grabieżca, jak i nasz Bolesław Chrobry, godny jego przeciwnik, cesarz Henryk, który jednak żałował za grzechy, budował dla pokuty klasztory i wyposażał kościoły, by zostać po stu latach kanonizowany jako poręczny patron dla krzyżowców. Gerbert – Sylwester II, on, który kanonizował św. Wojciecha, sam nigdy świętym Kościoła nie został.

W czasach nowożytnych wielu historyków robiło zeń lisa-przecherę, manipulującego możnymi swych czasów i władcami, polityka bardziej niż człowieka Kościoła, kogoś zmieniającego sympatie wraz z kierunkiem wiatrów sukcesu. Przy czym nie próbowali nawet ci autorzy konfrontować swych insynuacji z faktami, które by same zaświadczyły, że pewnych operacji Gerbert po prostu nie mógł w ogóle przeprowadzić. Wielki romantyk, Jules Michelet, robił z niego w XIX wieku magika i astrologa; w wieku XX robiono zeń politycznego cwaniaka.

Nie miał kto nawet ująć się za Gerbertem z Aurillac, bo nie był... Francuzem. Po wiekach czczono go wprawdzie we Francji jako pierwszego papieża-Francuza, ale Francuzem Gerbert nie był. Tak, bo w owym czasie i jeszcze długo potem „Frankami" byli na dobrą sprawę tylko poddani władców krain na północ od Loary!

Na dobitek dziś pisują o Gerbercie z Aurillac ludzie niewiele czasem wiedzący o tamtej Europie. Oto historyk po zacnym, amerykańskim Princeton (więc mu wybaczmy), Ludo J. R. Milis, potrafił napisać, że „kariera [Gerberta] nie miała charakteru monastycznego i trudno uważać ją za typową dla monastycyzmu" („Anielscy mnisi i ziemscy ludzie", tłum. J. Piątkowska). To o karierze zakonnika, i właśnie bardzo akurat typowej, choć niezwykłej. Ale to nic dziwnego; w literaturze, na którą powołuje się autor, nie ma ani jednej pracy dla tematu podstawowej. Dosłownie: ani jednej.

Wspomniany francuski historyk, Pierre Riché, opublikował w roku 1987 biografię Gerberta. Nie miała być opowieścią o „Gerbercie i jego czasach". Mogłaby raczej, jak chciał sam autor, nosić podtytuł „Gerbert sam o sobie". Proszę pomyśleć: nawet we Francji dopiero teraz! I to tylko dzięki fascynacji historyka, który specjalizuje się w epoce o dwa wieki wcześniejszej.

Stanowczo wielki „papież roku tysięcznego", jak go nazywa Riché, nie miał szczęścia do potomnych... Książki Richégo nie było w naszej Bibliotece Narodowej, w tej bibliotece, w której przed laty znajdowałem francuskie źródła do dziejów francuskiej wojskowości XVIII wieku, nieznane paryskiej Bibliotheque Nationale. Dowiedziałem się o bezcennej pracy Richégo z bardzo interesującego studium Georges'a Minois, „Kościół i nauka. Dzieje pewnego nieporozumienia. Od Augustyna do Galileusza"; dostęp do niej zawdzięczam Ośrodkowi Studiów Francuskich Uniwersytetu Warszawskiego.

W tym samym roku, co studium Richégo, wyszedł we Włoszech tom szkiców „Człowiek średniowiecza", z przedmową samego Jacques'a Le Goffa. Autor szkicu o zakonnikach, Giovanni Miccoli, widać nie zdążył już Richégo przeczytać; napisał, że „u schyłku X wieku o Gerberta zabiegać będą królowie, cesarze i papieże, lecz jego kultura jest owocem pełnej trudu praktyki i wędrówki po wielkich, jak i podupadłych opactwach Zachodu w poszukiwaniu nowych ksiąg i nowych mistrzów" (tłum. M. Radożycka-Paoletti). Mój Boże, gdybyż to Gerbert wiedział, jak o niego zabiegano! W jego drodze do papieskiego tronu nie było nic z triumfalnego pochodu, życie przysporzyło mu rozczarowań i goryczy tyleż, co sukcesów, los go doprawdy nie rozpieszczał.

To, że pracy Richégo nie dostałem do rąk wcześniej, być może nie zrobiło źle niniejszym szkicom – są o czymś innym i są może nawet nieco ostrożniejsze w stwierdzaniu faktów mało pewnych; w części uzupełnią dociekania Richégo; będą za to całkowicie odmienne co do przedmiotu zainteresowania.

Nie będę zresztą zgadzał się ani z Georges'em Minois, ani z cytowanym przezeń historykiem Kościoła, M. Davidem Knowlesem. Minois raczył bowiem napisać, że w owym X wieku „nie ma środowiska ludzi wykształconych", zaś Knowles, że „Gerbert był samotną jaskółką". Wiek X, z jakim ja miałem do czynienia i któremu przyjrzymy się w tych szkicach, będzie zgoła odmienny niż to, co diagnozują Minois i Knowles.

Ale bo też i my w Europie nie wszystkie epoki lubimy. Dopiero kilkadziesiąt lat temu, a więc niedawno, historiografia zaczęła się pasjonować zaniedbanymi terenami możliwych odkryć, by się przekonać, że nie było żadnego jednego i jednolitego średniowiecza. Ono samo dzieliło się na zgoła różne od siebie okresy. Obok siebie też, w sensie topo- i geograficznym, funkcjonowały „średniowiecza" najzupełniej kulturowo różne, choć powiązane ze sobą nićmi dla nas czasami wprost niepojętymi – jeśli brać pod uwagę odległości i trudy podróży, a więc wymiany informacji w tamtych czasach. I nie mam na myśli tylko różnic między światem islamu i chrześcijaństwa. Myślę o „naszej" Europie.

Oto na ziemiach przyszłej Francji, dla przykładu, w kulturze łacińskiej, otacza się starość szacunkiem. *Seigneur*, starszy, stanie się tytułem Boga. Podczas gdy Północ Skandynawów ma swoje rytualne skały, z których strąca się nieużytecznych, więc uciążliwych starców, i rytualne maczugi, którymi rozbija się im głowy.

Na tej Północy Normanów głowa rodu, i tym samym – wódz, jest kapłanem, pośredniczy w kontaktach między ludźmi a bogami; nazywa się *godhi*, ponoć od *godh*, bóg, ale ja sądzę, że *godh*, z którego wziął się angielski *God* i niemiecki *Gott*, sam raczej poszedł od *godhiego*, i że charyzmę zdolności leczenia nadało królom Francji nie namaszczenie świętymi olejami, lecz dopiero przywieziona z Północy normańska wiara w nadprzyrodzoną moc wodzów – bo u Normanów byli wodzami najsilniejsi, najsprawniejsi w boju i najodważniejsi, więc najmilsi bogom, a wiadomo, że jeszcze książę Normandii, Ryszard I Stary, chrześcijanin, dobroczyńca Kościoła, rozmawiał z demonami.

Stereotypowy obraz tamtego rzekomo „zastałego świata", umacniany modnymi dzisiaj syntezami i opracowaniami przeglądowymi, płaski, ujednolicony, czasem pełen pogardy, nie ma się nijak do jego rzeczywistości. Benedykt Zientara swą kapitalną pracą „Świt narodów europejskich" zrekapitulował studia badaczy zachodnich i polskich (Serejski!) nad losami różnych pojęć w świecie pierwszego tysiąclecia i początków drugiego. Ukazał znamienne, podejmowane przez historyków próby łapania i wiązania ze sobą wątków i pojęć, których ówczesną treść rzadko potrafimy dokładnie odtworzyć; przy czym pojęcia te rzutuje się na stosunki, w których, bywało, historia wszelką ciągłość co chwilę zrywała, a czasem w kilkadziesiąt lat zmieniała wszystko – jak i dzisiaj!

Płynność, niestabilność, by nie rzec – chaos, sąsiadowały z porządkiem i tendencjami o sekularnym wymiarze. Czasem doprawdy trudno rozróżnić. A my dzisiaj zapominamy często o tym nawet, co w odniesieniu do naszego własnego czasu wydaje się naturalne i oczywiste.

Wiadomo na przykład, że pamięć społeczna zupełnie inaczej funkcjonuje przy dłuższej ciągłości osadnictwa, a zupełnie inaczej w kręgu ludzi ruchliwych i łatwo zmieniających miejsca pobytu. Można więc przy dużej ostrożności traktować zapisane przez Galla-Anonima legendy o początkach Piastów jako materiał wyjściowy do analiz i domysłów. Choć zarazem Andegawen spisujący w końcu XI wieku dzieje własnego rodu istnych Atrydów, i to spisujący je na terenie rodzinnego hrabstwa Anjou, niewiele już wiedział o własnym pradziadku – dokładnie tak jak my dzisiaj, nie będąc Atrydami. W tej zaś opowieści zetkniemy się, na odmianę, ze średniowieczem, którym targały sprzeczności do dnia dzisiejszego aktualne, których ofiarą padła być może zresztą świętość Sylwestra II.

W polskiej literaturze pięknej mamy dwie zupełnie od siebie odmienne wizje tamtej epoki – Teodora Parnickiego „Srebrne orły" i wieloksiąg Antoniego Gołubiewa „Bolesław Chrobry", obie uzupełnione „Sagą o Jarlu Broniszu" Władysława Jana Grabskiego.

Zdawało się, że Parnicki przesadza, inkrustując świat na pół dziki, prymitywny, intelektualnymi przewrotnościami.

Znacznie już bardziej skłonni byliśmy widzieć tamten świat, karabskający się opornie w stronę cywilizacji, oczami Gołubiewa. Tymczasem, nie ujmując w niczym dzikości naszej Europy owego czasu (naszej, bo inna Europa, nie „nasza", dzika nie była), współczesna wiedza historyczna przychyla się raczej – do naciąganej, zdawałoby się, wizji Parnickiego. Przywraca z niebytu świat ludzi wielkiej wyobraźni politycznej, ogromnego rozmachu umysłowego, zaskakująco szerokich kontaktów kulturowych i koncepcji wykraczających daleko poza prostactwo bohaterów Gołubiewa.

I nie ma w tym nic dziwnego. To świat ludzi godnych współczesności Gerberta z Aurillac.

Był to oczywiście świat zupełnie innej geografii. Pod każdym względem, bodajże nawet i fizycznym. W naszej części półkuli północnej panuje wtedy ciepło, to podobno akurat apogeum blisko tysiącletniego cyklu wahań temperatury. Ono ponoć sprawiło, że brzegi Grenlandii naprawdę latem pokrywała zieleń. I nie przypadkiem dla saskiego kronikarza-biskupa Thietmara Saksonia (dzisiejsza Dolna Saksonia) to „rajski ogród tonący w kwiatach". Rzeki naszego kontynentu, których koryta nie zdążyły się jeszcze pozapadać, rozlewały się – to już z pewnością – szeroko i dna miały głębokie; mieściły setki łodzi wikingów, ale pomieściłyby i nasze kilkutysięczniki: stopy wody pod kilem by im nie zabrakło. Roślinność krzewiła się bujnie i płodnie, kontynent zajmowały przede wszystkim lasy, cywilizacja bowiem kwitła gdzie indziej. Jakby dokładnie na przekór naszej geografii.

Ówczesny Paryż to dziura, dziewięć hektarów wyspy na Sekwanie, z paroma tysiącami mieszkańców; i tak dużo. Londyn zajmuje wśród odbudowanych przez Alfreda Wielkiego, starych, rzymskich murów obszar znacznie większy, ale mieszkańców ma nie tak wielu więcej. Berlin, od „berła", jest jedną z drewnianych stolic plemienia Stodoran, Słowian połabskich, któremu, jak innym Słowianom połabskim, nie może na razie dać rady cesarz wschodnich Franków, czyli *Germanii*, dzisiejszej zachodniej części Niemiec. Większa nieco jest półpogańska jeszcze Praga – ważny punkt wymiany w handlu niewolnikami, drugi taki obok w pełni chrześcijańskiego Verdun, Praga, wedle Ibrahima ibn Jakuba, żydowskiego kupca arabskiego z muzułmańskiej Tortosy, miasto „z kamienia i wapna", „najzasobniejsze z krajów w towary", zwożone tu aż od Rusów. Najpotężniejszym ośrodkiem handlu w naszej części Europy, przyciągającym kupców aż z Bizancjum i świata arabskiego, jest nieistniejący dzisiaj, wpół legendarny Wolin, ze swoim portem i stanicą swoich wikingów, „zbójów jomskich", Jomsborgiem.

Szeroko rozpościera się wśród starożytnych ruin Rzym, pełen kłębiących się ambicji, buntów i mordów, formalnie stolica chrześcijaństwa, okresowo w stanie upadku. Na słynnych wzgórzach lokują się klasztory i świątynie, na Kwirynale termy Dioklecjana zajmuje klasztor syryjski, na Palatynie obok resztek pałacu cesarzy stoją dwa kościoły, ale nie ma żadnych mieszkańców. W termach Konstantyna rezyduje ród hrabiów Tusculum, ale gdzież tym resztkom stolicy świata do ówczesnych centrów cywilizacji, takich jak ogromne, obwarowane, ponadpółmilionowe Bizancjum i potężne stolice arabskie, Bagdad, Kordowa czy nawet Aleksandria Fatymidów lub miasta Chorezmu w Azji Środkowej. Kordowa, mniejsza przecież od Bagdadu, ma 113 tysięcy domów! Ponad pół miliona mieszkańców i brukowane ulice. Siedemdziesiąt bibliotek!

To nawet paradoksalne na swój sposób, że dzisiejszy islam nie odwołuje się do tej swojej imponującej przeszłości, do chwały „renesansu muzułmańskiego" końca pierwszego tysiąclecia. Północ to byli dla tamtej kultury „dzicy". Nie tylko duńscy i norwescy wikingowie, najeżdżający Brytanię, licytujący się liczbą niemowląt nadzianych na jedną włócznię. Nie tylko Węgrzy, zapuszczający się w swych łupieżczych wyprawach aż po ziemie przyszłej Francji. Wszyscy. Toledański sędzia z XI wieku, Sajd, tłumaczy barbarzyńców z Północy, że tam „słońce nie rzuca swych promieni prosto na ich głowy, toteż klimat jest zimny, a powietrze przesłonięte mgłą. W konsekwencji temperament tych ludzi stał się zimny, humor szorstki, podczas gdy ich ciała rozrosły się wszerz, cera jest jasna, a włosy długie. Brak im ostrości dowcipu i przenikliwości intelektu, za to biorą górę głupota i szaleństwo" (cyt. za *Dziejami Arabów* P. H. Hittiego, tłum. W. Dembski).

Cywilizacja była więc tam, nie u nas. Tak to widziała i nasza Europa tamtych czasów. Mamy świadków: w drugiej połowie X wieku pewna utalentowana i uczona saska mniszka z klasztoru w Gandersheim (dziś Bad Gandersheim w Brunświku), leżącego na niebezpiecznym pograniczu z ziemiami nawracanych mieczem słowiańskich Serbów, Hrotsvitha, pisała po łacinie – sztuki tudzież poemata. I to wybitne. Z saskim patriotyzmem; ku czci, między innymi, Ottona I, czyli Ottona Wielkiego, z saskiej dynastii (niecałe dwa wieki wcześniej ogniem i mieczem Karol Wielki nawracał jej własnych współplemieńców). I to ona, Hrotsvitha, określiła daleką muzułmańską Kordowę, stolicę kalifatu Omajjadów, „klejnotem świata".

Ta przeszłość została historyczną sierotą. Czy może raczej – porzuconą matką. Hiszpania współczesna do dnia dzisiejszego nie włączyła swej arabskiej przeszłości w dzieje własnej kultury. Rozważano całkiem serio, na ile *Hiszpanem* był urodzony w Kordowie Seneka, który – jak słusznie zauważył „rewizjonista" historiografii hiszpańskiej, Americo Castro, w roku 1948 – mógł urodzić się w każdym innym punkcie Imperium Romanum. Szlachta hiszpańska snobizowała się na pochodzenie od *Gotów*, czyli germańskich najeźdźców z epoki wędrówek ludów. Ze wszystkich najeźdźców, którzy od starożytności lokowali się na Półwyspie Pirenejskim, tylko ci, którzy stworzyli tu najwyższą kulturę, nie należą do przeszłości Hiszpanii.

Była to geografia doprawdy przekorna wobec dzisiejszej. W świecie chrześcijańskim nie ma wielkich państw. To istna mozaika lokalnych separatyzmów i małych państewek książąt, margrabiów, hrabiów, arcybiskupów, biskupów, a nawet opatów – na terenie samej tylko przyszłej Francji kilkaset – w przeciwieństwie do ogromnych, zjednoczonych, jednolicie zarządzanych państw islamu czy cesarstwa bizantyjskiego.

Nie było wtedy – Niemiec. Ani „narodu" Niemiec. Tak, nie było.

Pierwszym aktem konstytutywnym państwa przyszłych Niemców była imponująca zaiste, jak na owe czasy, decyzja książąt i możnowładców ziem mówiących różnymi dialektami niemczyzny, decyzja, którą podjęli w roku 936 – postanawiając, że jednak nie rozbiją byłego państwa „Franków wschodnich" i wybiorą wspólnego króla. Bo w roku 919 Henryka zwanego później Ptasznikiem, Sasa z rodu Ludolfingów, potomków plemiennego księcia Sasów, Ludolfa, wybrali królem tylko Sasi i Frankowie; dużo czasu minęło, nim przywilejami i orężem pozyskał uznanie ze strony innych plemion. Ottona I wybrali już wszyscy razem. Otton I, czyli Otton Wielki, mówił niemczyzną saską, dolnoniemiecką, *saxonizavit*, saksonizował. Miał talent lingwistyczny i pamięć: nauczył się języków Słowian i „zachodnich" Franków. Ale sztukę pisania i czytania – po łacinie, naturalnie – opanował dopiero w wieku lat trzydziestu pięciu. Tytułował się najczęściej po prostu „królem", *rex*, rzadziej – „królem Franków". Podczas gdy „księciem Franków" tytułował się równocześnie na terenie przyszłej Francji – hrabia Paryża...

Niektóre księstwa, jak Szwabii czy Bawarii, pozostawały ciągle, na dobrą sprawę, państwami szczepowymi... Ba, jakimiż oni się wzajem częstowali wyzwiskami! Sasi uważali Turyngów za tchórzy, Szwabów za rozbójników, a Bawarów za skąpców, dość szczerze się wszyscy wzajem nie cierpieli, tak samo jak ówcześni mieszkańcy terytoriów dzisiejszej Francji.

Nie ma żadnego studium na temat siły ksenofobii w tamtych czasach, ale jest pewne, że niechęć do obcych spajała bardzo już wąskie liczebnie kręgi – rodu, rodziny i okolicy sąsiedzkiej, *vicinitas*. Niechęć do mówiących inaczej, innym językiem, była pierwszym czynnikiem konstytutywnym wspólnoty wyższego rzędu, ale na razie nie budowała nawet więzi państwowych, cóż mówić o narodowych...

Stąd namiętne dziś wyprawy intelektualne do źródeł narodów w tak głębokie średniowiecze wydają mi się swoistą intelektualną uzurpacją; patriotyczną może, niemniej – uzurpacją. Nie mogło być wtedy żadnej pewności ani nawet przesłanek po temu, że mieszkańcy dawnej Galii, a przyszłej Francji, zwiążą się w jeden naród, na dobitek pod germańską nazwą, pochodzącą od państwa Franków. Każda grupa wiosek, jak pisze Georges Duby, miała na razie swój własny system fonetyczny, a każdy z trzystu – czterystu hrabiów ambicje samodzielności. Obszary kształtujących się właśnie języków *langue d'oc* i *langue d'oui* dzieliła niezmierzona puszcza orleańska nad Loarą. Jeśli już, prędzej mogły przyszłą więź rokować Czechy lub Węgry, na niedużych terytoriach, którym energiczni książęta plemienni zapewniali przyszłą spójność mieczami swych drużyn (ale też nie tak znowu od razu).

Przekora ze strony owej zamierzchłej przeszłości dotyczy zresztą nawet szczegółów. Weźmy Wyspy Brytyjskie. Jasną gwiazdą średniowiecza był jeden z najwybitniejszych jego władców, anglosaski Alfred Wielki. Wzorem Karola Wielkiego – rozwijał oświatę, wydawał na nią większy procent swych pieniędzy niż jakikolwiek rząd nam współczesny; dzięki niemu zaczęto w Anglii pisać w języku narodowym wcześniej niż gdziekolwiek w Europie. Jednakże ojczyznę intelektu i kultury stanowiła na Wyspach – a i w całej Europie – Irlandia.

Dziś ignoruje się to nawet na Wyspach: autor świetnie

napisanej, ale pełnej wierutnych głupstw książki „Osiem stopni wtajemniczenia, czyli jak zmienialiśmy świat" (*The Day the Universe changed*), Anglik James Burke, stwierdza, że „społeczności zakonne przemieszczały się w VII wieku coraz bardziej na północ", i pewnie mu nawet przez myśl nie przeszło, że było akurat odwrotnie. Gdyby miał w ręku studium polskiego mediewisty, Jerzego Strzelczyka, „Iroszkoci w kulturze średniowiecznej Europy", dowiedziałby się, że najsłynniejsze klasztory średniowiecza w środkowej i południowej Europie, Bobbio we Włoszech czy też Sankt Gallen na terenie dzisiejszej Szwajcarii, zakładali właśnie wtedy mnisi z Irlandii, późniejsi święci, Kolumban i Gall, inni zaś, mniej sławni zakonnicy z Zielonej Wyspy, dali początek dziesiątkom innych klasztorów (to, że budynki klasztoru Sankt Gallen zbudowano w sto lat po śmierci Galla, nie ma znaczenia – jego skromny erem gromadził zwolenników za jego życia)!

Nie mówię już o tym, że w VII wieku kwitły w Anglii cywilizacją i sztuką nie okolice Londynu, lecz daleka, północna, podupadła dziś Northumbria – dzięki nim właśnie, celtyckim zakonom; kiedy wikingowie ruszą na Wyspy Brytyjskie, zaatakują najpierw nie wybrzeża Anglii południowej, lecz klasztor w Lindisfarne, w sąsiadującej z Northumbrią Bernicji, na pograniczu ze Szkocją!

Irlandia przechowała najmniej dotknięte najazdami Anglów i Sasów tradycje antyku, tam rodziły się najtęższe do owej pory umysły zachodniej Europy: Beda z przydomkiem *Venerabilis* (Czcigodny), mądry benedyktyn z przełomu VII i VIII wieku, a później, w IX wieku, wyklinany już za życia świetny filozof, Johannes Scotus, czyli Jan Szkot Eriugena (a nie „z Eriugeny", jak stoi u Minois).

Oba tegoż drugiego przydomki świadczą notabene, jak mało wiemy o tamtym świecie, oba znaczą bowiem to samo. Irlandię, która mówiła narzeczem celtyckim, tak samo jak Szkoci, zwano *Scotia Maior*, Szkocją Większą; „Eriugena" zaś ma w źródłosłowie rdzenną, celtycką nazwę Irlandii, *Erin*, czyli że sam filozof wskazywał swe pochodzenie i nie ma sensu toczyć na ten temat sporów. Pojawił się na kontynencie – o czym się nie wspomina, nie kojarząc faktów – prawdopodobnie jako... uciekinier: w latach trzydziestych IX wieku Normanowie z dzisiejszej Norwegii regularnie zaczęli najeżdżać Irlandię, rabować i porywać niewolnika, w roku zaś 845, kiedy Eriugena ponoć objął posadę nauczyciela na frankijskim dworze, złapali akurat i uprowadzili Forannana, opata z Armagh, najważniejszego zgromadzenia.

We Włoszech cywilizacja, kultura i dobrobyt zaczynały się na południe od Rzymu, tam gdzie rozciągały się formalnie domeny Bizancjum, w miastach kupców i żeglarzy, jak Amalfi czy Salerno ze swą sławną szkołą medyczną, dalej zaś kwitła arabska Sycylia Fatymidów, czyli wszystko, od czego chcą się dzisiaj uwolnić egoistyczne Włochy północne.

Cesarz Otton II potrafił jakoś bić Słowian połabskich, Czechów (choć to już z trudem), Duńczyków, ludzi króla Francji, ale kiedy wyprawi się na podbój południowej Italii, wtedy pod Crotone, pod starą po-grecką Krotoną (we wszystkich dosłownie pracach historycznych dotyczących tej epoki figuruje ona, pewnie za jakimś skrybą średniowiecznym, jako „Cotrone"!) dadzą mu łupnia połączone siły muzułmańskie i chrześcijańskie, i to tak, że mało sam nie trafi do niewoli...

Tak samo przekorne jest miejsce pochodzenia naszego bohatera – Aurillac. To Owernia. W naszych czasach, czyli przez całe wieki nowożytne, uważano ją za krainę zapóźnioną w rozwoju, było to biedne północludzie na Masywie Centralnym, z wulkanicznym krajobrazem, z ubogimi glebami, gdzie udawało się tylko żyto i jęczmień, gdzie w dodatku – jak dziś wiemy – naturalne promieniowanie tła obdarza ludzi taką dawką radioaktywności, że wszyscy tam powinni umierać, i to młodo.

Nie można było powiedzieć o Owernii, że cieszyła się ogólnym podziwem. Dziś wprawdzie Michelin produkuje na jej terenie większość francuskich opon, ale nie wiem, czy ktoś tam dzisiaj przejmuje się faktem, że właśnie z Aurillac, do niedawna sławnego raczej produkcją... parasoli, z tamtejszego klasztoru benedyktynów, z opactwa Saint-Geraud, wyszedł Gerbert, przyszły Sylwester II.

Biedniejszy w czasach nowożytnych od Owernii, a równie słabo zaludniony, był tylko północno-zachodni skraj Masywu Centralnego, ziemia Limuzyńczyków, no i Burgundia. Wszystko to przed tysiącem lat rozkwitało bujnie i chędogo; z żywotów świętych męczenników, które cytuje Charles Lelong w swym „Życiu codziennym w Galii Merowingów", wiemy, że w Limousin „wody płyną tysiącami rowków z lubą obfitością, mieszkańcy bowiem czynią sobie zabawę z doprowadzania wszędzie wody". O Akwitanii i Novempopulanii (rejon Carcasonne) „każdemu wiadomo, że (...) cały kraj pełen jest winnic, zdobią go roześmiane łąki, pokrywają uprawne pola, zarastają drzewa owocowe, ocieniają gaje, zwilżają źródła, pokrywają plony" (tłum. E. Bąkowska). To znowu niemal obraz raju. Dawna Burgundia została zaś samodzielnym państwem, przez długie wieki uprawiała politykę niezależną od Paryża, a nawet wrogą; to Burgundczycy pod władzą swoich Kapetyngów sprzedadzą kiedyś Anglikom Joannę d'Arc.

Kulturę zachowało – południe dzisiejszej Francji, z silnymi pozostałościami wpływów rzymskich, z ówczesną Akwitanią na czele, zamożną, w pojęciu tych prostaków z północy, z ówczesnej *Francji* – bogatą aż do dziwactwa. Tę przewagę południa zniszczą dopiero pełne okrucieństwa i niszczycielskie krucjaty przeciw katarom, motywowane tyleż wiarą, co niepohamowaną chciwością. Bo tu i handlować umiano o klasę lepiej. I wcześniej.

Tak czy inaczej, nie było przypadkiem, że wielki człowiek X wieku uformował się w Aurillac.

II

Jak wybiera się cywilizacje

Idee polityczne Gerberta z Aurillac, przy całej mojej czci dla niego, nie narodziły się w jego umyśle z czystych spekulacji na temat politycznego zastosowania chrześcijańskiej dobroci. Zeszły wprawdzie na wieki z porządku dziennego, kiedy zeszli ze świata Gerbert i jego najważniejszy uczeń, na wieki zostały zapomniane, pewnie nawet zapomniane zaraz i bardzo pospiesznie, ale tak samo zapomniano wszystkich, którzy tworzyli tamtą epokę. Ba, w naszych czasach nie zauważył Gerberta z Aurillac ani Christopher Dawson w swych szkicach o kulturze średniowiecznej, ani nasz autor znakomitej „Historii Francji", Jan Baszkiewicz, w swym tomie o myśli politycznej wieków średnich... Tylko Walerian Meysztowicz w przyczynkarskim szkicu o pierwszym „Żywocie" świętego Wojciecha uzna w naszym bohaterze „jednego z twórców Europy".

Na szczęście, uczeni naszej epoki zaczęli stopniowo w tamtej lekceważonej, „ciemnej" epoce odkrywać cyrkulację idei – dokładnie, czy prawie dokładnie taką, jaką widział Teodor Parnicki.

Z czego się to wzięło? Właśnie...

Z dobrobytu?

Współcześni nam historycy mówią o „wzroście gospodarczym" w wieku X, ale, cóż, dość mało się mówi o jego mechanizmie. I nie znalazłem żadnych podstaw, by stwierdzić, że gdziekolwiek jakieś nowe techniki czy postępy w uprawach poważnie zwiększyły sumę wartości produktów do wymiany. Przeciwnie, mamy raczej dowody zastoju. Oto XI-wieczny świadek – kronikarz, Raul, wtedy jeszcze po prostu frankijski Rodulf, o przydomku Glaber (czyli Łysy, a nie Bezbrody, brody za jego czasów golono dość powszechnie i nie byłoby to żadnym wyróżnikiem). Mówi Rodulf o 48 latach głodów pomiędzy rokiem 970 a 1040. Co więcej, ciągnął się ten cykl śmierci aż po koniec wieku XI. Powracały w takich latach sceny apokaliptyczne: nieszczęśni, wynędzniali chłopi pożerali ziemię, żeby oszukać żołądek, a tych, co zmarli wcześniej, rozszarpywano w kawałki i zjadano. Oczywiście, były to głównie klęski lokalne, w danej dzielnicy kraju, tylko niektóre dotykały „cały świat", czyli również ziemie Franków wschodnich tudzież Italię. Brały się z nieurodzajów, wtedy głównie podobno – po latach z niekończącymi się, ulewnymi deszczami. Ale z badań dendrologicznych, z grubości słojów przekroju drzew, wynika np., że w południowych Niemczech w latach 931 – 950 i 977 – 998 panowały akurat susze. I niewykluczone, że większość nieurodzajów, wedle mego skromnego domysłu, wynikała po prostu z jałowienia gruntów. Bo niby dlaczegóż natura miałaby tak szczególnie znęcać się nad ludźmi tego właśnie okresu historii?

Pisze się, że lasy obejmowały wówczas „aż" dwie trzecie powierzchni przyszłej Francji czy też Anglii. Należałoby napisać inaczej – człowiek przejął pod swą gospodarkę aż jedną trzecią terytorium tych krajów. I widać miał już za daleko do lasu w razie głodu, by ratować się myślistwem, mąką z żołędzi i miodem z barci leśnych. A już na pewno nie głód pędził Normanów ze Skandynawii na południe: morze karmiło ich mięsem ryb i – wielorybów. Wielorybów? Ależ tak, potrafili, wedle własnych relacji, w ciągu dwóch dni upolować w sprzyjających okolicznościach i 60 wielorybów, a nie przechwalali się zbytnio, kości wielorybów trafiają się w znaleziskach prehistorycznych nawet nad Zalewem Wiślanym.

Jakie rolnictwo uprawiała ta Europa? Trójpolówkę poświadczają źródła już dla krajów państwa Karola Wielkiego, ale z tego niewiele, moim zdaniem, wynika. Trójpolówka była systemem uprawy dla, powiedziałbym naszym językiem, „zawodowców", ludzi pracy metodycznej, przemyślanej. Że znali trójpolówkę Normanowie? Możliwe. Ale z tego też nic nie wynika. Myślę, że na Zachodzie była nie tyle „normańska", co – benedyktyńska, oparta na wiedzy, czym obsiać odłogi, by je użyźnić, jak nawozić je mierzwą spod hodowanego bydła.

Większość rolników gospodarowała ziemią, byle coś zebrać, popędzana przez bezwględnych, a bezmyślnych i niefachowych panów. Wiemy od fachowców rolniczych, że po sześciu, siedmiu latach uprawy bez nawożenia trudno uzyskać zbiór nawet dwóch ziaren z jednego wysianego, żeby zaś grunt wrócił do pierwotnej żyzności, leżąc tylko odłogiem, trzeba od piętnastu do dwudziestu lat! Stosowane powszechnie jednoroczne ugorowanie pola po dwóch latach upraw rozkładało tylko proces jałowienia na dłuższy czas.

Nie udało się do tej pory zrekonstruować historii pługa. Radło tylko rozcinało ziemię, pług odkładał skiby na bok, co czyniło orkę znacznie wydajniejszą. Nie wiemy, kto pługa najwcześniej używał; na pewno nie Normanowie, bo zabraliby go ze sobą na Ruś. A już wcześniej montowano przy radle odkładnice i żelazne, asymetryczne płużyce (tak to dziś nazywamy). Wygląda więc na to, że postęp zależał raczej od... wytopu żelaza. Tam gdzie były rudy błotne czy darniowe, tam rodziła się broń, jak u Normanów czy też Polan, ale także i żelazne lemiesze. Z tej też racji daleko było X wiekowi do powszechnego użytkowania pługa.

Zmieniła się siekiera. Ale zmieniła się jako topór, i to przede wszystkim bojowy. Jego ostrze wydłużyło się, co wprawdzie zwiększyło ciężar, ale zwiększało zasięg cięcia.

X-wieczny Norman, Eryk Krwawy Topór (a nie „Krwawa Siekiera"), sygnalizuje swym przydomkiem sprawność w walce toporem. To zaś dłuższe ostrze dawało wyższą wydajność nie tylko w zabijaniu, ale i w karczunku lasów. Czy tak w wieku X ten karczunek przyspieszyło? Nic na to nie wskazuje. Mnisi w trzebieniu lasów znowu przodowali, ale to dopiero wiek XI. W wieku X przede wszystkim buduje się mocne klasztory i – zamki. I raczej nie z miłości Boga, a ze strachu.

W tymże X wieku wynaleziono chomąto dla konia. Też postęp: koń bardzo źle chodził w jarzmie, które dobrze pasowało wołu. Nawet zresztą jarzmo w postaci rzemienia opasującego szyję zaciskało pętlę i konia dusiło. Ale też końmi się roli nie obrabiało! Któżby do tego zaprzęgał konia, mając do dyspozycji znacznie mocniejsze i wytrzymalsze, a trzykroć tańsze woły? Kamienie na budowy kościołów, klasztorów i zamków też zwożono wołami! Koń to było zwierzę rycerskie i – kupieckie. Konia w chomącie potrzebował handel; wyściełane, nie kaleczące skóry chomąto, dopasowane do nasady szyi końskiej, czterokrotnie zwiększyło siłę pociągową konia. Jednakże do handlu, do ładowania na kupieckie wozy, na grzbiety osłów, pozostawało mniej więcej to, co było, i tyle, ile było; rozwijał się za to sam handel, rósł wolumen obrotów.

Oczywiście – handel z Południem. To handel świata arabskiego przede wszystkim i jego popyt – do niedawna jeszcze przez historyków wręcz niedoceniany. Północ tego czasu zna tylko targi i jarmarki. I długo jeszcze nie wyjdzie poza nie. Pieniądz arabski, czyli solidny srebrny dirhem, jak strawestowali Arabowie starą grecką *drachmę* (*dinar* u nich był monetą złotą), będzie długo jeszcze kursował w Europie Zachodniej; ba, tu i tam będzie go się kopiowało i wypuszczało do obrotu jako swoisty pieniądz gwarantowany!

Są oczywiście w tej epoce inne jeszcze poza handlem

szlaki krążenia idei – kontakty między klasztorami. Nie zaniedbamy ich tutaj, broń Boże. Bez nich nie byłoby samego Gerberta z Aurillac. Jednakże ani benedyktyńskimi więziami, ani nawet samym handlem nie da się wyjaśnić rozszerzania się pewnych koncepcji wśród władców takich jak Mieszko, władca Polan, jak ruska Normanka, Olga, i jej wnuk, Włodzimierz, kolejny przybyły z Nowogrodu zdobywca i władca Kijowa, jak władca Duńczyków, Harald Dobry, zwany Sinozębym, jak władca Madziarów Gejza i wodzowie niezależnych odeń plemion węgierskich. Nie da się, ponieważ tych koncepcji nie mogli przynieść ze sobą i krzewić arabscy kupcy żydowscy z kalifatu Kordowy, kalifatu bagdadzkiego i miast Chorezmu. A to oni głównie przybywali na ziemie, gdzie można było tanio kupić – niewolników. Niewolników i – bursztyn.

Owszem, skóry też. Ale przede wszystkim – na co pierwszy zwrócił uwagę nasz znakomity historyk kultury i... monety, Ryszard Kiersnowski – kupowano tu niewolników. Potęga państwa Polan, o czym nie lubimy wspominać, rosła na bardzo paskudnym gruncie. Archeologia ją zdemaskowała: ślady ekspansji Polan na ziemie sąsiadów znaczą zgliszcza osad czasem i dwutysięcznych jak Chodlik, z których Polanie brali niewolnika – by sprzedawać ich owym arabskim kupcom żydowskim.

Skąd wiemy, że ich sprzedawali? Nigdzie w Polsce nie znaleziono tyle, ile na terenie Wielkopolski, „skarbów" dirhemów arabskich – obok żelaznych kajdanków i dybów. Bo żelaza tu nie brakowało, Polanie go nie kupowali; sami je wytapiali ze swoich bogatych rud darniowych, stąd chyba głównie ich przewaga nad sąsiadami; słynna późniejsza anegdota z owym „idź złoto do złota, my, Polacy, kochamy się w żelazie" nie była bez kozery. Temu żelazu zawdzięczamy państwo polskie.

Większość z owych trzydziestu tysięcy dirhemów pochodziła z mennic kalifatu Bagdadu; największy ze skarbów, znalezionych w Wielkopolsce, to równowartość kilkudziesięciu sprzedanych niewolników. Ich cena tutaj wynosiła wedle mojej kalkulacji nieco mniej niż wedle szacunków profesora Kiersnowskiego, co najwyżej od kilkunastu do dwudziestu paru, a nie koło pięćdziesięciu dirhemów. Ze źródeł skandynawskich wiadomo, że za najpiękniejszą ze swych niewolnic handlarz skandynawski wziął od swego pobratymca równowartość dziewięciu owiec, czyli jakieś dwadzieścia parę dirhemów. Dodajmy, że „transport" na zachód musiał opłacać po drodze różne kolejne cła – Koblencja brała 4 denary od niewolnika, biskup z Churu 2 denary – w sumie pewnie z kilkanaście denarów, bo trzeba dodać do tego „opłaty", jakie pobierali wszyscy miejscowi feudałowie za udzielenie kupcom zbrojnej ochrony na swym terytorium, albo wprost za to, że ich sami nie obrabują, czyli za tzw. „martwy konwój". Nawet jeśli tymi denarami nie były porządne dirhemy, tylko srebrne monety europejskie, gorsze na ogół, to kilkadziesiąt dirhemów za niewolnika u „źródła" nie bardzo by się opłacało, zwłaszcza że dla kupców był to interes mocno ryzykowny.

Dopiero u celu uzyskiwali tak olbrzymie „przebicie": za piękną białą niewolnicę (bez wykształcenia, jak zaznacza Adam Mez, wielki szwajcarski znawca „renesansu muzułmańskiego") można było dostać w Bagdadzie tysiąc dirhemów i więcej, a wedle Luce Boulnois – za młodziutką białą dziewicę w Basrze dwanaście razy więcej, bo tysiąc złotych dinarów, albo i dziesięć tysięcy; nawet jeśli te ostatnie liczby to arabska przesada, nie ma co dziwić się namiętności do tych obrzydliwych interesów...

Szacuję, że w ciągu kilkudziesięciu lat swych zdobywczych wojen sprzedali Polanie Arabom kilkadziesiąt tysięcy swoich „jeńców", od małych chłopców i dziewczynek po dorosłych, silnych mężczyzn i zdrowe kobiety, średnio tysiąc rocznie. W znalezionych „skarbach" mógł uchować się tylko pewien procent należności, bo trudno sobie wyobrazić, by większość właścicieli zginęła lub zmarła, nie wydając pieniędzy i nie przekazawszy tajemnicy krewnym. Konsekwencje zaś tego wyludniającego kraj procederu ponosiła Polska być może przez całe wieki, przez całe wieki niedoludniona. Bo przecież łowili tu ludzi także wikingowie z Gotlandii, zapuszczający się na swoich łodziach w górę rzek kraju; dirhemów na Gotlandii znajduje się z górą trzy razy więcej, niż w Wielkopolsce, bo tam proceder kontynuowano przez dalsze prawie dwa stulecia, porywając ludzi nawet i z Danii, by sprzedawać ich m.in. do... Meklemburgii, w XII wieku już od dawna chrześcijańskiej.

Wieziono tych nieszczęśników (raczej wieziono niż pędzono, bo kupcy dbali o stan swego żywego towaru) ku południu przez wschodnią Europę, przez Kijów i chazarski Itil nad Wołgą, albo przez Europę Zachodnią, z Pragi przez Ratyzbonę i Verdun, kolejne wielkie, chrześcijańskie już ośrodki handlu niewolnikami, gdzie kastrowano chłopców (Koran zakazywał muzułmanom dokonywania takich operacji, wyręczali ich w tym chrześcijanie i żydzi). Niech nas nie myli bagdadzki rodowód monet – w tej sieci handlowej kupcy ciągnęli z jednego końca muzułmańskiego świata na drugi, ci ze wschodu często kupowali niewolnika w Hiszpanii, a monetę bito przede wszystkim na wschodzie...

Niewolnicy owi szli jako *Sakaliba,* co utożsamione ze *Sklawini* Pseudo-Maurycego miało oznaczać dla historyków aż po dzień dzisiejszy, że w ten sposób owa epoka utożsamiała „Słowian" z niewolnikami. Nazbyt chyba to proste. Po pierwsze, *per analogiam,* Germanie wcale się sami nie nazwali ani Germanami ani Teutonami, lecz tak najpierw ich nazwał Tacyt, bądź Teutonami – mieszkańcy Italii; poczucie swoich związków językowych mieli co najwyżej Germanie zachodni, mówiący dialektem dolnofrankońskim (wywodzili siebie od trzech synów Mannusa, byli – „włóczniami", *ger*, tegoż Mannusa). Jest więc dla mnie wątpliwe, by setki odrębnych plemion słowiańskich, rozlokowanych o tysiące kilometrów od siebie, miały takie poczucie wspólnoty, by się określać łącznie jako Słowianie. Słowianami, Słoweńcami, Słowińcami, Słowienami, były raczej określone, znane nam zresztą plemiona, zaś od nich świat zewnętrzny, a i to niecały (dla niemieckich sąsiadów Słowianie połabscy byli Wendami), urobił miano łączne; mówiący podobnymi językami „Słowianie" skontaminowali się w pojęciu otoczenia ze *Sklawinami*.

To naprawdę kontaminacja. Bo w terminie *Sakalabija, Sakalaba, Sklawini* (we francuskim później *esclave*) występuje uparcie, czego nikt nie raczy zauważać, rdzeń *skl*, a nie *sl*. I zgoła nie od *slavus*. To *skl* ma swoją rację rzeczową za sobą: nazwę... bursztynu. Jeszcze Pliniusz podawał, że u Scytów bursztyn to *sacrium*, od czego być może poszło i germańskie *sakari*; natomiast w arabskim Egipcie bursztyn zwał się po arabsku *sakal*, my zaś mamy z tegoż właśnie rdzenia – nasze polskie *szkło*.

Innymi słowy, ci niewolnicy wiedli się po prostu z krain bursztynu, który znajdowano nad Bałtykiem, a i w głębi dzisiejszych terenów Polski – XI-wieczny wielki uczony Arab z Chorezmu, al-Biruni, odnotuje, że najlepszy jest bursztyn z kraju *Sakalatów*. Znów ten rdzeń... Ci niewolnicy w ogóle nie musieli należeć do plemion słowiańskich. Skarby dirhemów, znajdowane na Gotlandii, są parokrotnie większe od naszych, a tamtejsi wikingowie łowili niewolników w całej zlewni Bałtyku. Później zresztą na Półwyspie Iberyjskim zwano *Sakalabija* wszelkich niewolników z Północy. Z kolei wikingowie ruscy i Bułgarzy kamscy polowali na Czudź, Mordwinów, Merów i Czeremisów, czyli zamieszkujących wtedy dzisiejszą północną Rosję blond-przodków i krewnych Finów. Polowali dokładnie tak, jak poprzednicy Mieszka na swoich pobratymców.

Kto mógł, zdobywał i sprzedawał niewolników; obok bursztynu to był główny, nie ukrywajmy, przedmiot popytu ze strony handlu Południa, więc i największe obroty. Wedle Aarona Guriewicza, wielkiego znawcy świata wikingów skandynawskich, znajdowane w Skandynawii wielkie skarby dirhemów brały się stąd, że wikingowie nie wiedzieli, do czego służą pieniądze; tezy tej nie da się jednak niczym obronić. Nikt wtedy nie rabował monet, ani też nie sprzedawał niewolników bądź bursztynu po to, by chować te srebrne błyskotki dla samej satysfakcji. Wikingowie doskonale wiedzieli, jakie można za te bogactwa „ruchome" kupić luksusy Południa – miękkie tkaniny, dywany, wonności, artystyczne wyroby. Gallowy opis przyjęcia Ottona III w Gnieźnie doskonale ilustruje, co wtedy uważano za luksus, a najpełniejsze studium luksusu tamtego czasu zawiera książka Luce Boulnois „Szlakiem jedwabiu" – nie rozszyfrowaliśmy do dzisiaj nazw niektórych tkanin, niektórych producenci z miast Południa w ogóle nie eksportowali, zaś o jedwabiach chińskich snuto wręcz legendy. Nawet za te „błyskotki" nie wszystko można było dostać i wikingowie doskonale wiedzieli, po co je gromadzili...

Tak samo wiedzieli wojowie Mieszka. Najlepszy dowód, że wraz z przyjęciem chrześcijaństwa przez Mieszka i jego państwo napływ dirhemów arabskich na ziemie Wielkopolski w latach 960 – 980 ustaje. Późniejszych dirhemów prawie tam już nie znajdujemy. Polanie Mieszka zaprzestali zniszczeń i grabieży w najbliższym sąsiedztwie, przenieśli ambicje zdobywcze dalej od domu. Ale za to całkowicie – no, prawie całkowicie – zrezygnowali z niewolenia pobratymców, ze sprzedawania ich w niewolę. Zrezygnowali, zostając chrześcijanami. Co więcej, już Mieszko bił własną monetę – z napisem „MISECO" (co wskazuje, że to imię brzmiało najpierw „Myszko" albo i „Miśko", po prostu od niedźwiedzia). Nie bił jej dla samej satysfakcji; wiedział, po co, tak samo, jak wikingowie doskonale będą wiedzieli, po co ściągną fachowych mincerzy z Anglii na teren Danii i duńskiej południowej Szwecji. To, że zachowało się tych monet mało, nic nie mówi o skali ich emisji; większość ich potem przetapiano...

Przyjęcie chrześcijaństwa było zatem wielką decyzją. I wielkim człowiekiem był Mieszko, który tę decyzję podjął. Był wielkim umysłem. Bo musiał dokonać wyboru.

Wiemy o Włodzimierzu, który ochrzci potem Ruś, że zaprosił do siebie przedstawicieli różnych religii, by – wypytując ich – ocenić, którą z religii będzie najlepiej wybrać. Nawet, jeśli to anegdota, sygnalizuje ona, że ta epoka rozumiała konieczność wyboru. Górowała nad Rusią nie tylko cywilizacja Bizancjum, rozpoznana przez Ruś zarówno grabieżą, jak handlem. Górowała i cywilizacja islamu, którą przez morze Kaspijskie Ruś, spływając Wołgą, najeżdżała, a jej kupcom sprzedawała swoich niewolników, skóry i miód; Bułgarzy kamscy mimo odległości przyjęli w X wieku – islam i bili u siebie arabskie monety. Nad Rusią i Słowiańszczyzną górowali też wcześniej, o czym się zapomina, i Chazarzy; ci od żydowskich mędrców, wypędzonych z Chorezmu, przyjęli judaizm, a Ruś długi czas wolała ich nie zaczepiać – dopóki Światosław w roku 965 nie zdemolował i nie unicestwił całej ich cywilizacji.

Czy Mieszko miał tylko jeden wybór? Czy, innymi słowy, po prostu nie miał wyboru?

Proszę wziąć pod uwagę, że w kręgach warstwy kapłańskiej Słowian połabskich, w ich elitach plemiennych, zabrakło takich Mieszków. Nakon obodrycki, też opisywany przez Ibrahima, nie miał takiej wyobraźni; Obodryci spóźnili się ze swą chrystianizacją. Podczas gdy Mieszko wcale nie musiał się spieszyć; to właśnie oni, Obodryci, Wieleci (Lutycy), Redarowie, Stodoranie, Wagrowie, Doleńcy itd. powinni byli się spieszyć.

Czy odstraszyły ich decyzje i losy duńskiego władcy, Haralda Dobrego, zwanego *Blaatand*, Sinozębym? Oto jest pytanie. Przyjrzyjmy się bliżej tym doświadczeniom...

Najbliższymi sąsiadami Duńczyków byli pierwotnie wcale nie Sasi, lecz właśnie Obodryci; łatwo to dostrzec na mapie ówczesnego świata chrześcijańskiego, a dziś jeszcze można odczytać w słowiańskich nazwach miejscowych na południowych terenach dzisiejszego *landu* Republiki Federalnej Niemiec, Schleswig-Holstein – niecałe dziesięć kilometrów od przedmieść Hamburga mamy Trittau, niecałe dziesięć kilometrów od Kilonii – Preetz, zaś o kilkanaście kilometrów – Malente i jezioro Selenter (wskazówka zresztą, że tutejsi mieszkańcy nie zostali bynajmniej wymordowani, lecz się po prostu zgermanizowali). Obodryci czuli się bardzo pewnie pod opieką swoich bogów. Musieli być zresztą nielada potęgą, jeśli Harald wziął sobie za żonę córkę ich księcia-wodza, Mściwoja (raczej Mściwoja niż Mścisława; na swoim kamieniu runicznym mówi ona o sobie *Tove Mstivisdatter*, *Tove*, względnie *Tufa* bądź *Dova*, córka, *datter*, tego *Mstivi*, bo *s* to saksoński dopełniacz) i zawarł z nimi przymierze.

Wedle swego własnego kamienia runicznego, zjednoczył dopiero Danię ojciec Haralda, Gorm Stary. Ale już sto lat przed nim, kiedy *Madżus*, „czciciele ognia", jak w świecie arabskim zwano najeźdźców z Północy, najechali w 844 r. pierwszy raz Hiszpanię i wdarli się do Sewilli, mądry emir Abd ar-Rachman II wysłał w rok później swego posła do jakiegoś „króla duńskiego", żeby się z nim ułożyć. Temu posłu nie wypadało schylić głowy przed żadnym cudzym władcą, więc dotarłszy na Zelandię i znalazłszy się przed zbyt niskimi drzwiami komnaty owego konunga... siadł na ziemi i z wyprostowaną głową przesuwał się do przodu na tylnej części ciała. Oczywiście, poselstwo nic nie dało, bo żaden z tutejszych konungów nie mógł decydować za innych. W dzikości zaś, okrucieństwie i pasji niszczycielskiej wikingowie duńscy prześcigiwali się z norweskimi i szwedzkimi, w Anglii tak ich nienawidzono, że ujętego Duna odzierano ze skóry i skórę przybijano w podzięce za łaskę zemsty na drzwiach kościoła. Dopiero potem część Duńczyków osiedliła się we wschodniej Anglii na stałe, tworząc terytorium „prawa duńskiego", *Danelag*, i walcząc razem z Anglosasami przeciw najazdom Normanów z Norwegii.

Gorm Stary, władca północnej Jutlandii, przyłączył do swego państwa południową Jutlandię. Musiał: kroniki mówią, że gdyby Danii nie zjednoczył, nie uzyskałby ręki pięknej i mądrej Thyry, córki, jakby wynikało z dat, najpotężniejszego z anglosaskich królów Anglii, Athelstana. Wcale to prawdopodobne, bo Athelstan (zmarły w roku 939), choć nie odziedziczył po swym dziadku, Alfredzie Wielkim, miłości nauk, był za to wielkim politykiem i zręcznie umacniał swe stosunki z niebezpiecznymi partnerami; chował u siebie syna wodza groźnych wikingów norweskich, Haralda Jasnowłosego, uważanego za twórcę państwa norweskiego, rozdawał też swe siostry i córki jako żony władcom i możnym, w których chciał mieć przyjaciół.

Spróbujmy powiązać daty odnoszące się do Danii w jakiś logiczny ciąg historyczny.

Otóż nie można było mówić o zjednoczonej Danii – bez Hedeby, wielkiego i sławnego skandynawskiego centrum handlowego w południowej Jutlandii (nad zatoką, kilkanaście kilometrów na północ od dzisiejszej Kilonii), chronionego przed ekspansją sąsiadów z południa specjalną, długą linią wałów obronnych.

Wały te rosły tam już wcześniej, już w IX wieku, wtedy zapewne przeciwko równie wojowniczym Obodrytom, którzy, jak ich nazwa wskazuje, wieki temu przybyli tu znad Odry, na długo zanim dotarli tu Sasi. Potem jednak bano się Sasów. Wikingowie duńscy, groźni i morderczy jako najeźdźcy, nie umieli bronić swoich śmieci, tym bardziej, że niewielu ich tu pozostawało – tysiące młodych ludzi odpłynęły w epoce wypraw wikingów poza Danię, by nigdy już do niej nie wrócić.

Wykopaliska ujawniły, że wały sypano i przebudowywano kolejno siedem razy, ale i tak nie ochroniły Hedeby, przed atakiem... wikingów szwedzkich; rezydowali tu i rządzili się przez lat kilkadziesiąt! Za panowania króla Niemiec, Henryka I Ptasznika, popłynęli stąd napaść Fryzję, i Henryk w odwecie na niedługo przed śmiercią przygalopował tu ze swoimi ludźmi w roku 934, zdobył Hedeby, a konunga tutejszych Szwedów, Gnupę z Gotlandii, zmusił do przyjęcia chrztu. W 936 r. przyszedł z północy Gorm i pokonał Gnupę ostatecznie, przyłączając Hedeby i południową Jutlandię do swego państwa.

Wynikałoby z tego, że nie mógł wtedy umrzeć, jak to wyliczał Roger Collins w swojej „Europie średniowiecznej", lecz dopiero wtedy ożenić się z Thyrą, i to jako człowiek już wiekowy, pewnie po czterdziestce – co też wynika i z jego przydomku.

Gorm wystawił ku czci Thyry pamiątkowy kamień z napisem runicznym, który dopiero w drugiej połowie naszego stulecia odczytano prawidłowo – bo nie był to wcale nagrobek. Takimi kamieniami składano hołdy i wyrażano uznanie również ludziom żyjącym, upamiętniano też wielkie wydarzenia. Thyrę zaś Dania uwielbiała; samorzutnie wystawiali ku jej chwale podobne pamiątkowe kamienie z napisami runicznymi wielmoże duńscy, co wiem dzięki książce znakomitego polskiego znawcy świata runów, filologa Mariana Adamusa. Uważano ją wręcz za czarodziejkę i to ona była inicjatorką kolejnej przebudowy *Danevirke*, „dzieł duńskich", chroniących Hedeby (te „dzieła", wyjaśnijmy, we wszystkich językach europejskich, także w polskim, oznaczały dawniej umocnienie obronne, a nie akty twórczości).

Chrześcijaństwo docierało tu już o sto lat wcześniej. Pierwszy apostoł Skandynawii, benedyktyn z Pikardii o frankijskim imieniu Ansgar, został arcybiskupem misyjnym Hamburga, pogranicznej osady niepowstrzymanych Sasów, a po śmierci – świętym, podobnie jak jego następca na metropolii hamburskiej, św. Rimbert. Niestety, nic z ich dzieła nie przetrwało, nawet legendy; arcybiskupstwo dla bezpieczeństwa przeniesiono do Bremy.

Dopiero za czasów Ottona Wielkiego arcybiskup tejże Bremy, Adaldag, ustanowił w latach 947/948 aż trzy biskupstwa dla ziem duńskich – w Szlezwiku, w Ribe i Aarhus. I jestem pewien, że stało się to po śmierci Gorma, a przy „regencji" Thyry. Thyra jako córka Anglosasa musiała być chrześcijanką; przedtem, kiedy mieszkańcy Szlezwiku zbudowali sobie kościół bez zgody Gorma, ten, oburzony, świątynię zburzył. O ile zaś stolice dwóch pierwszych biskupstw leżały na terenie Szlezwiku, czyli południowej Jutlandii, to Aarhus leżało w głębi Danii i nie sposób przypuścić, by ustanowiono je bez wiedzy jej władców, albo też wbrew nim.

Chrzest samego Haralda datuje się na lata 953 – 965. Harald uczcił ten chrzest kamieniem, na którym wykuto wizerunek Chrystusa i odpowiedni napis, a kamień ten postawił w Jelling, w połowie drogi między Ribe i Aarhus, tam gdzie leżeli jego rodzice, tam gdzie Gorm umieścił swój kamień runiczny ku czci Thyry. Rok tego chrztu podjąłbym się jednak oznaczyć dokładniej: od roku bowiem 955 ustały duńskie najazdy na Anglię!

Historycy angielscy wiążą to z klęską najsłynniejszego wikinga owych czasów, Eryka Krwawego Topora, Normana z Norwegii, ale ta klęska dla wikingów duńskich nie oznaczała nic i z ich najazdami doprawdy nie miała nic wspólnego. Nie było przyjaźni między Normanami z Norwegii i Dunami. To w samej Danii musiało zdarzyć się coś przełomowego.

Nawrócił się Harald – wedle podania – pod wpływem cudu, jaki sprawił saski misjonarz, Poppo. Długo rozprawiali z drużyną (jeszcze jedno potwierdzenie roli drużyny w tych sprawach!), czy mocniejszy jest Chrystus, czy Odyn, i Poppo, by udowodnić boską moc Chrystusa, zadeklarował, że weźmie do ręki i przeniesie rozpalone żelazo. Udało mu się. Cud się stał.

Prawo ustanawiania biskupstw i powoływania biskupów, do zatwierdzenia potem przez Rzym, należało wtedy do władcy. Dla tych terenów mógł ich powołać jedynie Otton Wielki, którego wasalem był arcybiskup Bremy. Że robił gesty pod adresem władcy Danii, mamy dowód w tym, że owe biskupstwa uwolnił od wszelkich obciążeń na rzecz króla Niemiec i od podległości swoim urzędnikom, czyli że zrezygnował z wszelkich oznak swojej suwerenności na ziemiach Haralda. I nie była to żadna polityczna dobroczynność – Otton prowadził ze Słowianami połabskimi nieustanne wojny i szukał przeciw nim sojusznika. Dania jako sąsiad ich od północy była naturalnym w tej kwestii wyborem.

Potem, w 965 r., powstało biskupstwo w Odense na wyspie Fionii, choć nie jest pewne, czy Fionia słuchała Haralda. Dlaczego więc Obodryci Nakona nie poszli w ślady Haralda i samego Nakona?

Odpowiedź na to pytanie uzmysłowi nam, jak dalece nic nie działo się w tej epoce jednakowo...

III

Coś wtedy było w powietrzu Europy

Chrześcijański Bóg najpierw sprzyjał Haraldowi Dobremu i wyraźnie był Bogiem silniejszym: Harald w obronie praw swej siostry i jej dzieci po zmarłym władcy Norwegii podbił południową Norwegię, a jej północ poddał władzy zaprzyjaźnionego ze sobą jarla Haakona. Niestety, później wyszło, że Bóg chrześcijan woli swoich, czyli Sasów. Następca Ottona Wielkiego, Otton II, wiecznie głodny sukcesów, w 974 r. przyszedł ze swymi zbrojnymi i zajął południową Jutlandię, mało, pobudował w Hedeby twierdzę strażniczą i osadził w niej swoją drużynę! Zmarnował tym samym wszystko. Bo i Haakon wymówił wierność Haraldowi. A jeszcze za życia Haralda jego syn, Swen Widłobrody, wznowił z jego własnymi ludźmi najazdy na Anglię w roku 979. Rozwój handlu na swoich ziemiach wikingom nie wystarczał. Rabunek dawał więcej i dawał chwalebniej.

Z czego wynika, że Harald nie zgromadził zbyt wielu informacji o świecie poza bezpośrednim zasięgiem swojej władzy. I tak samo nie próbował dowiedzieć się czegoś o tym świecie – Nakon. Podczas gdy Mieszko, władca Polan, tak. Mieszko wiedział więcej, niż moglibyśmy przypuszczać.

Ibrahim ibn Jakub podał o Mieszku pewien bardzo istotny dla nas komentarz do jego wyrzeczenia się handlu niewolnikami: Mieszko w latach podróży Ibrahima, 961 – 965, opłacał swoich wojów – wpływami z podatków. Henryk Łowmiański przed ćwierćwieczem skorygował, na szczęście, fatalny błąd w polskim tłumaczeniu relacji Ibrahima, sugerujący, że podatki płacono mu „odważnikami handlowymi"; chodziło po prostu o... złote dinary. Tak czy siak, było to już państwo, jak na owe czasy i jak na swoje położenie geograficzne, dość niezwykłe, z atrybutem dla każdej organizacji państwowej najbardziej znamiennym – systemem podatkowym jako źródłem dochodów.

Czy naprawdę płacono mu złotymi monetami?

Być może normę podatku stanowiła równowartość złotego dinara w srebrze, bo znaleziska nie potwierdzają obfitości złotych monet na naszych ziemiach owego czasu. Być może – choć to mało prawdopodobne – Mieszko ściągnął podatkami całe złoto ze swego państwa. Ja myślę jednak, że ściągał opłaty w srebrnej monecie, tej, która była dostępna, a tylko informator Ibrahima chciał podnieść rangę tych podatków ponad banał srebra... W każdym razie jest pewne, że Mieszko znał wzory państw, gdzie ściągano podatki, a więc cesarstwa bizantyjskiego i kalifatów arabskich – i to zupełnie wystarczy dla rewelacji.

W tamtych czasach płaci się bowiem w tej części Europy daniny, i to w naturaliach; *narzaz*, zobowiązania, których wysokość „rzezało się" na służących temu deszczułkach lub kijach, wyliczano głównie w... wieprzach. Tu zaś Ibrahim mówi najwyraźniej o kruszcu! I nie będzie to przypadek, jak się przekonamy; to nie jakieś przekłamanie. Tu się płaci pieniędzmi. Więc już podatki, nie daniny.

Ten „dzikus", innymi słowy, w przeciwieństwie do Haralda i Nakona zdawał sobie sprawę, co to znaczy państwo – w tamtej epoce, kiedy jeszcze przez wieki głównym sposobem bogacenia się rycerstwa, także w czasach Mieszkowego syna, będzie wojna i rabunek. Mieszko był już głową państwa i z samego tegoż swego państwa czerpał pieniądze.

I umiał dostrzec różne alternatywy przyszłości. Ibrahim ibn Jakub z Tortosy z kolei znał ludzi, którzy znali Mieszka – tych, którzy mu te alternatywy mogli zaprezentować.

Ibrahim nie przybył tu dla handlu. Zapewne bywał tu już wcześniej; nie sądzę, by dobrano do grona poselstwa kalifa Kordowy jakiegoś dworskiego ulubieńca czy kogoś z urzędu; raczej – znawcę regionu, a przy tym kogoś, kto mówi po łacinie (bo jakże tu zbierać informacje przez tłumaczy?).

Pytanie, kto go wysłał, okaże się nie bez znaczenia dla ustalenia ściślejszych dat jego podróży. Ale nie tylko. Także – dla dziejów naszego bohatera z Aurillac. Bo jego młodość i ważna w niej, może decydująca przygoda intelektualna, właśnie na ten okres przypadła.

Na pewno nie wysłał tego zbieracza informacji Abd ar-Rachman III, który zmarł akurat w 961 roku, licząc lat 73; Abd ar-Rachman z rodu Omajjadów, pierwszy władca Kordowy, tytułujący się kalifem, był władcą oświeconym, ale i zapamiętałym wojownikiem; *giaurów* nie lubił i chętnie z nimi wojował. Co nie przeszkadza, że w „Dziejach Niemiec do początku ery nowożytnej" Kazimierza Tymienieckiego spotkałem w 956 r. jego posła, chrześcijanina (!), imieniem Racemund, we Frankfurcie nad Menem, gdzie podobno dał się wciągnąć w intrygę przeciw longobardzkiemu margrabiemu Ivrei, Berengariuszowi. Ale to był poseł, i to raczej nie jedyny. Ibrahim ibn Jakub nie był tylko posłem.

W roku 961 objął tron po Abd ar-Rachmanie al-Hakam II, w naszych transkrypcjach el-Hakim, postać szczególna i dla nas ważna w sposób szczególny: uczony, bibliofil i patron nauk, zwłaszcza zaś uniwersytetu w Kordowie, który wówczas pod jego opieką zaznał pełnego rozkwitu.

Al-Hakam wysyłał swoich ludzi do Bagdadu, Aleksandrii i Damaszku, by kupowali dlań bądź kopiowali cenne księgi –

dzięki temu zasoby uniwersyteckiej biblioteki Kordowy urosły do liczby czterystu tysięcy pozycji, podczas gdy biblioteka chrześcijańskiego klasztoru z tysiącem ksiąg uchodziła w „naszym" świecie za bogatą! Na Półwyspie Iberyjskim nastał czas pokoju i – ciekawości. Łatwo dedukować, że to on, al-Hakam, ekspediował swoich posłów do Ottona I i kazał im spisywać gromadzone wiadomości. Ibrahim zaś miał od kogo je zbierać, w Magdeburgu bowiem i Merseburgu rezydowali już jego pobratymcy, prawdopodobnie właśnie dla zakupu niewolników.

Ciekawe, swoją drogą, że nie mamy – przynajmniej na razie – żadnych wiadomości od owych *Sakalabija* bezpośrednio. Większość trafiała do robót na roli, skąd uciekała, jak tylko mogła (dokumenty kalifatów pełne są doniesień o zbiegłych i łapanych niewolnikach). Ci niewolnicy jednak dochodzili czasami na dworach do najwyższych wręcz godności, i to we wszystkich państwach islamu; gwardia Abd ar-Rachmana III w przepięknym pałacu, który sobie zbudował, z nich się właśnie składała, z 3750 ludzi *Sakalabija*. Tyle że kupowano do tej formacji małych chłopców, których edukowano potem w kulturze islamu, tak że jako dorośli niczego już nie mogli nawet ze swym pochodzeniem kojarzyć.

Mieszko utrzymywał z tymi kupcami Południa bezpośrednie kontakty. Mamy tego bezpośredni dowód: w roku 986 ofiaruje małemu Ottonowi III szczególny prezent – wielbłąda, zwierzę doprawdy w naszej części świata nieoglądane.

Ten wielbłąd sam się tu nie zabłąkał, musiał przywędrować z którąś karawaną. Co więcej, to żydowscy kupcy z arabskiego świata już za Mieszka mieli swoją stację w *Primut*, najprawdopodobniej w Przemyślu, gdzie w XIX wieku znaleziono skarb liczący 700 dirhemów! Mieli tam stację dla takiego samego najpewniej procederu, jak owe stacje w Magdeburgu i Merseburgu! Oni właśnie, bowiem już w świecie arabskim, nie zaś dopiero w chrześcijańskim, Żydzi dominowali w obrocie pieniężnym. Nie dla tego, że byli tak chytrzy. Na tę rolę skazywały ich nie tyle tradycje umiejętności bankierskich, co same panujące religie: i w świecie arabskim, i w chrześcijańskim, tylko innowiercy mogli uprawiać kredyt oprocentowany, tj. lichwę (lichwą, dla jasności, był wszelki procent od kredytu, nie tylko ten zbyt wysoki).

Ileż, swoją drogą, mówi ten jeden wielbłąd! Nie byłby sensacją, gdyby kupcy arabscy podróżowali wielbłądami po krajach Północy. Ale tak daleko na nich z Chorezmu nie docierali; gdzieś pośród szczątków zwierzęcych w Europie Północnej uchowałoby się trochę kości po jakimś padłym tutaj wielbłądzie, tak, jak można je znaleźć w grodziskach wschodniej części dawnej Rusi. Mieszko musiał więc nawiązać kontakt ze swymi partnerami handlu, zamówić zwierzę i odczekać, aż je przyprowadzą. Musiał, co ważniejsze, wiedzieć, czego chce. Na tym tle przypuszczenie, że i on, jak rzekomo wikingowie, nie wiedział, czemu służy pieniądz, naprawdę odsłania swą bzdurność.

Musiał dużo wiedzieć. I musiał myśleć bardzo daleko. Jak i węgierski Gejza, który syna chował już na chrześcijanina, ale sam bodaj chrzest nie od razu przyjął. Podobno zresztą i Mieszko sam ochrzcił się w rok dopiero od chrztu kraju, dzięki wpływowi Dąbrówki...

Dzieje się wtedy coś szczególnego: w ciągu niedługiego czasu domeny chrześcijaństwa niemal podwajają się terytorialnie. Bez wojen za wiarę. Nowi wierni przychodzą sami. Bez zagrożenia, podkreślmy, zewnętrzną agresją. Akurat teraz. Niechaj nie umknie naszej uwadze ta charakterystyczna sekwencja i zbieżność faktów, które poprzedziły myśl Sylwestra II. Coś było w powietrzu Europy.

Poprzedni władcy Węgrów, przed Gejzą, zakończyli swe rozbójnicze eskapady na Zachód po wielkiej klęsce nad rzeką Lech w Bawarii; zadał im ją w 955 r. Otton I, czyli Otton Wielki – nie bez udziału wspierających go wojsk czeskich Bolesława I.

Bolesław I, zwany Srogim lub Okrutnym, był władcą potężnym i potęgą też militarną były jego Czechy, które łowiły niewolników już z pozycji chrześcijańskich – głównie wśród pogan. W 929 r. (wzgl. w 935 r.) zdobył władzę w państwie, mordując swego starszego brata, Wacława, pioniera chrześcijaństwa. Ten zamach stanu poparła drużyna, niezadowolona podobno z Wacława i – podobno – z uzależnienia od króla Franków wschodnich, z trybutu płaconego temuż Henrykowi I, zwanemu później Ptasznikiem (który sam przez lata opłacał się Węgrom, dopóki ich nie pokonał w 933 r. nad rzeką Unstrut). W 936 r. Henryk I zmarł, więc do boju przeciw jego synowi, Ottonowi I, zerwali się od razu Słowianie połabscy i od tej samej chwili przez 14 lat będzie też z nim toczył wojnę Bolesław Srogi. Otton nie bardzo miał na nią czas, długo nie umiał sobie z Bolesławem poradzić, aż w końcu go spacyfikował – wykorzystując okazję: siły Bolesława związał na południowej flance najazd Węgrów i trudno mu było wojować na dwa fronty. Wobec tych zresztą kłopotów Bolesław zmieni politykę i wesprze potem właśnie Ottona w decydującej bitwie nad Lechem, odpierając równocześnie kolejne zagony Węgrów na swoich ziemiach.

Jest niby w dobrych stosunkach z Ottonem, mimo to nie może uzyskać „własnego" biskupstwa. A bardzo mu na nim zależy, bo już wie, że to podpora władzy państwowej. Chce tego biskupstwa, bo jest już – politykiem. Czyli – kimś dalekowzrocznym.

Nawiąże stosunki z władcą bitnych i równie zdobywczych, dzikich Polan, Mieszkiem – lub może to on z nim? Da mu swoją córkę za żonę. To już nie tylko zręczna kombinacja polityczna – zresztą nie pierwsza tego rodzaju, jak mogliśmy się przekonać, w naszym zakątku Europy. To dalekosiężny zamiar.

Dubrawka, czyli Dąbrówka, której obyczajność Kosmas, własny rodak, półtora wieku później poda w wątpliwość, wedle współczesnych walnie przyłoży się do chrztu Polan; mówiono, że odmawiała dopełnienia małżeństwa w łożu, póki Mieszko nie obiecał jej przyjęcia chrztu. Niewykluczone. Na pewno nie czekała z tym aż do chrztu – jeśli postrzyżyny jej syna, Bolesława, odbyły się w 973 r. przed marcowym spotkaniem Mieszka z Ottonem Wielkim w Kwedlinburgu, to musiał Bolesław urodzić się te rytualne, pogańskie siedem lat wcześniej, co najmniej w marcu 966 r. Znalazła się zatem Dubrawka w Mieszkowym łożu nie później niż w lipcu 965 r., a więc na długo przed chrztem Polski. Jej syn dla podkreślenia związków z Pragą dostanie zaś imię wbrew tradycji, nie po dziadku ojczystym, lecz po ojcu matki, a więc imię czeskie, Bolesław; tak więc to ten z dziadków Chrobrego wygląda na pierwszego architekta przemian.

Nie docenią go potomni (świętym, i słusznie, zostanie zamordowany brat). Nie będzie mu także sprzyjała i współczesność. Jakby za karę. Mieszko wkrótce po chrzcie będzie miał swego biskupa w Poznaniu, a Bolesław Srogi nie uzyska biskupstwa do końca swego panowania! Co więcej, Czechy, potężne, bitne Czechy, będą całe wieki czekały na własną metropolię arcybiskupią, podczas gdy Polanie będą ją mieli już za Bolesława Chrobrego, a Węgrzy niedługo później...

Dlaczego? Odpowiedzmy dość łatwą interpretacją trudności X wieku. To nie była kara za bratobójstwo. Otton Wielki po swoich doświadczeniach uważał prawdopodobnie Bolesława Srogiego za niebezpiecznego partnera, któremu nie należy niczego ułatwiać. Bo to Otton Wielki dał biskupstwo

Mieszkowi, nie kto inny. Bardzo patriotyczne badania naszych uczonych jeszcze w 1920 roku dowiodły, że nie miało owo biskupstwo niczego wspólnego z erygowaniem arcybiskupstwa w Magdeburgu, ale już same daty wskazują, że nikomu nawet w Rzymie do głowy nie wpadło, by mogło być inaczej. Magdeburg to rok 968. A co ważniejsze, nie do pomyślenia jest, by Jan XIII, papież Ottona Wielkiego, podejmował decyzje o powołaniu biskupstwa bez jego wiedzy i zgody, a jeszcze podczas pobytu cesarza na miejscu, w Italii. Mógł je, co więcej, powołać tylko z jego inicjatywy! Biskupstwo poznańskie, czy to misyjne czy podporządkowane Magdeburgowi, było, innymi słowy, decyzją Ottona Wielkiego.

Tak, Otton Wielki sprzyjał właśnie Mieszkowi. Widukind, najwiarygodniejszy z kronikarzy, nazywał Mieszka „przyjacielem cesarza". Ale też Otton nie zagrażał Mieszkowi, ani Mieszko jemu. Ottonowi znacznie bardziej zagrażali nader samodzielni panowie sascy – Gero, margrabia stworzonej przez samego Ottona w 937 r. Marchii Wschodniej, i książęca rodzina saska Billungów. Marchie były wojskowymi zarządami ziem pogranicza, ich rządcy, margrabiowie, dysponowali władzą udzielnych książąt. Gero przeszedł do historii bezprzykładnymi okrucieństwami i podstępami, które zapisał właśnie Widukind; to Gero wytruł zaproszonych na ucztę książąt plemion Słowian połabskich. Zbudował potęgę ogromną: wykorzystywał wzajemne wśród nich konflikty i rywalizację, podbijał ich ziemie krwawo i bez skrupułów. Na ich terenie, w Hobolinie, czyli Hawelbergu, i w Brennie, czyli Brandenburgu, Otton Wielki – mimo oporów biskupa Halberstadtu – ustanowił czym prędzej biskupstwa. Powoływał je nie tylko dla dzieła chrystianizacji. Budował przeciwwagę dla potęgi Gerona. I nie dałby mu rady, gdyby Gero pod koniec życia, złamany stratą jedynego syna, nie wycofał się sam z życia publicznego i nie poświęcił się modłom.

Gero zmarł 20 maja 965 roku. Po jego śmierci Otton I podzielił natychmiast Marchię Wschodnią na mniejsze marchie, osłabiając tym samym saską opozycję. Piewotne terytorium Marchii będzie się nazywać Marchią Starą – w obrębie Marchii Północnej, którą obejmie nowy margrabia, też Sas oczywiście, Hodon. Marchią Wschodnią zostanie marchia na terenie przyszłej Austrii, która od niej weźmie kiedyś swą nazwę. Obok Marchii Północnej powstaną za to Marchia Miśnieńska i Marchia Łużycka. Nowe arcybiskupstwo w Magdeburgu obejmie nowe biskupstwa dla tych ziem, w Merseburgu, Miśni i Żytycach (Życzu).

Mieszko sam już zaznał rycerskiej krwiożerczości buntujących się przeciw Ottonowi panów saskich. Jeden z nich, o imieniu Wichman, krewniak Ottona, umknął do Redarów, skumał się z Wolinianami, czy też z ich drużyną duńskich wikingów, i z nimi wypuścił się na ziemie podległe Mieszkowi, skuszony widocznie pogłoskami o bogactwach władcy Polan. Ci rabusie czuli się rycerzami, wiedzieli, co to rycerski honor – kiedy zastępy Wichmana, dostawszy się w zasadzkę, ginęły, wyrzynane pracowicie przez ludzi Mieszka, wspartych ponoć wojami teścia, Bolesława Srogiego, Wichman próbował się wymknąć, zaś dognany, stanął do bohaterskiej walki z przeważającymi siłami. Prosił tylko przeciwników, by po jego śmierci jego miecz i zbroję oddali Mieszkowi, a ten by ją przekazał Ottonowi... Czy naprawdę liczył Wichman, że kuzyn zechce go pomścić? Nie sądzę. To był jedynie gest. Gest rycerza, który w obliczu śmierci słał swemu panu lennemu, przeciw któremu się buntował, znak swego pokajania i skruchy. Nie chciał iść z grzechem na tamten świat. Nie oczekiwał zemsty na swych przeciwnikach. Oczekiwał przebaczenia.

Bogactwa Mieszka skusiły potem i następcę Gerona, czyli Hodona. Jego zagon zakończył się podobnie, jak Wichmana, pod Cedynią 24 czerwca 972 roku. Sam Hodon ledwie uszedł z życiem.

Otton wezwał wtedy – czy też zaprosił raczej – Mieszka na zjazd możnowładztwa do Kwedlinburga w marcu 973 r. Chciał ustanowić pokojowe stosunki między swoim wasalem a swoim przyjacielem. Wiemy tyle, że hojnie obdarował Mieszka. Mówi się, że Mieszko dał mu wówczas siedmioletniego Bolesława jako zakładnika. Ale, po pierwsze, nie wiadomo, czy w ogóle mały Bolesław znalazł się na dworze cesarskim, a po drugie, jeśli tak, nie wiadomo, czy nie wzięto go tam po prostu dla nauki – przyjęte było wszak oddawać synów książęcych dla nauk w szkołach dworskich, katedralnych bądź klasztornych. Wiemy za to, że włosy z postrzyżyn synka Mieszko przesłał wtedy symbolicznie do Rzymu, do papieża (historycy nie są pewni, czy obyczaj postrzyżyn był tradycyjny w świecie słowiańskim, czy też tak Słowianie przyswoili sobie kościelne postrzyżyny – *prima tonsura* – młodziana, przyjmowanego w poczet kleryków). Mógł przesłać Mieszko te włosy przez ludzi cesarza, najdogodniej właśnie z Kwedlinburga...

Podobno to sam Otton Wielki wyraził w końcu zgodę na erygowanie biskupstwa w Pradze. Ale to dzieje się w roku 973, roku śmierci Ottona, już za panowania Bolesława II, który po latach zyska przydomek Pobożnego, w rok po śmierci jego ojca (którą historycy ostatecznie ustalili na rok 972). Więc może to nie Otton Wielki, który zmarł niedługo po zjeździe w Kwedlinburgu, bo już 7 maja 973 r.? Może to już Otton II?

Tegoż roku, objąwszy rok wcześniej panowanie, pierwszy historyczny władca Węgrów, dwudziestoparoletni Gejza, wysyła na dwór cesarski, jeszcze podobno za życia Ottona Wielkiego, posłów z prośbą o przysłanie misjonarzy chrześcijańskich z Zachodu. Znowuż wielka, historyczna decyzja. Bo nie brakowało już na terenie Węgier chrześcijaństwa, tyle że wschodniego: siedmiogrodzki przywódca plemienny, Gyula, a i „Czarni Węgrzy" znad Cisy dołączyli do obrządku wschodniego – co miało wtedy znaczenie raczej polityczne niż schizmatyczne, formalnego bowiem przedziału między Kościołami wschodnim i zachodnim jeszcze nie było... Otton II po śmierci ojca pospieszy z odpowiedzią, wysyłając do Gejzy swoje poselstwo.

„Kronika Węgiersko-Polska", podaje, że Gejza wziął za żonę polską księżniczkę, Adelajdę, zwaną Bela-Knegini, Białą Księżną, czyli – jak rozumiem – blondynkę. Nie uważa się tej „Kroniki" za źródło zbyt wiarygodne, wiele w niej różnych bałamuctw, ale w tej kwestii owo źródło się raczej nie myli: współczesny Bela-Knegini Thietmar wywodzi tę blond-piękność o gwałtownym charakterze, jeżdżącą konno „jak rycerz" i nie gardzącą trunkami, z kraju słowiańskiego. Co więcej, władcy ówczesnych, młodych państw szybko, niemal od razu, nauczyli się operować małżeństwami jako środkiem powiązań politycznych i Gejza powinien był za żonę wziąć sobie córkę lub siostrę innego władcy, a stał wobec wyboru, dodajmy, dosyć ograniczonego: jeśli nie u Mieszka, mógł szukać dla siebie żony ewentualnie w Czechach. No bo nie u Słowian połabskich. Ani u Bułgarów.

Jeśli tak, Adelajda mogła wyjść za Gejzę po tym, kiedy chrzest przyjęła rodzina Mieszka, kiedy jako jedna z jego sióstr dostała przy chrzcie imię po żonie Ottona I. W takim przypadku i datę urodzin syna Gejzy, Waika, ochrzczonego w 973 r. Stefanem, przyszłego Stefana Wielkiego i świętego Węgier, rad bym przesunąć z roku 975 na moment o dobre kilka lat wcześniejszy. Byłby wtedy czas, wraz z decyzją o chrzcie, na logiczną decyzję, by sprowadzić do sześcio-, siedmioletniego już i ochrzczonego Waika – preceptora z Czech, innego współbohatera tej historii, już księdza, Wojciecha, syna księcia Libic,

Sławnika. Bo niby jakiż byłby sens uczonego sprowadzać do niemowlęcia?

Przyszły święty, noszący chrześcijańskie imię Adalbert, wychowywał przyszłego świętego, a jak pisał nasz historyk Węgier, prof. Wacław Felczak, księża czescy odegrali niemałą rolę w chrystianizacji węgierskiego dworu. Tyle, że wedle akceptowanych dziś dat św. Wojciech przyjąć miał święcenia kapłańskie dopiero w roku 981, mając mniej więcej dwadzieścia pięć lat. Wedle tego, co wiemy o ówczesnych obyczajach, trochę to późno jak na chłopca po siedmiu czy dziewięciu latach nauk w szkole katedralnej. Przy swoich skłonnościach mistycznych i ascetycznych zakonnikiem został zapewne znacznie wcześniej, czyli osiągnąwszy ówczesną pełnoletniość, czternaście lat, a licząc sobie lat mniej więcej osiemnaście lub dziewiętnaście pojechał koło 974 – 975 roku na Węgry kształcić Gejzowego syna. Bela-Knegini zapisała się zresztą w jego życiorysie niezbyt sympatycznie; despotyczna i krewka, doprowadziła do tego, że Wojciech ponoć dał po kryjomu drapaka spod jej ręki...

Tak czy inaczej, w ciągu zaledwie dwudziestu paru lat zachodzą w kilku krajach radykalne zmiany kulturowe. Parnicki lepiej czuł tę epokę, której niewyjaśnione związki aż kuszą do literackich supozycji – bo jeszcze przed Mieszkiem Olga, rządząca Rusią wdowa po Igorze, wielkim, legendarnym wikingu, sama przyjąwszy chrzest wschodni, wysłała jednak w roku 959 posłów do Ottona I z myślą o chrzcie Rusi w obrządku zachodnim. Nie wiemy, jakie nią kierowały rachuby – poza tym, że jednak to Rzym był stolicą Piotrową... Jeszcze w tym samym roku 959 arcybiskup hambursko-bremeński, Adaldag, którego tu już wspominaliśmy, ten sam, który ustanowił biskupstwa dla Danii, wyświęcił Libucjusza, mnicha z klasztoru św. Albana pod Moguncją, na biskupa misyjnego Rusi.

Niestety, Libucjusz nigdy nie opuścił swego kraju. I dopiero w roku 961 ruszyła z Akwizgranu do Kijowa misja, na której czele stanął kolejno wyświęcony biskup misyjny, benedyktyn z klasztoru św. Maksymina w Trewirze, Adalbert. Nic z tego chrztu Rusi wtedy nie wyszło, ale nie dlatego, że był mu przeciwny syn Olgi, Światosław, kolejny wielki wiking, zabijaka i zdobywca; Olga mogła sama podjąć decyzję wcześniej i bez niego. Jak przypuszczam, nie życzyła sobie chrześcijaństwa – drużyna, ci nienasyceni warescy rabusie i kupcy zarazem, którym do tej pory sprzyjali i pomagali starzy bogowie. Czas widocznie jeszcze nie dojrzał.

Tak samo jak w Danii. Chociaż i Harald Dobry razem z drużyną ochrzcili się przecie w swoim czasie bez żadnego przymusu. Ale drużyna z upływem lat odkryła, że nowy Bóg wcale nie jest silniejszy od tych starych, a w każdym razie nie jest jej Bogiem. Chrześcijaństwo przeszkadzało na tej jedynej drodze do bogactwa, jaką wikingowie znali, potępiało najazdy, rabunek i mord. A nie wyobrażali sobie jeszcze oni – państwa, państwa z administracją, dokumentami, podatkami, państwa, którego wzór należałoby wziąć ze świata chrześcijan, choćby z Anglii, gdzie osiadli tam pobratymcy od lat żyli w *Danelag*, czyli – po angielsku – *Danelaw*, „kraju prawa duńskiego". To się w wyobraźni drużyny Haralda jeszcze nie mieściło.

W owym roku 973, kiedy Otton Wielki zakończył życie, ruszyło z Kijowa kolejne poselstwo na Zachód. Od Światosława? Nie, wielki rozbójnik i zdobywca, pogromca Chazarów, zginął był wiosną 972 r. w zasadzce przy porohach Dnieprowych, zastawionej przez Pieczyngów. Jego matka, Olga, która próbowała kontaktów z Zachodem, też nie żyła, zmarła w roku 969. Wszelako w kategoriach moralnych i intelektualnych było to jej poselstwo. Wyprawił je najstarszy zapewne z trzech Światosławowych synów, Jaropełk, który dostał po ojcu Kijów. I sądzę, że ruszyło na wiadomość o śmierci Ottona, nie wcześniej, a więc jesienią roku 973.

Musiano wiedzieć w Kijowie, że młodą żoną kolejnego władcy chrześcijańskiego Zachodu jest Bizantynka; być może na nią Jaropełk liczył. Niestety, zawirowania ówczesnej polityki na Zachodzie spowodowały, że dopiero w roku 977 udadzą się na Ruś wysłannicy papieża Benedykta VII. Za późno: Jaropełk podjął już wtedy walkę o opanowanie całego ojcowego dziedzictwa, nie w głowie mu była przyszłość obliczana w skali historii. Stąd też dopiero w drugiej kolejności w tym powiązanym rodzinnie kręgu, bo w roku 988 – wybierając jednakże obrządek wschodni – przyjmie w końcu chrześcijaństwo w Kijowie Włodzimierz, też zresztą przez nikogo doprawdy, jak i Olga, nie zmuszany.

I tak wcześniej, niż Skandynawowie. Tym dzicy bogowie będą sprzyjali znacznie dłużej.

Tak czy inaczej, chrześcijańskie universum rozszerza się samo. I to w czasie, kiedy przewaga cywilizacyjna świata islamu jest wprost przytłaczająca, kiedy ów świat islamu nie tylko nie zachowuje się agresywnie, ale przeciwnie, utrzymuje ze światem chrześcijańskim stosunki wręcz bliskie. Bagdad wymienia z Bizancjum posłów i dary, a także – uczonych; Fatymidzi, najsympatyczniejsza z muzułmańskich dynastii, wspomogą wojska bizantyjskie i miast południowej Italii przeciw Ottonowi II; Kordowa pomaga chrześcijańskim władcom z północy Hiszpanii leczyć się i odzyskiwać utracone trony. To niedługo minie. Ale wtedy – krótko, bo krótko – tak właśnie jest.

Bez rozważenia mechanizmu tego cudu kulturowego i politycznego trudno rozumieć idee i wielkość Sylwestra II. Bo ten cud przeorał, a może nawet raczej stworzył dla nich grunt, rozstrzygając na cały już bieg historii o dziejach Europy. Europa z częścią środkową i wschodnią zjudaizowaną na sposób chazarski lub muzułmańską byłaby czymś zupełnie innym. Nie twierdzę, że gorszym. Ale z pewnością innym.

IV

Niełatwo być Ottonem, nawet Wielkim

Jest oczywiście paradoksem historii, że granica między światem, który wracał do Europy po roku 1989, przebiegała mniej więcej wzdłuż granicy sprzed tysiąca lat – na Łabie: dziś nikt już nie pamięta, że tereny byłej NRD zamieszkują zniemczeni potomkowie zasiedlających je Słowian połabskich, tych z północy, mówiących narzeczami lechickimi, i tych z południa, mówiących narzeczami serbskimi, bliskimi czeszczyźnie. Którzy, podkreślam raz jeszcze, ulegli germanizacji, a nie eksterminacji. Toponomastyka, jak zwracałem uwagę, dowodzi tego procesu w sposób jednoznaczny.

Dzisiejszy cud rozpadu imperium sowieckiego nie ma swojej pełnej egzegezy; tamten cud właściwie też. Tym bardziej że w ślad za Polanami i Waregami ruskimi pójdą Szwedzi i pójdzie też najznamienitszy, zdaniem polskiego autora doskonałej historii Anglii, Jerzego Z. Kędzierskiego, ówczesny wiking norweski, Olaf Tryggvason. Wyprzedzając chronologiczny tok naszej opowieści, podajmy tu, że Olaf Tryggvason ochrzci się sam podczas kolejnego najazdu na Anglię, potem zaś, wyzwoliwszy Norwegię od duńskiej dominacji, będzie w swej ojczyźnie szerzył chrześcijaństwo mieczem i toporem. Podobno chciał w tymże trybie schrystianizować także Islandię; wysłał tam dziarskiego misjonarza, który ponoć ukatrupił kilku urągających mu Islandczyków i wrócił ze skargą, że mieszkańcy wyspy nie chcą go słuchać – poczem Islandczycy sami przyjęli nieco później chrzest na mocy... uchwały swego *althingu*, czyli wiecu. Teza, że się przestraszyli rozgniewanego Tryggvasona, nie przemawia do mnie. Coś ich do tego chrześcijaństwa przekonało. Co?

No bo i właśnie – dlaczego w ogóle stało się wtedy, co się stało?

Dlaczego wybrali chrześcijaństwo, i dlaczego zachodnie? Dlaczego nie wschodnie, dlaczego nie islam z jego olśniewającą kulturą i cywilizacją, dlaczego nie judaizm Chazarów?

Ci, co decydowali, decydowali nie tylko o religii. Decydowali o cywilizacji, to dla mnie jest oczywiste. Co więcej, podejmowali decyzje najgłębiej polityczne, o kształcie państwa, o jego ustroju, o praktycznych krokach dla jego uformowania i umocnienia. Ciągle powielana teza, że kierowali się tylko doraźnymi kombinacjami co do związków i sojuszy międzynarodowych, pomniejsza ich decyzje. A już na Islandii w ogóle to nie mogło się liczyć.

Szukając Boga najmocniejszego, wybraliby ani chybi Allacha kalifów Bagdadu i Kordowy bądź też Boga zwycięskiego bizantyjskiego uzurpatora, Jana Cymiskesa, władcy Bizancjum, które przeżywało okres największego swego rozkwitu. Jak wiemy, przez to samo tylko, że Harald Dobry w oczach swoich wikingów przegrał, wrócili oni do swych zwycięskich bogów, budzących grozę w całej Europie, tak jak zapewne wolała zostać przy nich drużyna ruskich wikingów, Waregów Olgi w Kijowie.

Mieszko, a potem Gejza i Włodzimierz wyboru dokonywali świadomie. Wiedzieli, dlaczego chcą wybrać nowego Boga. Nie musieli. Zwłaszcza że potem nie Bazyli II, późniejszy Bułgarobójca, na ruskim Włodzimierzu, lecz Włodzimierz na nim wymusi oddanie mu za żonę, przy okazji chrztu, siostry cesarza – choć nigdy wcześniej żadna kobieta z prawdziwie cesarskiego rodu, żadna *porfirogenetka*, czyli „urodzona w purpurze" (ściślej – w Purpurowej Komnacie cesarskiego pałacu), nie poszła za cudzoziemca. A tu ją wziął jakiś poganin, zgroza! To jednak ów poganin pomógł najpierw Bazylemu uratować tron przed rywalami, poczem dla postrachu zaatakował bizantyjskie miasta na Chersonezie, na północnych brzegach Morza Czarnego. Lepiej było dotrzymać danej mu obietnicy.

To nie dobry Bóg obronił Bazylego przed rywalami – Bardasem Fokasem i Bardasem Sklerosem. Obroniły go wareskie zabijaki Włodzimierza. Mimo to Włodzimierz wybrał Boga chrześcijan, nie zaś Allacha czy Jehowę, do których miał równie blisko. Na żadne sojusze akurat nie liczył; sam się ze swoim sojuszem narzucał. A jeśli tak, to nie ma po co snuć domysłów, przeciw komu chrzcił Polan Mieszko, przeciw komu sprowadził chrześcijaństwo na Węgry Gejza, przeciw komu chrystianizowała się później Dania czy też Islandia. To naprawdę nie były decyzje z kalkulacją na kilka najbliższych lat.

Ani Mieszko, ani Gejza nie wybierali również między potęgami Kościołów. To najmniej. Kościół rzymski nie był Kościołem potęgi. Nawet się na jego świecką potęgę jeszcze nie zanosiło. I to w ogóle wtedy nie był Kościół papieski. Historia papieskiego Rzymu końca IX i całego X wieku to akurat historia najdotkliwszej degradacji papiestwa.

W 897 r. odkopano zwłoki zmarłego rok wcześniej papieża Formozusa, który naraził się protektorowi jednego z następców, bardzo lokalnemu cesarzowi, Lambertowi z rodu książąt Spoleto. Ubrano trupa w strój pontyfikalny i odprawiono nad nimi formalny sąd; oskarżono Formozusa o krzywoprzysięstwo i naruszenie prawa kanonicznego, bo zgodził się z biskupstwa Porto postąpić na tron papieski, a wedle kanonów biskupowi nie wolno było opuszczać swej diecezji; zwłoki za karę odarto z szat i wrzucono do Tybru. Tego jednak nie strzymał już lud rzymski – zbuntował się i zdetronizował Stefana VII, benedyktyna, który ten sąd odprawił, poczem tegoż Stefana w więzieniu – uduszono. Według późniejszego dziejopisa tych czasów, Liutpranda z Kremony, który notabene nienawidził rodziny książąt Spoleto, trzęsącej w X stuleciu Wiecznym Miastem, papieże sami też miewali dzieci, jak Sergiusz III, którego domniemany syn został papieżem jako Jan XI...

Epokę tę w historii Kościoła nazywa się wręcz „ciemnym stuleciem", *saeculum obscurum*, albo też *saeculum ferreum*, stuleciem bezwzględnym. Papieży osadzano w więzieniu, duszono bądź skazywano na śmierć głodową, papieże sami sięgali po przemoc i skrytobójstwo, zaś o ich wyborze decydowali wielmoże Wiecznego Miasta lub cesarze niemieckiego rodu. Legenda rzekomej Joanny-papieżycy ilustruje, co mogłoby zdarzyć się naprawdę; nie było wprawdzie żadnej „papieżycy", ale każdy absurd był możliwy. Wszak w 955 r. papieżem został... siedemnastoletni chłopak! I żeby to chociaż bogobojny!

Jego ojcem był Alberyk z owego rodu longobardzkich kiedyś książąt Spoleto, teraz już całkowicie zromanizowanych, ojciec rodu hrabiów Tusculum. Obaliwszy wszechwładzę swej własnej matki, arystokratki rzymskiej, wdowy po książętach Spoleto i Toskanii, proklamował Rzym republiką i rządził Wiecznym Miastem jako jego *patrycjusz* przez ponad dwadzieścia lat. Przed śmiercią wymusił na szlachcie rzymskiej przysięgę, że następnym papieżem wybierze jego syna, nieślubnego zresztą, Oktawiana – bo wypada nam pamiętać, że nawet formalnie to przecie nie Kościół powszechny, lecz Rzym, jego szlachta i duchowieństwo, czyli *senat* i prałaci, wybierali papieża, którego potem lud Rzymu przez aklamację akceptował.

Tak się też stało. Onże Oktawian, przybrawszy imię Jana XII, niewiele sobie robił z przykazań boskich. Wniosek brytyjskiego mediewisty, Rogera Collinsa („Europa wczesnośredniowieczna 300 – 1000"), że ów młokos popierał reformę klasztorów, ponieważ za jego pontyfikatu owa reforma na terenie Italii robiła postępy, mam, delikatnie mówiąc, za przesadny. Reforma, jeśli już, odnosiła sukcesy raczej bez niego, albo i wbrew niemu. Był za to ów Jan XII inteligentnym i bardzo zręcznym politykiem: to on właściwie wymyślił odnowienie cesarstwa Karola Wielkiego!

We Włoszech nikt nie chciał wspólnej Italii pod władzą jednego króla. *Italię* stanowiły zresztą jedynie północne ziemie pod władzą króla Longobardów, nikt nie chciał jej rozszerzenia; Półwysep Apeniński jako całość był Italią wyłącznie dla ówczesnych znawców i miłośników literatury łacińskiej. Bano się ambicji margrabiego podalpejskiej Ivrei, Berengariusza II, który uparcie chciał panować nad możliwie dużą częścią Włoch, przynajmniej tych post-longobardzkich; ze strachu przed nim hrabiowie Tusculum, którym świeżo zabrał ich własne księstwo Spoleto, umyślili ze swoim papieżem ściągnąć sobie obronę zza Alp.

Otton I już raz poskromił Berengariusza. Była to historia tyleż polityczna, co miłosna; wiadomości o spiskach przeciw Berengariuszowi, prowadzonych aż z... muzułmańskim kalifatem Kordowy są doprawdy przesadne, nie o Berengariusza w tych kontaktach akurat chodziło. Wszystko się odbyło znacznie prościej, choć w stylu epoki. Kiedy zmarł w 950 r. Lotar, król północnej Italii, syn Hugona z Prowansji, została po nim dziewiętnastoletnia wdowa, piękna i mądra Adelajda, córka władcy Burgundii. Berengariusz, zagarnąwszy królestwo, chciał ją zmusić do małżeństwa ze swoim synem, Adalbertem. Porwał ją, ale dziewczyna go przechytrzyła i w roku 951 uciekła. Zwróciła się natychmiast o pomoc – za Alpy. Otton przybył i błyskawicznie się z Berengariuszem rozprawił. Pozbawił go żelaznej korony Longobardów i zmusił do złożenia hołdu z ziem, które mu zostawił, zabrawszy mu i przyłączywszy do bawarskiego księstwa swego brata, Henryka, wschodnią Lombardię z Akwileją i Weroną. Sam jeszcze tegoż roku dał się w Pawii ukoronować „królem Italii". I – ożenił się z Adelajdą (z którą w naszej opowieści spotkamy się jeszcze nieraz).

Jednakże Otton Wielki był „królem" dla panów włoskich bardzo wygodnym: nie przeszkadzał. Nie pojawiał się we Włoszech, miał dosyć kłopotów ze swoją Północą. Teraz można go było przyciągnąć znowu na południe od Alp, kusząc tylko już koroną cesarską. A nic to nie kosztowało.

Dwudziestodwuletni, mało pobożny papież wysłał więc jesienią 960 r. posłów na północ. Otton I, rzecz jasna, przyjął pomysł ze zrozumiałym entuzjazmem.

Ten entuzjazm nie był wcale taki jednoznaczny, jakby się nam z odległości czasu wydawało. Chodziło o to, by wstąpić w ślady Karola Wielkiego, ale... Karol Wielki, jak udowodnił to niezbicie polski historyk, Henryk Serejski, wcale nie zamierzał, koronując się w Rzymie na cesarza, naśladować starożytnego cesarstwa rzymskiego. Odnosił się do niego z niechęcią, by nie rzec – pogardą; nawet strój rzymski, tunikę i chlamidę, przybrał jedynie dwa razy, i to na życzenie papieży, i tylko w Rzymie – po koronacji w roku 800 wybito w Italii denary z podobizną Karola w wieńcu laurowym na głowie, w sfałdowanej na torsie chlamidzie, spiętej na prawym ramieniu fibulą – co wiem z nieocenionej pracy naszego historyka kultury i... monety, Ryszarda Kiersnowskiego; cytuje nasz autor Karolowego biografa, Einharda, który odnotował, że cesarz „cudzoziemskich strojów nie cierpiał, choćby były i najpiękniejsze". Interesowało Karola państwo o powszechnym zasięgu, *civitas Dei* św. Augustyna, a nie Rzym starożytnych cesarzy. Był zresztą Karol patriotą frankijskim; Frankowie przebąkiwali wtedy o swym języku jako – być może – trzecim językiem liturgicznym chrześcijaństwa, nie byli przecież mniej dzielni od Rzymian!

Karol Wielki, doprawdy niezrównany przez całe stulecia pionier oświaty, interesował się rozwojem języka swoich Franków, a pamiętajmy, że było to jedno tylko z plemion niemieckich. I choć Karol popierał małżeństwa mieszane, prawa plemienne jeszcze w blisko sto lat później zakazywały Frankowi ożenić się z Bawarką czy też Saksonką!

Otton I wywodził się z dynastii książąt saskich, ludzi pod każdym względem w państwie frankońskim – nowych; owa mniszka-poetka z Gandersheim musiała z dumą podkreślać, że Bóg przeniósł „szlachetne królestwo Franków" na „sławne plemię Sasów".

Ojciec Ottona, Henryk I, zwany później Ptasznikiem, odmówił wręcz poddania się namaszczeniu i koronowaniu się w kościele; jak przypuszczał Benedykt Zientara, nie w smak było mu paść na twarz przed ołtarzem. Do mnie bardziej przemawia inna w tej sprawie sugestia Zientary: Henryk zauważył prawdopodobnie, że magia kościelnego pomazania w niczym nie pomogła jego poprzednikowi z roku Karolingów, stąd i Henryk bardziej ufał potędze ukrytej w starogermańskich kudłach swego uwłosienia i brodzie.

Dopiero Otton, już w stroju frankijskim, da się w stolicy Karola Wielkiego, Akwizgranie, w jego katedrze, na jego kamiennym tronie, namaścić i ukoronować jak władca frankijski – jednakże przy zmienionym już rytuale... I Otton nie przeoczy żadnej okazji, by podbudować swą pozycję. Korona cesarza rzymskiego, koronacja w Rzymie, były więc ogromną atrakcją – zrównałyby go z cesarzem cesarstwa bizantyjskiego.

Otton I był „wielkim", *Magnus*, już za życia, i to przed koronacją na cesarza. Już denar wybity w Strasburgu przez tamtejszego biskupa Odona IV, który bił i własne monety, nosi napis „Otto Magnus" i nie wiadomo, czy tak chciał pochlebić królowi biskup Odon, czy przypadkiem to *magnus* nie znaczyło po prostu „starszy", jako że i syn przecie był Ottonem... Prof. Kiersnowski nie wyklucza takiej możliwości, zwłaszcza, że Hugon, hrabia Paryża, książę Francji (ówczesnej Francji, małego księstwa na terenie Ile de France), którego tu bliżej poznamy, bił w swoim Étampes denary z napisem „Hugo Magnus", raczej „duży" niż wielki, dla odróżnienia się od swego syna, młodszego Hugona, więc „małego". Późniejsi kronikarze sugerują, że Hugon zasłużył na taki przydomek swoją pobożnością, dobrocią i siłą, ale te monety bił sam Hugon, jeden tylko z wielmożów państwa Franków zachodnich, i to nie najpotężniejszy, nic zaś nie zdradza bufona w człowieku, który sam zrezygnował z korony królewskiej.

Otton jednak swoją dalekowzrocznością zasłużył na miano Wielkiego. W maju 961 r., wysławszy przedtem zapewne Adalberta z misją do Kijowa, przezornie ukoronował w Akwizgranie królem swego sześcioletniego synka, Ottona II, poczem zgromadził wojska i jesienią ruszył za Alpy. Włoscy panowie poparli go i Berengariusz utrzymał pod tym naciskiem jedynie warowne zamki. Przed bramami Rzymu Otton przysiągł chronić terytorium Państwa Kościelnego i władzę świecką papieża. W zamian za to Jan XII 2 lutego 962 r. namaścił go i koronował cesarzem, a lud udzielił swemu rzymskiemu cesarzowi aklamacji. Jedno tylko się dość istotnie zmieniło: to papieże mieli od tej pory składać przysięgę wierności cesarstwu!

Dodajmy, że 12 lutego papież zaakceptował erygowanie arcybiskupstwa w Magdeburgu, na lewym brzegu Łaby, gdzie do tej pory działał tylko klasztor św. Maurycego; zobowiązał też papież pięciu innych arcybiskupów północnego państwa wschodnich Franków do wsparcia tej inicjatywy, której za żadną cenę zaakceptować nie chciał biskup z nieodległego Halberstadt, dotychczasowy kościelny zwierzchnik tego terytorium. Nie chciał – wbrew woli Ottona. Ze skutkiem: erygowanie nowej metropolii odwlekło się o kilka lat.

Po dwunastu dniach cesarz ruszył na północ; nie miał więc nawet czasu przeszkadzać. O jakiejś odbudowie cesarstwa rzymskiego nie mogło być mowy.

Porozumienie trwało niedługo; rok później owemu Janowi XII zacznie doskwierać Otton zbyt potężny. Jan XII zbuntuje się więc – pod pretekstem, że Otton kościelne terytorium egzarchatu Rawenny, odebrane Berengariuszowi, zatrzymał dla siebie. Nićmi swego spisku sięgnął Jan XII nawet za Alpy; w samym Rzymie pojawi się wręcz syn Berengariusza, Adalbert.

Jan XII przeliczył się jednak. Otton I pojawi się tu również, ale z wojskiem. Jako władca i sędzia. Przejdzie do porządku dziennego nad argumentem, że papieża, Namiestnika Chrystusowego, nie mogą sądzić śmiertelnicy; wie przecie, co to za papież. Zwoła synod i doprowadzi do sądu nad Janem XII; wyegzekwuje złożenie go z tronu, czyli *depozycję*, a potem przeprowadzi 4 grudnia 963 r. elekcję innego papieża, Leona VIII – nawet nie duchownego, bo przewodniczącego kolegium notariuszy rzymskich.

Kto mu się teraz oprze, skoro na północy Włoch wziął do niewoli samego Berengariusza? A jednak Rzym się nie podda. Szykuje się cichcem do powstania. Tylko że zwolennicy Ottona doniosą mu, co się kroi... Otton zdąży się przygotować, a nie ma żartów z tym Sasem, nawykłym do walki; w styczniu 964 r. utopi rebelię we jej własnej krwi. Dopiero teraz powróci spokojnie za Alpy, podbijać Łużyce.

Nie docenił Rzymu. Po jego odjeździe Wieczne Miasto natychmiast poderwie się znowu. Już 26 lutego Rzymianie obalą Leona i syn Alberyka wróci na tron papieski. Jaka śmierć zgarnęła tego dwudziestosześcioletniego młodziana w dwa i pół miesiąca potem, 14 maja 964 roku, historia milczy; Liutprand napisał, że zmarł na atak serca w łóżku jakiejś mężatki, ale nic nie przemawia za wiarygodnością tej relacji. Od tego, co w tym łóżku mógł robić, raczej się nie umiera; skłonny byłbym przypuścić na tej podstawie, że co najwyżej jakaś mężatka podała mu w winie mocną porcję *digitalis*, a czy w łóżku, to już kwestia domysłu złośliwego Liutpranda.

Leon VIII wrócił, ale Rzymianie wybrali na jego miejsce Benedykta V.

Próbowali jakoś nawiązać stosunki z Ottonem. Bez skutku, oczywiście. Otton wrócił, zamknięto przed nim bramy miasta. Obległ je i – zamknąwszy wszelkie dojścia – wziął głodem. Niedługo to trwało. 23 czerwca ujął Benedykta, by odesłać go na swoją północ, aż do Hamburga, na skraj cywilizowanego świata. Leon VIII wrócił na tron papieski.

Nie było mu dane długo zajmować tego tronu; zmarł w marcu 965 roku. Nie śmiałbym wyrokować, czy własną śmiercią, czy nie; powiedzmy tylko, że już wtedy uważano Rzym za stolicę mistrzów trucizny. Teraz Rzym wybierze następcę Leona już w porozumieniu z Ottonem – 1 października 965 r. zostanie papieżem biskup nieodległego od Rzymu Narni, człowiek z rodu Krescencjuszy, rywali hrabiów z Tusculum; przyjmie demonstracyjnie imię Jana XIII. Tego nie mogli znieść krewni Jana XII; szlachta rzymska zbuntowała się znowu, stanął po jej stronie nawet ustanowiony przez Ottona świecki prefekt Rzymu, Piotr. Najprawdopodobniej argumentem propagandy przeciw nowemu papieżowi był ów mocno utrwalony pogląd kanoniczny, że biskup nie powinien opuszczać swej diecezji, a zatem żaden biskup nie może zostać biskupem Rzymu. Jan XIII ledwie uszedł z rąk rebeliantów.

I Otton w 966 r. wrócił raz jeszcze. Dowódcy wojskowi buntu skończyli na szubienicach, sporo szlachty rzymskiej zesłał Otton, jak Benedykta, na północ, do Niemiec. Swego niedawnego prefekta, Piotra, wystawił pod pręgierzem, poczem odesłał na północ za tamtymi. Janowi XIII przekazał ów sporny egzarchat Rawenny, zaś Jan XIII w roku 967 koronował na cesarza, za życia ojca, jego syna, dwunastoletniego Ottona II, tak, jak przedtem koronowano chłopca królem w Akwizgranie; ojciec konsekwentnie dbał o ciągłość panowania.

Wiosną tegoż roku 967 odbył się synod w Rawennie. Bulla Jana XIII z 20 kwietnia podnosiła ostatecznie Magdeburg do pozycji metropolii z poddanymi jej biskupstwami w Hawelbergu (Hobolinie), Brandenburgu (Brennej) oraz nowymi do założenia w Merseburgu, Żytycach i Miśni.

Wniosek z powyższego, że ani Mieszko, ani Gejza, ani żaden inny władca przyjmujący chrześcijaństwo nie mogli wtedy widzieć w papieżu sojusznika przeciw komukolwiek. To papież, jeśli już można było w ogóle kogoś uwieńczonego tiarą brać za papieża, potrzebował sojuszników. Zależał od wszystkich sił poza Kościołem, najmniej akurat od samego Kościoła.

Pytanie, czy Mieszko się w tym orientował?

Otóż tak, niewątpliwie. Właśnie do takiego Rzymu udała się w roku 965 rodzona siostra „naszej" Dubrawki, Mlada, o chrześcijańskim imieniu Marii. W późniejszym czasie wstąpi ona do założonego przez św. Wojciecha zakonu w Brzewnowie koło Pragi, ale na razie jedzie do Rzymu – jako córka władcy Czech, owego Bolesława Srogiego. Spędzi tam dwa lata. Miała zapewne przeprowadzić erygowanie biskupstwa w Pradze. Tego nie uzyskała. Nieżyjący już prof. Jerzy Dowiat zwrócił wszakże uwagę na inną wzmiankę w tak rzekomo niewiarygodnej „Kronice Węgiersko-Polskiej" – o poselstwie... Mieszka do papieża Leona VIII w sprawie uzyskania korony. Do Leona VIII, podkreślmy, a nie do Jana XII czy Benedykta V. Dla mnie fakt, że „Kronika" ich nie pomyliła, broni jej wiarygodności.

Co więcej, my wiemy, że załatwiać biskupstwo należało nie z papieżem, a z cesarzem, więc już na pewno nie przez tych, których cesarz deponował z urzędu. Ba, jeszcze więcej: jakiegoś poselstwa, gdyby o nim nawet owa „Kronika" nie wspominała, powinniśmy się, sądząc po zręczności Mieszka, domyślać. Czy zaś Mlada pomogła w uzyskaniu biskupstwa dla męża siostry, władcy Polan?

W roku 968 powstanie biskupstwo w Poznaniu, biskupstwo misyjne, nie podlegające żadnej archidiecezji cesarstwa; podczas gdy Praga będzie musiała czekać. Podobno także i dlatego, że Czechy za swoją domenę uważała Ratyzbona, jej ambitny biskup Piligrim. Kiedy już w parę lat później brat Mlady i Dubrawki, Bolesław II Pobożny, uzyska zgodę Ottona I (lub też Ottona II) na biskupstwo w Pradze, zostanie ono poddane archidiecezji moguckiej. Ale to dlatego, że przecie nie Rzym, powtórzmy, ustanawiał biskupstwa, tylko cesarz. Cesarz prawdopodobnie zaś wykalkulował dla doraźnych jednak interesów, że przyda mu się pomoc lub przynajmniej neutralność Mieszka w wojnach ze Słowianami Połabia.

Wysłannicy Mieszka i Mlada poznali Rzym od najgorszej strony. Poznali słabość papiestwa. Poznali słabość Kościoła. A jednak ani Mlada nie odradziła siostrze zamążpójścia za przyszłego chrześcijanina, ani on sam nie zrezygnował z chrztu.

Czy ta historia nie prosiła się wręcz o pióro Parnickiego? I czy mielibyśmy sobie wyobrazić, że Mieszko, tak bystry polityk, nie starał się rozpoznać sytuacji i decydował, nie wiedząc, na co się decyduje?

Wybierał – i on, i Gejza – przyszłość państwa. Przyszłość państwa cywilizacji, państwa zorganizowanego. Przywiązujemy dziś niemałą wagę do pozycji, rzekłbym, ideologicznej, jaką władzy obiecywało chrześcijaństwo. Św. Paweł w liście do

Rzymian pouczał, że kto się sprzeciwia zwierzchności, sprzeciwia się postanowieniom Bożym. Kościół więc miałby gwarantować uświęcenie władzy, domniemanie Boskiej opieki nad nią, innymi słowy, prawowitość umocowaną w nadziemskim, wyższym porządku świata. Z odległości wieków to się naprawdę wydaje czymś nader ważnym, jeśli nie decydującym. Aliści to nieporozumienie: na wiek X przenosimy wyobrażenia o wiek, dwa wieki późniejsze. Wszyscy zaś ci kandydaci do chrztu doskonale, znacznie lepiej, niż stosunki w Rzymie, znali stosunki w królestwie wschodnich Franków.

W państwach Zachodu wcale władza, nawet pomazana świętymi olejami, nie wywierała na razie żadnego magicznego wpływu na innych rywali do niej lub na tych, którzy nie zamierzali się jej poddać. Nic to nie pomagało. Wszędzie do tej pory władca musiał sam być kimś rosłym i mocnym, wojem pełną gębą, jeśli nie najlepszym, to jednym z najlepszych. Dopiero teraz, w X wieku, zaczną pojawiać się władcy-dzieci, współwładcy przy swych ojcach, władcy tytularni, którym pomazanie wcale jednak nie przydaje magicznego autorytetu. Wybór go tym bardziej nie przysparzał. Hugonowi Kapetowi i jego synowi, władcom z wyboru, akurat przyjaciołom naszego bohatera, niepokorny lennik na pytanie „kto cię zrobił hrabią?", potrafił odparować zuchwale – „a kto was zrobił królami?" Charyzmy władców uczyli Europę dopiero Normanowie, którzy jednak swego konunga, jeśli nie potrafił zapewnić urodzaju i dopuścił do głodu, sami wyprawiali na tamten świat.

Mieszko, jak się zaraz przekonamy, nie mógł żywić co do władczej charyzmy żadnych złudzeń.

Ottonowi I, pochodzącemu z Saksonii, najmniej akurat rozwiniętej części Niemiec, najwięcej kłopotu sprawiali rodzony brat i wichrzyciele z kręgu saskich książątek i wielmożów.

Otton II ze swoim stryjecznym bratem miał kłopotów jeszcze więcej. Onże Henryk Kłótnik potrafił sprzymierzać się z wszelkimi dosłownie jego wrogami. Skaptować umiał przede wszystkim – Bolesława II czeskiego, którego przyszłość utytułuje Pobożnym. Podobno swego szwagra popierał w tym i Mieszko, podobno zawarli nawet z Henrykiem jakiś układ. Ostrzegł o nim Ottona II Bertold ze Schweinfurtu, głowa rodu Babenbergów, ale niewiele więcej o tym wiemy. Brak zresztą jakichkolwiek śladów aktywności Mieszka na rzecz Henryka.

Czy mam Mieszka za niezdolnego do takiej intrygi? Wręcz przeciwnie. Mieszko, a potem jego syn, będą usilnie budowali swoje związki z panami saskimi, zyskają wśród nich wielu serdecznych i oddanych przyjaciół, akurat właśnie i wśród Babenbergów. A znowuż Henryk na pewno wszędzie szukał sprzymierzeńców i mógł intrygę z Mieszkiem zawiązać, tak jak będzie ją próbował zawiązać z królami Franków zachodnich, Francji. Mieszko, dopóki Henryk wydawał się mieć szanse na tron, starał się, jak przypuszczam, nie zrazić go do siebie, obstawiał tym samym oba warianty przyszłości. Musiał zaś dbać o dobre stosunki z Sasami, bo szachował w ten sposób Słowian Połabia i Dunów.

Henryk to się poddawał, rezygnował, to znów uciekał i zaczynał od nowa. Otton II we wrześniu 975 r. spustoszył Czechy, za karę, mając już Henryka w garści; Czesi za to jesienią spustoszyli biskupstwo Passawy. Z początkiem roku 976 Henryk wymknął się Ottonowi i uciekł do Bolesława. Otton więc znowu ruszył w sierpniu 976 r., ale nic nie wskórał: armię zdziesiątkowały mu choroby, nadchodzące posiłki rozbił Bolesław. Nie bardzo udało się i następnego roku; nadomiar opowiedzieli się przeciw Ottonowi i inni możni sascy, a i Henryk, książę Karyntii, który ją dostał od Ottona, i Henryk, biskup augsburski, także nominat Ottona... Los odwrócił się od wszystkich trzech Henryków dopiero w roku 978. Przegrali i dostali się do niewoli. Przegrał i Bolesław. W Wielkanoc 978 r.

musiał Ottonowi II złożyć w Magdeburgu przysięgę wierności. Otton go jednak szczodrze obdarował, co niektórzy historycy biorą za swoisty okup za spokój od strony Czech, jak kiedyś haracz dla Węgrów; powstało też praktycznie owo biskupstwo w Pradze, dane formalnie Bolesławowi w 973 r. Otton II nie szukał, jak widać, zwady na tych azymutach. Swoją władzę zaś musiał dopiero żmudnie budować.

Ciż sami sascy pobratymcy, jak zapisał Thietmar, nie mogli później znieść obyczajów, które wskrzeszał Otton III wzorem dawnego Rzymu, a ta nie do strawienia nowość polegała na tym, że Otton III przy stole biesiadnym z nimi zasiadał sam i na podwyższeniu! Mało, będą dokładnie tak samo spiskowali dla złożenia go z tronu! I trudno przypuszczać, że Mieszko nie znał sytuacji Ottona II, jeśli wdawał się w spiski z jego przeciwnikami...

Słowem, królestwo wschodnich Franków ani ich cesarstwo, przynajmniej to Ottonów, swoim obrazem nie przyciągało do chrześcijaństwa. Nie różniło się niczym od świata pogan. Pycha, żądza władzy i chciwość były te same. I nawet nie przyodziane jeszcze w religijny frazes. Więc dlaczego?

V

Cywilizacja benedyktyńska

Przyszli władcy chrześcijańscy, znając cesarstwo Ottonów, dosyć na razie iluzoryczne, a wybierając chrześcijaństwo, wybierali jednak – organizację państwa. Chrześcijaństwo obiecywało bowiem pomoc nie tylko ze strony samej organizacji kościelnej, ale przede wszystkim – ze strony ludzi Kościoła, fachowców, by użyć tego nad miarę wyświechtanego dzisiaj terminu. Tylko z Kościoła można było pozyskać ludzi wykształconych, zdolnych formułować prawa, i to na piśmie, zdolnych prowadzić szkoły i... kancelarię, ludzi z administracyjnym doświadczeniem, lojalnych i stosunkowo bezinteresownych, a jednocześnie zainteresowanych tym, żeby się powiodło władcy szczepiącemu w swym kraju chrześcijaństwo.

Tego nie można było uzyskać od Chazarów ani muzułmanów, nawet pominąwszy trudności językowe i odmienność obyczajową. No i trudno sobie wyobrazić, by ci przyszli chrześcijańscy władcy nie orientowali się w polityce Ottona Wielkiego, który programowo faworyzował biskupów immunitetami i przywilejami – przeciwko feudałom świeckim. Biskupi mieli przejmować, formalnie lub też praktycznie, kompetencje lokalnych hrabiów. Z biskupów Otton I, ten Otton, który nauczył się czytać, dopiero mając trzydzieści pięć lat, budował oparcie dla państwa. Do zmysłu państwowego, jak widać, nie zawsze trzeba oczytania.

Doceńmy ten motyw. Kiedy Otton III i jego nauczyciel, Gerbert z Aurillac, będą w praktyce realizowali swój „uniwersalizm", będą, zmierzając w poczuciu swoich współczesnych, a także wielu współczesnych nam historyków do odbudowy dawnego cesarstwa, konstruowali swoim „przyjaciołom cesarstwa" – ich własne państwa. Oni właśnie. Będą rozdawali korony i metropolie arcybiskupie, poświadczając samodzielność i wywyższając władzę danego państwa.

To, że Mieszko, Gejza, Olaf, przyjmując chrześcijaństwo, reprezentowali wszyscy sposób myślenia, który dziś nazywamy „myślą państwową", nie budzi chyba wątpliwości. Tak samo, jak nie budzi chyba wątpliwości to, że wybrali rozwój cywilizacji, której bez chrześcijaństwa budować by się nie dało. Wytapiać żelazo, produkować broń, umieli już sami. Ale niewiele ponad to. Włączali więc swoje kraje w świat cywilizowany, świat gospodarności, umiejętności i techniki, świat czytania i pisania. Poprzez chrześcijaństwo. Były to decyzje epokowe. I zdumiewać może, jak mało doceniane. Polacy czczą namiętnie wielkiego rozbójnika, jakim był Bolesław Chrobry, Węgrzy nieomal hucznie obchodzili rocznicę podboju doliny Panońskiej, Duńczycy aż po dzień dzisiejszy dumni są ze swych wikingów – wszyscy niepomni, że Słowianie połabscy zniknęli, ponieważ zabrakło im takich mężów stanu, jak Mieszko, Gejza i późniejsi władcy Skandynawii. Bo też ci zaprawdę byli mężami stanu. I to wielkiej, sekularnej miary.

Co ci mężowie stanu – Mieszko, Gejza i inni – wiedzieli, co znali z cywilizacji chrześcijaństwa?

Łatwo domyślić się, jak poznawali jej przewagi, jeśli zastanowimy się, którędy podróżowali, oni i ich wysłannicy.

Podróżowało się wtedy od klasztoru do klasztoru. Benedyktynów, oczywiście – bo ich reguła zobowiązywała do gościnności, a „poprawek" Benedykta z Aniane, zakazujących udzielania noclegu w klasztorze ludziom obcym, nie wszędzie słuchano. I to oni, benedyktyni, stanowili siłę ówczesnego Kościoła, ba, wręcz stanowili o Kościele, jako że ogromny procent wyższego duchowieństwa rekrutował się właśnie spośród nich. Dla obrazu Kościoła jako całości tylko dlatego rozgrywki rzymskie nie miały większego znaczenia, że ten obraz kształtowali oni właśnie. Urząd Namiestnika Chrystusowego z reguły dźwigał się, ilekroć któryś z nich go obejmował. Tak było już od paru wieków. I benedyktynem był nasz bohater, Gerbert z Aurillac.

W roku 1980 upłynęło – mniej więcej – 1500 lat od urodzin człowieka, którego już 50 lat temu Pius XII, postać skądinąd niekoniecznie sympatyczna, nazwał „ojcem Europy". Św. Benedykt z Nursji swą regułą zakonną dał chrześcijaństwu zachodniemu, a i cywilizacji zachodniego świata, impuls być może decydujący. Nie był „ojcem Europy"; ten tytuł bardziej pasuje akurat naszemu bohaterowi, Sylwestrowi II (dla porządku – nie nasza epoka wymyśliła ten tytuł; „ojcem Europy", *pater Europae,* nazywali Karola Wielkiego jego współcześni). Ale był św. Benedykt z pewnością ojcem naszej europejskiej cywilizacji – tytuł dla mnie większego znaczenia, pełen większej nawet chwały.

Co więcej, trudno kompetentnie rozprawiać o Gerbercie, nie uświadomiwszy sobie, z czego wyszedł. A wyszedł z cywilizacji tegoż św. Benedykta. Jeżeli Pierre Riché ten wątek w biografii naszego bohatera pomija, to jedynie dlatego, moim zdaniem, że pisał o tej cywilizacji szeroko w innych swoich, wcześniejszych dziełach.

Czy zakon to chrześcijaństwo najdoskonalsze? Cóż, można by długo dyskutować nad tym, czy naprawdę życie zakonne odpowiada przesłaniu Jezusa, twórcy najbardziej ludzkiej ze wszystkich religii. Oczekiwał On raczej od swoich wyznawców, że będą szukali Boga w innych ludziach („to, co zrobiliście najmniejszemu z was, mnie zrobiliście"). Można też wątpić, czy chciał bezżenności i bezdzietności najlepszych, najbardziej sobie oddanych spośród swych wiernych, On, który uczył miłości do dzieci w świecie starożytnym, od dzieci się odżegnującym (już Greczynki epoki hellenistycznej ich nie rodziły, Rzymianki epoki Augusta również).

Jednakże chrześcijanie wytworzyli w sobie takie napięcie emocjonalne, oczekując na powrót Mesjasza, żyli swym Objawieniem w takim entuzjazmie, że „czystość", idea w samym założeniu judaistyczna i rzymska, nie chrześcijańska, urosła jako stan gotowości do miary stanu wyższego – i to naprawdę wcale nie z powodu domniemanych inwersyjnych skłonności seksualnych tego czy innego apostoła.

Świat starożytny w chwili pojawienia się chrześcijaństwa chorował na brak idei, na brak poczucia sensu. Chrześcijaństwo miało zresztą potężnych konkurentów w leczeniu tego psychicznego kalectwa, choćby mitraizm. Czym naprawdę zwyciężyło, nie wyjaśniono do końca; chętnie bym przypuścił, że zwyciężyło swoją urodą mądrej dobroci i wybaczania, duchem pokoju. Ale oni chcieli być godni Tego-Który-Umarł-Za-Nich-Na-Krzyżu. I przez setki lat potężną grupę najbardziej oddanych niosła wysoka fala wiary, sięgająca ekstazy.

Oczywiście, można to poszukiwanie świętości, ambicję zbliżenia do Boga i wyzwolenia z człowieczeństwa badać z pozycji freudowskich, ale najpierw trzeba zrozumieć samo już misterium doznań duchowych, związanych z wiarą w obecność Chrystusa w cienkim płatku przaśnego chleba. Tę gotowość łatwiej zaś zrozumieć, kiedy weźmie się pod uwagę, że wiara była jedyną ucieczką przed poczuciem narastającego bezsensu świata, który z wieku na wiek robił się coraz gorszy. Rozkładała się w sposób widoczny największa potęga świata. Pod naporem barbarzyńców rozpadały się miasta, zanikała cywilizacja, szerzyła się zbrodnia, gwałt i bezprawie, a w ślad za degeneracją ludzkiego świata przychodziły coraz częstsze inwazje epidemii. Świat się miał ku końcowi, nikt o tym nie wątpił. Mnisi wprawdzie nie wydawali okrzyków *mundus senescit*, jak chce Paul Zumthor, autor książek o Karolu Łysym i Wilhelmie Zdobywcy, powtarzali to raczej z melancholią, ale to, że „świat się starzeje", było jasne dla wszystkich. Dopiero druga połowa X wieku przyniosła wiarę w sens wysiłków ludzkich, w sens twórczości, wiarę niezbędną po to, by stawiać kamienne, trwałe kościoły, klasztory i zamki, wcale zresztą, wbrew Zumthorowi, nie z samych religijnych tylko pobudek. Przedtem, całe wieki, świat jedynie odstraszał, a już na pewno odstraszał – ludzi mądrych i świadomych rzeczy.

Stąd wziął się anachoretyzm, czyli odsuwanie się od świata i zamykanie w pustelniach, cenobityzm – odosobnianie się w grupowych wspólnotach pustelniczych, asceza, której treści nie muszę tłumaczyć, wreszcie monastycyzm, a więc zamykanie się w klasztorach. Jednakże mędrcy Kościoła, podkreślmy z całą mocą, nie tylko nie krzewili takiego ideału życia społecznego, ale przeciwnie, dystansowali się od niego i na swój sposób hamowali te skłonności – a musieli to robić taktownie, umiejętnie, bo przecie trudno było w kimś gasić zapał poświęcenia Chrystusowi.

Nigdy jednak nie uznano za wzór do naśladowania Orygenesa, który się w imię czystości sam okastrował. Nigdy Kościół jako całość nie poszedł w ślady św. Eulogiusza, który wzywał do męczeństwa za wiarę – kroniki muzułmańskie odnotowały, jak to święte dziewice, które Eulogiusz do niego zagrzewał, wciąż na nowo urągały Mahometowi, by je w końcu muzułmańscy sędziowie musieli skazać na śmierć; aż wreszcie emir Kordowy, Abd ar-Rachman II, wymógł na synodzie biskupów chrześcijańskich w 852 r. potępienie męczeńskich ambicji. Mordowania w imię wiary też nigdy oficjalnie teologia, nawet średniowieczna, nie uznała za sposób uprawiania kultu Jezusa.

Już reguły św. Pachomiusza nakładały wędzidła świętej przesadzie, która wiodła do absurdu, a czasem i do zboczeń. Św. Pachomiusz nakazywał swoim mnichom być sobie wzajemnie użytecznymi i pomocnymi. Ale dopiero św. Benedykt z Nursji, sam były pustelnik, zdołał ową świętą przesadę opanować i sprowadzić do wymiaru ludzkiej służby Bogu.

Mnisi jego reguły, benedyktyni, „wówczas są prawdziwymi mnichami – głosiła reguła św. Benedykta – gdy z pracy własnych rąk żyją, jak to czynili nasi ojcowie i apostołowie". Musieli pracować (ale „z umiarkowaniem, ze względu na słabych"), bezczynność stała się grzechem. „Bezczynność jest wrogiem duszy", zapisał Benedykt w swej regule (wiedział już doskonale, że z bezczynności rodzą się najbardziej robaczywe myśli; nie było tajemnicą, że podstępny szatan najgwałtowniej kusił niecnymi wizjami erotycznymi samotnych anachoretów – co tak trafnie uchwycił Anatol France w swej „Tais").

Więcej: mnisi musieli również obowiązkowo – wypoczywać. I czytać, codziennie od dziesiątej rano do południa obowiązkowo, a kto chciał czytać i podczas poobiedniej sjesty, mógł także, ale pod warunkiem, że nie będzie nikomu tym przeszkadzał. Pracowało się wczesnym rankiem, od świtu, póki słońce Południa za bardzo nie paliło. W czasie czterdziestu dni postu praca ustawała, za to każdy powinien był otrzymać wtedy jakąś książkę z biblioteki i całą w owe czterdzieści dni przestudiować.

Umartwienia brudem nie dopuszczano, bo klasztor nie mógł być oazą niechlujstwa w epoce, która kąpiel uważała za normę – wbrew temu, co wypisują nieznający epoki autorzy nam współcześni (epoka brudu zaczęła się dopiero w Renesansie z pojawieniem się chorób wenerycznych, za rozsadnik których uznano łaźnie; przedtem brud uważano za jedno z największych poświęceń i udręk osobistych!). Pycha wywyższania się nad innych zadawanymi sobie udrękami została więc opanowana; zew „białego męczeństwa" poprzez zadawane sobie cierpienia nie został regułą św. Benedykta wzmocniony. Jego Bóg wyrozumiale traktował dyzgust świątobliwych osób wobec rozpadającego się człowieczego świata, rozczarowanie wobec jego ludzkich grzechów i problemów, ale nie akceptował wychodzenia poza ramy człowieczeństwa.

Z jednym, przepraszam, wyjątkiem: winnych co cięższych wykroczeń przeciw regule karano chłostą. Skąd się w kulturze chrześcijańskiej wzięła ta dziwaczna i dosyć obrzydliwa skłonność, nigdy bliżej nie wyjaśniono. W cywilizacji rzymskiej wychłostanie człowieka wolnego oznaczało jego skrajne upokorzenie; pedagogowie rzymscy opowiadali się nawet przeciw karze bicia wobec dzieci. Okrucieństwo samo wprawdzie było aberacyjną wręcz specjalnością Rzymu, ale tradycja tego akurat wychowawczego okrucieństwa wyszła z Bliskiego Wschodu: w Starym Testamencie czytać było można, że „kto kocha syna, często go chłoszcze" (Eccl. XXX) i że „rózga i karanie dodaje mądrości" (Księga Przyp. XXVII). Jak tradycja ta przeniknęła do chrześcijaństwa, nikt nie opowiedział; w dziele Marcela Simona „Cywilizacja wczesnego chrześcijaństwa" takiego tematu w ogóle nie ma. I chyba aż po epokę Konstantyna Wielkiego, który w imię ideałów chrześcijańskich zniósł rzymskie piętnowanie przestępców, nie było.

Chłostę kanonem chrześcijańskim uczyniły stwierdzenia św. Augustyna w rodzaju: „Wiele czynić trzeba nawet względem opornych, których z życzliwą surowością karać należy, licząc się raczej z ich pożytkiem niż z ich wolą (...) Niech go boli, jeśli oporny tylko przez ból może być uleczony". Tak do religii dobroci i przebaczenia wkradły się baty jako sposób na dyscyplinę Bożą.

Sześć razów brał w niektórych klasztorach ten, kto zakaszlał przy rozpoczynaniu śpiewu, osiemdziesiąt, kto się spóźnił na modlitwy, dwieście, kto zbyt poufale rozmawiał z kobietą. A i w szkołach, tak benedyktynów, jak i katedralnych, rózgami do krwi sieczono młodzianków, aż mieli pośladki poznaczone bliznami; czasem chłostano ich regularnie, na wszelki wypadek, co tydzień, w imię Ducha Bożego, co to dziateczki rózeczką bić radził (w XIII wieku Wincenty z Beauvais spisze całą filozofię chrześcijańskiego katowania nieletnich). Być może wynikało to po części z trudności w opanowaniu małych bisurmanów i szło za daleko – bo nie sądzę, by się podobał klasztornym zwierzchnikom sadysta, który bił przyszłego św. Romualda kijem w jedno ucho, aż chłopiec na poły ogłuchnął (takiego sadystę w magdeburskiej szkole przy klasztorze św. Maurycego zapamiętał i przyszły św. Wojciech; św. Brunon, pisząc jego biografię, miał to za lekcje... poświęcenia dla wiary).

Jednego aspektu posłannictwa św. Benedykta z Nursji nie doceniamy: jego naprawdę świętego optymizmu. Wszystko się wtedy, w tych strasznych czasach, zatraca, absurd świata się zwielokrotnia, jutro może być tylko gorsze, niż wczoraj, a on każe – pracować, robić swoje. I jeszcze spuszcza baty, kiedy się nie robi, co należy...

Nic dziwnego, że przez kilka potem wieków wszystko, co najlepsze w Kościele, będzie wychodziło z kręgu benedyktynów. Począwszy od Bedy Czcigodnego i Grzegorza I Wielkiego, benedyktyna, który ich regułę spopularyzował, a kończąc na Sylwestrze II. Wychodziło też od nich to, co najlepsze w cywilizacji.

Ora et labora, „módl się i pracuj", dało ludzkości ten sam zastrzyk postępu cywilizacyjnego, co w tysiąc lat później reformacja. O ile nawet nie uznamy, że zakonne życie spełnia Chrystusowy ideał społeczny, to z pewnością był zakon benedyktynów najdoskonalszym na ówczesne warunki laboratorium cywilizacji.

Dziś umiemy docenić ich wkład w jej narodziny i postępy w wiekach średnich, co więcej, rozumiemy też – nieuchronne, a nieplanowane efekty uboczne: ich bowiem wytężona, „benedyktyńska" praca, rozwój wszelkich umiejętności i technik, gospodarność, organizacja i oświata, przy jednoczesnej skromności życia i minimalnych wydatkach, musiały – co zauważył Hipolit Taine już ponad sto lat temu – owocować akumulacją kapitału, czyli, używając ludzkiego języka, rodzić bogactwo. Kościół benedyktynów zaczął się bogacić, a i bogactwo płynęło ku niemu samo z ofiarności wiernych, właśnie ku nim, benedyktynom, którzy – wiadomo było – zrobią z tych zasobów najlepszy użytek.

Niemniej dobrobyt z upływem wieków zdemoralizował Kościół, a po części i niektóre zgromadzenia. Trudno było oprzeć się własnemu bogactwu... Wielu historyków przypisuje proces rozkładu – feudalizacji Kościoła, ale ja sądzę, że winien był dobrobyt, nie sam feudalizm. Przytoczę jeden tylko przykład, za to skrajny, ze szkiców Tadeusza Silnickiego:

„W słynnym i bogatym opactwie benedyktyńskim Farfa we Włoszech środkowych w roku 936 mnisi zamordowali swego opata za to, że chciał przywrócić porządek. Rozdzielili dobra klasztorne między siebie i żyli po dworach wiejskich w rozproszeniu, wracając tylko w niedzielę do klasztoru. Wzięli sobie kobiety i wiedli życie rodzinne na kształt panów feudalnych. Gdy w roku 947 hrabia Tusculum w celu przeprowadzenia reformy przysłał mnicha, zwolennika kierunku kluniackiego, otruli go. Główny sprawca tej zbrodni, mnich Campo, miał trzech synów i siedem córek, które wyposażył z dóbr klasztornych. Wesela mnichów odbywały się hucznie, jakby rzecz normalna i legalna".

W wielu okolicach godność opata można było po prostu kupić, patrimonia klasztorne wraz z tytułem opata monopolizowały wielkie okoliczne rody, sami mnisi okradali skarby klasztorne, sprzedawali dobra klasztoru. Ale: naprawdę nie wszędzie tak było. Zgoda, wszędzie tak być mogło i, jak widać, nikt nie miał na to sposobu. Jednakże właśnie przeciw tej zarazie doczesności podniósł się ruch reformy, ściślej – odnowy Kościoła, ruch na rzecz powrotu do pierwotnej prostoty chrześcijańskiej i czystości.

Z tego wzięło się Cluny – bunt jednak, nie ukrywajmy, również przeciwko temu, co najmądrzejsze we własnej benedyktyńskiej tradycji, przeciwko intelektualizmowi i naukom świeckim. W Cluny miała liczyć się tylko i wyłącznie służba Boża, czyli modły, liturgia i kontemplacja, aż po nieustanne milczenie. Recytowano tam w ciągu jednego dnia tyle psalmów, ile św. Benedykt przepisał na cały tydzień. Pracę fizyczną przekreślono, żyć miał zakon z tego, co ofiarują wierni. Żadnej doczesności. No, poza winem, tyle że rozcieńczonym...

Za trafnością mojego domysłu co do źródeł owego rozkładu mam argument w postaci tego, co dotknęło z latami i samą kongregację kluniatów. Na ich bogactwa i rozwiązły tryb życia pomstował z początkiem XII wieku św. Bernard z Clairvaux, cysters – bo to znowu jego cystersi powracali do skromności i pracy. Żeby się nie powtarzać, oszczędzę cytatów.

Reforma kluniacka to również był wiek X. Ale to nie on pierwszy, jak już wiemy, przekreślał i odrzucał doczesność. Taka tradycja przesycała chrześcijaństwo prawie od początku. Nieobca była i samym benedyktynom. Ci o wyższym napięciu wiary, o skłonnościach medytacyjnych i mistycznych, nie mieścili się najlepiej w regule. Wspierały ich nauki św. Augustyna, świętego intelektualisty, pełnego żaru neofity – choć i on musiał w imię zdrowego rozsądku bronić chrześcijaństwa przeciw tym, co chcieli przelicytować innych w chrześcijańskiej doskonałości (nikłe szanse na niebo, jakie mają bogacze w porównaniu z szansami wielbłąda na przejście przez ucho igielne, niektórzy pojęli tak dosłownie, że w swej niecierpliwej miłości bliźniego starali się z bronią w ręku, fizycznie, ułatwić bogaczom uwolnienie się od majątku i życia w luksusie).

Kolejny Benedykt, w swym świeckim wydaniu potężny „pierwszy minister" następcy Karola Wielkiego, Ludwika Pobożnego, Wizygot z pochodzenia, Witiza z Aniane, fanatyk dosyć ponury jak wszyscy neofici, wiedziony świętym zapałem walki z doczesnością wprowadził z początkiem IX wieku regułę obostrzoną. Nie przyjęła się wszędzie, inaczej, niż pierwotna reguła św. Benedykta z Nursji. W tym wszelako rozumieniu świata życie doczesne było jedynie przystankiem w podróży do niebios, zatem niczego, co doczesne, w tym i nauk świeckich, nie można było akceptować.

Ta druga reguła była z istoty swej anty-benedyktyńska. Za namową swego ministra-mnicha Ludwik Pobożny, dodajmy, kazał spalić zbiór germańskich pieśni bohaterskich, dzieło swojego własnego ojca, patrioty tradycji i języka Franków...

Już wcześniej fanatycy chrześcijańscy spalili niemało z mądrości starożytnych, udaremniając następnym generacjom zachowanie ciągłości umysłowej wobec antyku. Sam Grzegorz Wielki, syn arystokracji rzymskiej, były prefekt Rzymu, który, zrażony do świata, usunął się poza życie społeczne i dopiero z zakonu przywołany został na stolec Piotrowy, również okazał się takim właśnie barbarzyńcą. Spalił bibliotekę Apollina Palatyńskiego, żeby jej świeckie treści nie odrywały wiernych od rozpamiętywania wielkości Boga...

Analogiczną zbrodnię wobec ludzkości popełnił kalif Omar, dla podobnych motywów paląc bibliotekę aleksandryjską – w imię wyższości Koranu (potem, w czasach reformacji, zwolennicy Kalwina spalą w Cluny 1800 bezcennych manuskryptów).

Grzegorz Wielki za lekturę Wergilego zganił Dezyderiusza, biskupa Cahors (uwaga – Akwitańczyka, co się okaże tu bardzo ważne). Jego słynna diatryba wykluczała, by te same usta mogły chwalić Jowisza i Chrystusa. Oddajmy jednak tamtemu Kościołowi, że świętym został i Grzegorz Wielki, i ten właśnie Dezyderiusz – a Dezyderiusz jako biskup Cahors budował mosty na rzece Lot i sprowadzał do miasta kanałami wodę pitną, restaurował mury miejskie i stawiał piękne pałace...

Gdyby nie św. Grzegorz z Nazjansu i św. Bazyli Wielki, którzy dobitnie wypowiadali się przeciw niszczeniu kultury pogan i przeciw odrzuceniu spadku intelektualnego po starożytnych, nie wiedzielibyśmy nawet tego, co wiemy. I dlatego trzeba doceniać przynajmniej tę mądrość Grzegorza Wielkiego, która kazała mu czcić św. Augustyna i mistyków, ale szerzyć regułę św. Benedykta. Gdyby nie benedyktyni, gdyby nie mnisi iryjscy, też zresztą benedyktyńskiej reguły, chrześcijaństwo stałoby się, niewykluczone, grabarzem cywilizacji. Dzięki Benedyktowi z Nursji tudzież iryjskim benedyktynom stało się jej nową na gruncie europejskim macierzą. Korzystając, między innymi, z dorobku następców Omara, którzy inaczej niż on zrozumieli posłannictwo swego proroka.

Badania francuskich uczonych, Jacques'a Le Goffa, Georges'a Duby'ego i ich kolegów, uwydatniły dorobek cywilizacyjny zakonów średniowiecza. Bo zakonników angażowały nie tylko skryptoria i praca kopistów, przepisywanie setek ksiąg. Przypomnijmy, że już kapitularze Karola Wielkiego nakładały na mnichów takie zadania, jak budowa mostów i naprawa dróg pozostałych po cywilizacji rzymskiej. Nie tu miejsce na przegląd całego owego dorobku, od uprawy roli, poprzez budownictwo, młyny wodne i hutnictwo, poprzez tkactwo, garbarstwo i farbiarstwo, aż po dobrą kuchnię i hodowlę winorośli. Leo Moulin w swej książce o życiu codziennym zakonników w średniowieczu podkreśla zapał cystersów do technologii, ale ten zapał nie narodził się dopiero w XII stuleciu; to już wtedy było parowiekowym dziedzictwem. O jakiej przy tym sile dyfuzji! Wszystko, co umiano w jednym klasztorze, stawało się, mogło stać się umiejętnością we wszystkich klasztorach.

Unosimy się, i słusznie, nad pięknem Mont Saint-Michel, tego istnego cudu benedyktyńskiego świata na wysepce przy brzegach Normandii, ale udajmy się do XI-wiecznego opactwa św. Marcina, do klasztoru benedyktynów, zawieszonego na skale Canigou w Pirenejach, na skale kilometrowej wysokości – zwieńczono ją kompozycją architektoniczną tak urzekająco piękną, nawę kościoła sklepiono tak mistrzowską konstrukcją łukową z kamieni klinowych, że podziw bierze dla sztuki budowniczych. Ci artyści byli mnichami, oczywiście. Poznamy ich tutaj. Wędrownych, samodzielnych mistrzów budownictwa tamta cywilizacja jeszcze nie znała, tym bardziej że i cegłę produkowały głównie zakony. Masoneria, związki wtajemniczonych w sztukę murarską, muratorską, powstawały pierwotnie przy klasztorach.

Klasztory dawały życie naszej cywilizacji.

VI

Od bizunów do architektury

W arcyciekawej książce Leo Moulina nie ma, niestety, tego, co dla nas w życiu zakonów tamtej epoki najciekawsze, a – niecodzienne: nie ma ich życia umysłowego. A przecież owe klasztory tudzież katedry biskupie prowadziły – szkoły. I z takiej szkoły wyszedł nasz „ojciec Europy", którego Ludo Milis uznał za nietypowego dla X-wiecznego monastycyzmu.

W X wieku podobno szkoły klasztorne podupadły. Otóż tak, podupadły, ale nie z powodu laicyzacji duchowieństwa i nadmiaru bogactwa. Podupadły dopiero pod wpływem antyintelektualnych „reform" kluniackich, dopiero w drugiej połowie stulecia, i na pewno nie wszędzie. To tylko nam z odległości wieków wszystko się spłaszcza i uśrednia. Szkoły klasztorne w ogóle rozkwitły dopiero w wieku IX – papież Eugeniusz II pod naciskiem karolińskich wzorów oświatowych polecił w roku 826 zakładać szkoły w każdej diecezji i kazał przyjmować do szkół klasztornych także tych chłopców, którzy nie zamierzali wstąpić do zakonu. Z kolei papież Leon IV, któremu pamięta się wyłącznie odnowienie bazyliki św. Piotra i obwarowanie terenu przyszłego Watykanu (zwanego od tej pory *civitas Leonina*), nakazał w roku 853 uruchamiać szkoły już nie w każdej diecezji, a w każdej parafii. I nie jest prawdą, że wcześniej zastosowały się do tego zarządzenia Włochy niż tereny przyszłej Francji. Nigdzie nie było nadmiaru ludzi, umiejących czytać i pisać, ale na pewno czy to w Akwitanii, południowej części Francji, czy w Neustrii, na północ od Loary, było ich więcej niż pod samym Rzymem.

Nawet w okresie, kiedy młodszy o kilkanaście lat od naszego bohatera, kolejny wielki opat Cluny, Odilon, wypędzał wszelki humanizm z klasztorów, głosząc, że chwalić Boga trzeba tylko modlitwą, a myślenie wręcz Bogu szkodzi, kiedy więc szkolnictwo benedyktyńskie nieco przygasło, tradycja życia umysłowego bynajmniej nie uwiędła. Pierre Riché podaje *en passant* w swej książce o Gerbercie, że tych samych starożytnych mistrzów słowa, co on, aplikowały swym uczniom inne szkoły w kraju na północ od Loary (a było tam ich, co wiem z innego źródła, dwanaście). Więc może w ogóle przesadzamy z tym upadkiem? Potem zaś, w wieku XI, w dużej mierze, jak sądzę, dzięki wyniesieniu na tron papieski intelektualisty, uczonego i inżyniera w osobie naszego bohatera, owa tradycja życia umysłowego utrzyma się, dziwnie jakoś mało wrażliwa na kluniackie postulaty. Pojawią się wręcz satyry, wyśmiewające nieuctwo kluniatów.

Szkoła zaczynała od podstaw, czyli nauki czytania i pisania, oczywiście – po łacinie, czyli od jednoczesnej nauki międzynarodowego języka obcego, bo nigdzie już łacina nie była językiem dnia codziennego, nawet we Włoszech. Do tego dochodziła nauka psalmów, podstaw wiary z modlitwami i pieśniami kościelnymi. Benedyktyni przyjmowali *oblatów* („ofiarowanych"), czyli przyszłych braci zakonnych, od siódmego roku ich życia; czasem nawet i młodszych. Ci mali zakonniczkowie chodzili w sukniach zakonnych, nie mogli też klasztoru dowolnie opuszczać; w lepszej sytuacji byli pod tym względem chłopcy oddawani na nauki, ale w skórę brali tak samo jedni i drudzy... Przyszły święty, Wojciech, uciekł do rodziców – za co wziął dodatkowe, okrutne wnyki.

Mamy podstawy przypuszczać, że w świecie głębszych tradycji rzymskich bito mniej i z mniejszym okrucieństwem. Bitym trudno o wczesne wzloty intelektualne; sądzę, że w klasztorze Saint Geraud w Aurillac, czy w opactwie St. Germain w Auxerre, które też musiało jakąś rolę w rozwoju osobistym naszego bohatera odegrać, więcej uczono jednak, niż bito.

Po okresie wstępnym przychodził program „sztuk wyzwolonych", *artes liberales*. Tradycyjna wersja polska ich nazwy myli, bo w łacińskiej nazwie nie chodziło wcale o fakt „wyzwolenia" tych „sztuk", lecz o sztuki, których znajomość przystoi ludziom wolnym. Skodyfikował ich treść starożytną w V wieku rzymski prawnik z Kartaginy i nauczyciel, Martianus Felix Capella. Jego dzieło *Satyricon*, w dziewięciu tomach, nosi też tytuł - od dwóch pierwszych tomów - „O zaślubinach Filologii i Merkurego"; Apollo sprowadził w nich Merkuremu z ziemi narzeczoną z siedmioma druhnami - gramatyką, retoryką, dialektyką, arytmetyką, geometrią, astronomią i muzyką, a każdej z nich Capella poświęcił jeden tom swego dzieła. Z muzami greckimi nie miały one nic wspólnego; co charakterystyczne, „historii" wśród nich nie było.

Fantazja, sztuczność i brednie sąsiadowały w tej encyklopedii wiedzy z rzeczowymi informacjami i pedanterią. Każdą ze spersonifikowanych sztuk Capella wyposażył w jakieś symboliczne atrybuty - dialektyka dzierżyła w jednej dłoni węża, a w drugiej haczyk, by nań łowić mało sprawnych w sztuce dowodzenia. Nasza „Historia wychowania" przytacza całą przeraźliwie dętą mitologię, rozwiniętą przez Capellę wokół liczby 4. Niemniej oddać trzeba Capelli, że zrekapitulował w księdze poświęconej dialektyce podstawowe wiadomości z arystotelesowskiej logiki i że suma rzetelnej wiedzy w pozostałych księgach okazała się bezcennym skarbem dla późniejszych „ciemnych wieków". Wraz z późniejszym dziełem Kasjodora, już chrześcijanina, uczonego z dworu Teodoryka, króla Ostrogotów, *De artibus et disciplinis liberalium artium*, Capella służył podstawom edukacji przez następne tysiąc lat! Treść jej zmieniała się, jak się zaraz przekonamy, ale wyjściowe podstawy utrzymywały się te same.

Zaczynało się od *trivium*, trójdroża, jak to ładnie na polski przełożyła nasza „Historia wychowania", od pierwszych trzech z siedmiu sztuk wyzwolonych.

Gramatyka jako fundament wiedzy obejmowała nie samą tylko znajomość reguł, lecz znajomość określonych lektur i umiejętność ich egzegezy.

Dialektyka była nauką logiki, pojmowaną, zdaniem historyków oświaty, aż po czas wielkich sporów o powszechniki dosyć pobieżnie, ale, jak wspominałem, kształciła w zakresie podstaw, i to wcale solidnie. Ten ekstrakt „Organonu" Arystotelesa dawał uczniom szkół klasztornych więcej logiki, niżeli szkoła nam współczesna. Oczywiście, nauczyciele wyższej klasy posługiwali się tekstami na wyższym poziomie, choćby *Isagogą* neoplatonika z III wieku po Chrystusie, Porfiriosa – tę *Isagogę*, od greckiego *ejsagoge*, czyli „wstęp", „Wstęp do kategorii", czyli do nauki Arystotelesa o kategoriach, przetłumaczył w VI wieku na łacinę nieśmiertelny Boecjusz. A ta *Isagoga* wprowadzała pojęcia „rodzaju" i „gatunku", „właściwości" i „przypadłości" (odłączalnych i nieodłączalnych), no i „różnic", bez których nie da się poprawnie zbudować jakiejkolwiek definicji. Co więcej, już w „Isagodze" zostały postawione pytania, które zrodzą cały spór o powszechniki:

„Czy (istności myślne) bytują, czy znajdują się w samych tylko myślach; czy – dalej – bytując, są cielesne czy bezcielesne, i czy (są) odłączalne czy też bytują w przedmiotach postrzegalnych i przy nich (z nimi związane)?"

Nie jest rzeczą tych szkiców rozstrzygać, w jaki sposób

rozwinęła się później dzięki sporowi o powszechniki filozofia, jak wpłynęła logika na rozwój prawa i teologii. Czy już w Aurillac, w połowie X wieku, po Eriugenie, po jego następcach z Auxerre, młody Gerbert zastanawiał się nad owymi pytaniami, trudno nawet dociekać. Ale zastanawiał się później – czego będziemy dowód mieli w jego późniejszych rozmyślaniach matematycznych.

Dwie korekty byłego popularyzatora nauki do wiadomości z Richégo: nie nazywano wtedy jeszcze tego, czego uczono z logiki, *logica vetus*, „logiką starą", termin ten pojawi się dopiero później, kiedy Europa dotrze do całego „Organonu" Arystotelesa. Nie można też powiedzieć, że „sylogizm kategoryczny" pojawił się dopiero w epoce Gerberta – bowiem od „jeżeli każde S jest M i każde M jest P, to każde S jest P" w ogóle zaczął się sylogizm... Nie musimy szukać chwały Gerberta jako nauczyciela w takich przewagach. Dość, że sam uczył się więcej i więcej sam uczył niż nasze szkoły.

Trzecia ze „sztuk" *trivium* to *retoryka,* za czasów rzymskich traktowana jako trening do uczestnictwa w życiu obywatelskim. Wedle historyków oświaty opierała się na lekturach tekstów literackich, zarówno poezji, jak prozy wielkich rozpraw i prac historyków. Wtedy, w interesującej nas fazie średniowiecza, sprowadzano ją ponoć do umiejętności kancelaryjnych, a więc pisania pism urzędowych, listów, protokołów, dokumentów. Ale to nieprawda. Być może nie wszystkie szkoły posługiwały się *Topikami* Cycerona, jednakże te szkoły, które z nich korzystały, przyswajały swym wychowankom umiejętności, jakich uczeń nam współczesny nawet nie liźnie.

Cyceron opracował swoje *Topica,* jak sam twierdził, z pamięci, na domiar pospiesznie, co się odbiło na jakości wykładu, dla swego przyjaciela Trebacjusza, który nie mógł znaleźć nikogo, kto by coś na ten temat wiedział; ale punktem wyjścia mogły być tylko „Topica" Arystotelesa, czyli wykład sztuki prowadzenia sporów, dyskutowania i dowodzenia. Tego uczyli się Rzymianie i tego uczyli się uczniowie szkół klasztornych – jeśli tylko retoryki dawano, jak należało. Kwalifikacje intelektualne młodych ludzi po tych szkołach, ich sprawność myślową po takiej edukacji, możemy doprawdy oceniać bardzo wysoko. A już wtedy czytelny musiał być kontrast między ich kwalifikacjami umysłowymi a poziomem przeciętnego ówczesnego wikarego z parafii, który nie próbował nawet wygłaszania kazań i ograniczał się do liturgii, bo tylko jej mógł się nauczyć...

Teraz – *quadrivium*. Składały się na nie arytmetyka oraz geometria i astronomia, tudzież – muzyka, ale w wielu szkołach dołączano do nich podobno medycynę i architekturę.

Większość szkół tego okresu ograniczała się jednak w ogóle do dwóch tylko pierwszych „sztuk". A już mistrzowie medycyny czy też budownictwa przekazywali swe umiejętności w normalnym trybie nauki rzemiosła, uczniowie im po prostu asystowali w ich praktyce, tak jak się to robiło poprzednie tysiące lat i jak będzie się robiło przez następne tysiąclecie; jedyna wtedy szkoła medycyny w Europie zachodniej działała we włoskim mieście kupców i żeglarzy, Salerno.

Quadrivium samo zaczynało od arytmetyki, potrzebnej tak dla obliczeń kalendarza, jak dla nauki geometrii tudzież astronomii, nie mówiąc już o teoretycznych podstawach muzyki. Swoją drogą, ta geometria... Zdawałoby się, temat prosty i oczywisty, ale humanistom naszej epoki sprawiający kłopoty nawet w swej właśnie najprostszej postaci.

Starzy historycy oświaty, jak nasz Antoni Karbowiak, mało wiedzieli o gospodarce benedyktyńskiej; podobnie – cytowany tu już angielski autor, James Burke. Ten, o dziwo, we wstępie do swej książki dziękował znakomitemu historykowi nauki, Crombiemu, który chyba jej... nie czytał, bo gdyby czytał, paru sformułowań na pewno by nie zaakceptował!

Karbowiak był przekonany, że geometria „nie miała dla kleru żadnego większego praktycznego znaczenia" i że zamiast niej uczono głównie – geografii, głównie o ziemiach ze Starego Testamentu, nieco kosmografii i trochę historii naturalnej, czyli wiedzy o przyrodzie. U Burke'a zaś stoi, że „odrobina matematyki zawarta w *quadrivium* zdawała się zbyt niestrawna, by można się nią było posłużyć w praktyce" (tłum. K. Środa). Nawet Pierre Riché zawierzył tym stereotypom, informując swoich czytelników, że ówczesnym budowniczym wystarczała „geometria praktyczna" i znajomość spopularyzowanego na nowo w karolińskich czasach Witruwiusza.

Tymczasem geometria to przecie – po prostu – „mierzenie ziemi", czyli – miernictwo. I tego na co dzień potrzebował każdy klasztor. W naszej nauce pokutuje teza, że ziemi dawne rolnictwo nie mierzyło środkami właściwymi geometrii, że powierzchnię gruntów szacowało się wyłącznie ilością potrzebnej pracy (ile można w jeden dzień zaorać) lub ilością wysianego ziarna. Nasza encyklopedia podaje serio, że angielski akr to było pierwotnie tyle, ile można było zaorać w ciągu dnia parą wołów!

Snadź historycy, którzy w to wierzą, nigdy nie byli przy żadnej orce – para mocnych wołów ciągnie pług na normalnej glebie uprawnej z szybkością, średnio, kilometra na godzinę, co daje na akr osiem do dziewięciu godzin pracy (jeśli się woły w trakcie pracy na pół godziny dla odpoczynku wyprzęgnie), podczas gdy w początku sierpnia od świtu do zmroku mamy godzin piętnaście, zwykle zaś orano w trzech turach, rannej, obiadowej i wieczornej. Akr był, jeśli już, normą; nikt nie mówi tylko, dla jakich narzędzi... Żeby akr obrobić radłem, wtedy jeszcze powszechnym, trzeba czasu, lekko licząc, dwa razy tyle i i nie jednej pary wołów.

Około roku tysięcznego w „Colloquies of Aelfric", serii dialogów zapisanej w benedyktyńskiej klasztornej szkole w angielskim Winchester, chłop-poddany narzeka, że musi od świtu zaorać każdego dnia „akr lub nawet i więcej", a jeszcze musi przedtem lemiesz do pługa żelazny założyć, potem woły nakarmić, napoić i wynieść spod nich gnój z obory. Ale jest on chłopem bogatego pana, ma już dzięki temu pług, z żelaznym lemieszem, podczas gdy przygniatająca większość europejskich oraczy morduje się radłem lub sochą. Tak więc nie wiem, jaką skalę roboty odmierzano akrem.

Podobnie normą raczej, niż miarą, musiała być niemiecka „morga", rzekomo od *Morgenland*, powierzchni gruntu, dającej się zaorać w ciągu dnia – akurat jeszcze mniejsza. W średniowiecznej Nadrenii liczyła podobno około 0,31 hektara, zaś w Lotaryngii 0,34 hektara, czyli wymagała dnia ciężkiej pracy radłem. Ta pierwotna morga w ciągu stuleci urosła – może dzięki pługowi – do blisko 0,6 hektara. Ale, tak czy siak, należało ją – odmierzyć. Krokami, kijami długości sążnia, sznurem. Bo nie robotą!

Franciszek Bujak, polski historyk gospodarki, sam znający wieś z autopsji, bo ze wsi pochodził, twierdził, że *łan* czyli obszar ziemi pozwalający się utrzymać rodzinie, odmierzano w Polsce geometrycznie także i przed kolonizacją na prawie niemieckim, podczas gdy jego polemista, Franciszek Piekosiński, podkreślał wyłącznie agronomiczno-społeczny charakter pierwotnego łanu małopolskiego; w naszych czasach Witold Kula w swych „Miarach i ludziach" przyznawał rację Piekosińskiemu. Tymczasem – powtórzę – każdy nadział, jeśli go już dokonywano, jeśli własność jakichś gruntów nie była rzeczą tradycji lub karczunku przez jakąś rodzinę, trzeba było jakoś wymierzyć. Jakimiś niestabilnymi, nierównymi, przybliżonymi jednostkami miary, choćby krokami, ale – wymierzyć. Później w osadach zakładanych u nas na prawie niemieckim dzielono grunty wedle określonych, regularnych figur geometrycznych i nadziały nie mogły przekroczyć z góry określonej miary. Mapy tych osad i ich ziemi zasadniczo różnią się swym geometrycznym porządkiem od bezładu podziału ziemi w dawnych wsiach polskich. Co potwierdza wniosek, że ziemię tę – mierzono.

Podejrzewam, że „łan" jako miara powierzchni przed kolonizacją na prawie niemieckim w ogóle na ziemiach polskich nie był potrzebny, bo każdy miał, ile wykarczowała przez pokolenia jego rodzina. Przyszedł do nas dopiero z osadnikami mówiącymi po niemiecku, od, jak twierdzą historycy naszego języka, *lehn*, lenna. Łan „frankoński", „niemiecki", miał swoje określone wymiary – takie jak na ziemi Franków, tam zaś je miał od paru już wieków.

Mnisi X wieku potrzebowali geometrii nie tylko dla pomiaru i nadziału gruntów uprawnych czy lasów. Bardziej w budownictwie, gdzie z doskonałą precyzją wyznaczało się przecie odległości, kąty i krzywizny. Budownictwo studiowali u starożytnego mistrza Witruwiusza, który uczył wyznaczania proporcji. I nie ma jakiejś „geometrii praktycznej" bez podstaw teoretycznych; techniczne środki, ułatwiające praktycznie pomiar czy wyznaczenie kątów, bez minimum wiedzy teoretycznej nie mają sensu.

Z „Historii kultury bizantyjskiej" Hansa-Wilhelma Haussiga dowiedzieć się można rzeczy dla każdego technika oczywistych: budowniczowie kościoła św. Zofii (dziś meczetu Hagia Sophia) w Bizancjum VI wieku, Izydor z Miletu i Antemiusz z Tralles, byli wybitnymi matematykami, Izydor wręcz jej także nauczycielem. I nie trzeba było w X wieku „połączonymi wysiłkami warsztatów Włoch, Hiszpanii i Francji" odkrywać na nowo konstrukcji sklepień, jak opisywał to Paul Zumthor, wystarczyło przyswoić sobie wiedzę i umiejętności już dostępne, w mauretańskim świecie Hiszpanii lub wśród bizantyjczyków na południu Włoch. Zwłaszcza że w Rawennie stał na miejscu wzniesiony przez Bizantyjczyków słynny kościół San Vitale...

Budowniczymi byli już pierwsi opaci Cluny. Ale mistrzostwa doszli architekci z pokolenia uczniów naszego bohatera. Gozlin, nieślubny syn Hugona Kapeta, Gozlin, który być może uczył się pod ręką Gerberta – będzie budował opactwo Fleury nad Loarą. Później trochę pojawi się Morart w Saint-Germain-des-Près, a w Saint-Hilaire w Poitiers – Gauthier. I łatwo odróżnić mistrzów od ambitnych fuszerów: fuszerom te sklepienia z reguły się waliły dla zbyt małych oporów. Ci wielcy zaś nie tylko pokonywali rozpór boczny sklepienia murami wielkiej grubości, ale potrafili z czasem zastępować wielkie masy muru dowcipnymi, własnymi już rozwiązaniami – pogrubiali w określonych miejscach opory na zewnątrz „lizenami", pionowymi pasami muru wystającymi nieco z lica ściany, wzmacniali opory belkami bądź zmniejszali rozpór boczny, podnosząc łuk sklepienia aż do ostrołuku. Bez ich myśli konstrukcyjnej nie szukano by dalej, a bez tych poszukiwań nie narodziłyby się cudowności gotyku; niestety, nie ma ich we wspaniałych szkicach Georges'a Duby'ego „Czasy katedr. Sztuka i społeczeństwo 980 – 1420". Bo nie miało być w tej epoce ludzi wielkich umysłów, a tym bardziej – matematyków.

Matematyka była; musiała, jak widzimy, być. Nie mogło się bez niej obejść. I nie brakowało matematyków. Korespondencja zaś Gerberta świadczy, że geometria tego czasu wznosiła się na coraz wyższe piętra abstrakcji – ciągle jednak przydatnej praktyce.

Swoją drogą, kwestionując miernictwo benedyktynów, ignorujemy pewne szczególne dziedzictwo myśli chrześcijańskiej, spadek po jeszcze starożytnej, pitagorejskiej, a potem neoplatońskiej – mistyce liczb. Św. Augustyn w pewnym przemilczanym swoim traktacie, o którym zaraz tu będzie mowa, a także w innych, poszukiwał modułów doskonałych, muzyka i architektura były dlań siostrami, zrodzonymi przez liczby. Eriugena twierdził za nim, że architektura, jak i muzyka, powstaje z modułów i proporcji doskonałych, na których opiera się budowa wszechświata...

Dodajmy tu, że i wielki Boecjusz, któremu wszystko jawiło się jako różne postacie liczb, żywił do architektury ten sam stosunek, co św. Augustyn: artysta, który projektuje budowlę, jest jak władca, a murarze są jak niewolnicy, którzy muszą władcy słuchać. I to jednak oni raczej, św. Augustyn i Boecjusz, kształtują chrześcijański stosunek do sztuki budownictwa, a nie Izydor z Sewilli, jak chce Enrico Castelnuovo, nie Izydor, dla którego architekt to i projektant, i murarz. Ci muratorzy, którzy w późnym średniowieczu zostaną artystami, być może nie studiowali św. Augustyna i Boecjusza, ale tym bardziej nie czytywali Izydora...

Z powyższego wiemy teraz, że na podstawach matematycznych opierano i muzykę. Człowiekowi naszej epoki wyda się to pretensjonalnym absurdem ciemnych wieków. Tymczasem chodziło o potrzeby zgoła praktyczne! Obliczało się relacje między wysokością dźwięków na monochordzie – monochord było to pudło rezonansowe z napiętą na nim struną, opatrzoną przesuwalnym siodełkiem, sławny zaś, starożytny traktat geometryczno-akustyczny Euklidesa, *Katatome kanonos*, „Podział monochordu", uczył, jak obliczać liczbowy stosunek interwałów i dzielić tę strunę na odcinki odpowiadające wysokości dźwięku.

Nie była to wcale próżna, teoretyczna zabawa: starożytne szkoły pitagorejczyków, zwanych *kanonikami*, uznających wyższość matematycznego *kanonu*, i *harmoników*, którzy kierowali się wrażliwością słuchu, różniły się w oznaczaniu tych wysokości i w efekcie niektóre tony różniły się między sobą. Dopiero w epoce Bacha, więc w XVIII wieku (!), poradzono sobie z tymi rozbieżnościami ostatecznie.

Kiedy czytamy u Gerbertowego ucznia, Richera, że we współczesnej mu *Galii* muzyka była całkowicie nieznana, też musimy to rozumieć we właściwy sposób. Bo to wcale nie znaczy, że nie umiano śpiewać i nie śpiewano. Uczono śpiewu na pamięć, rejestrując tylko teksty i *neumy* (zaraz wyjaśnimy, co to); każdy klasztor kopiował antyfonarz gregoriański, czyli zbiór melodii kościelnych, jak je podobno uporządkował i narzucił Kościołowi Grzegorz Wielki.

Od czasów Karola Wielkiego, który popierał jego reformy, śpiewano w całym państwie Franków i wszędzie uczono śpiewu, a więc muzyki, zaś w klasztorach wręcz śpiewano obowiązkowo. Karolowi Wielkiemu przypisywano autorstwo *Veni Creator*, a że sam śpiewał, to i niewykluczone, że udatnie też komponował...

Ze starych „Dziejów muzyki francuskiej" Andrégo Coeuroy dowiedziałem się, że kompozytorem był i wielki opat Cluny, Odon, że król Robert Pobożny, uczeń Gerberta, „osobiście przewodził ćwiczeniom śpiewaków swojej kapeli", a „komponował sekwencje i responsoria, z których *Veni Sancte Spiritus* nie straciła nic ze swego powabu i jeszcze dzisiaj wydaje się w swoim rodzaju arcydziełem". Tyle że nie spotykało się naonczas żadnych wybitnych znawców teorii.

Materiału do znawstwa w tym zakresie nie brakowało. Klasztory miały w swych bibliotekach i ten z woluminów św. Augustyna, o którym wiadomość znaleźć można tylko u historyków muzyki – bo wielki mistyk w sześciu księgach swej *De musica* wyłożył zasady prozodii i rytmiki dla śpiewów kościelnych. Przepisywano i teoretyczne dzieło Boecjusza, jego pięć ksiąg *De institutione musica* lub też Kasjodora *Institutiones musicae*, jedne i drugie oparte na starych Grekach.

Ostatni teoretyk muzyki pierwszego tysiąclecia, autor pierwszego na terenie przyszłej Francji traktatu o harmonii, mnich Hucbald z Saint-Amand, który zyskał sławę niemal równą Boecjuszowi, zmarł jednak w roku 932. Wydawało się snadź, że nie ma już w muzyce nic do zrobienia; i dopiero Gwidon z Arezzo w XI wieku wymyśli – idea prosta, jak wszystkie wynalazki – linie, pozwalające w notacji rozróżniać wysokość dźwięków. Bo właśnie tego przed Gwidonem nie umiano...

Pismo nutowe chorałów gregoriańskich, czyli te *neumy*, znaki neumatyczne, wyznaczały tylko jakby kierunek melodii, jej wznoszenie się i opadanie, a także odstępy rytmiczne; wysokość trzeba było pamiętać, pilnując się ewentualnie monochordu. Potem ułatwiło ten wysiłek pamięci pojawienie się na Zachodzie Europy – organów, pierwotnie przez Kościół w liturgii zakazanych (i słusznie: organy, wyręczając gardła ludzkie, kładły kres powszechnej muzykalności ludów chrześcijańskich).

Pierwsze organy przybyły na dwór Pepina Małego, świeżo koronowanego przez papieża Stefana II królem – z Bizancjum, w roku 757. Przysłał je synowi frankońskiego pogromcy Arabów bizantyjski pogromca Arabów, cesarz Konstantyn V, skądinąd fanatyczny wróg malarstwa religijnego, ikonoklasta, czyli obrazoburca. Zapewne muzyka, jego zdaniem, trafniej oddawała niewyobrażalność Boga, którego nie wolno było sprowadzać do ludzkich wymiarów ani obrazami ani rzeźbami. I myślę, że poprawnie odgaduję ten sposób rozumienia Boga, bo w kilka wieków później, z końcem XII wieku, dla Alana ab Insulis, czyli Alaina z Lille, ze sławnej szkoły w Chartres, Bóg będzie to *architectus elegans*, który swój pałac-kosmos wznosi z doskonałych matematycznie modułów dźwięków muzyki... Czy nie było w tym trochę racji? A jeśli nie racji, to wyższej doskonałości w uwielbieniu Boga?

Organy, szczęśliwie dla muzyki wokalnej, nie rozpowszechniły się szybko. Nie tak łatwo było je zbudować – ale jak wieść niesie, Ludwik Pobożny, syn Karola Wielkiego, lubującego się, jak już wiemy, w muzyce, zbudował podobno w kościele w Akwizgranie organy hydrauliczne. Nie był wynalazcą; Ktesibios z Aleksandrii skonstruował pierwsze organy wodne 700 lat przed nim; niemniej Ludwik musiał się tego – nauczyć. Nasz bohater, dodajmy tutaj, umiał to również.

Nie sądzę, naturalnie, by matematyczne podstawy muzyki i chóry benedyktyńskie przywabiały kandydatów do chrześcijaństwa. Ale już geometria fachowych budowniczych należała z pewnością do tych przewag cywilizacji, które chcieli swoim krajom przyswoić pionierzy chrystianizacji Polski, Danii, Węgier czy Rusi. Być może dla nich była to nawet, obok pisania i czytania, przewaga podstawowa.

I z tej cywilizacji, wbrew naszemu lekceważeniu dla niej, mógł wyrosnąć nasz bohater, ojciec Europy, Gerbert z Aurillac – Sylwester II. Myślę, że powyższe uzupełnienie biografii z książki Richégo coś jednak tłumaczy.

VII

Młodość nierozszyfrowanego geniusza

Był geniuszem – niezależnie od swych idei politycznych, dla których się nim zajmujemy. Był geniuszem na skalę taką, że i w naszych czasach budziłby zdumienie. Takiej wszechstronności i dzisiaj musielibyśmy ze świecą szukać. A być może ten rodzaj geniuszu miał wpływ na jego twórczość w sferze idei. Gerbert z Aurillac reprezentował ów typowo inżynierski stosunek do świata w każdym jego wymiarze – łatwo przechodził od teoretycznych rozważań i wniosków do kroków praktycznych, i to przechodził szybko, a zdecydowanie.

Skąd się wziął, z jakiej rodziny? Na pewno nie był synem wieśniaka z Prowansji; polski historyk emigracyjny, Witold Dzięcioł, w swej bardzo zresztą źródłowej, ale nie za dokładnej pracy, nie podaje, gdzie mu tę Prowansję wyszperał (jak się okaże jednak, nie bezzasadnie!). Wedle tradycji Gerbert urodził się w Belliac, osadzie blisko Aurillac; Riché nie podał, że kroniki Aurillac notują inną też wersję jego imienia – Gerlent. Podał za to, że aż cztery generacje arystokratycznej rodziny z Carlat w pobliżu Aurillac nosiły imię Gerbert. Podał również, za jakimś kronikarzem rzymskim z XIII wieku, że ojciec Gerberta nosił imię Agilbert, tyle że Riché nie wiedział, skąd ów kronikarz to imię wziął...

Zaraz wyjaśnię, dlaczego, moim zdaniem, żadna z wersji imienia Gerberta nie wyklucza takiego początku kariery życiowej chłopca, jaki zachowała dla nas tradycja – w roli pasterza, którego inteligencją zainteresował się przejeżdżający opat klasztoru.

Pokazywano w parę wieków później chałupę, krytą słomą, w której miał się przyszły papież urodzić. Otóż nie wyobrażajmy sobie pastuszka z XIX wieku, pilnującego, by uboga żywina ojcowa nie poszła w szkodę. Ówczesny pasterz to nie dziecko. Chłopiec pilnował raczej ojcowego stada; oczywiście, z konia i pod bronią, czyli z łukiem i włócznią, bo inaczej nie byłoby po co strzec bydła w tamtych czasach – trzeba je było chronić przed złodziejami i wilkami. Należy zatem sądzić, że był to syn jakiejś rodziny rycerskiej, w najgorszym razie nienajbogatszej (dwór kryty słomą był czymś normalnym w Polsce szlacheckiej XIX wieku). Jednakże musiało być czego pilnować. I nie przypadkiem Richer, uczeń Gerberta, napisze potem, że jego mistrz pochodził „z rodziny akwitańskiej"; ówczesna terminologia nie odniosłaby pojęcia *familia* do chłopów. Sam Gerbert, jak cytuje Riché, pisał po objęciu stolicy arcybiskupiej w Reims do biskupa Strasburga:

„Wyznaję, powiadam, że nie wiem, dlaczego z pominięciem ludzi bogatych i wyróżniających się znakomitością swego nazwiska (rodziny) wybrano biedaka, wygnańca, którego nie mógł wesprzeć ani jego ród, ani fortuna".

Rozszerzę tu z odległości półtora tysiąca kilometrów i tysiąca lat informacje Richégo. Otóż Carlat leży o dziesięć kilometrów od Aurillac, w centrum Karladów (Carlades), małej krainy, właściwie – krainki między rzekami Cère a Lot, którą jako *viguerie*, czyli terytorium podlegającym sądowemu namiestnikowi króla, rządził wicehrabia Karladów, zależny od Owernii. Pierwszym takim wicehrabią, około roku 900, był Bernard, syn – uwaga! – Gerberta. Miał z żoną Bertildą syna, któremu dano imię – Gilbert, czyli jak to zapewne wtedy brzmiało – Agilbert. Ten Agilbert I z żoną Agnieszką mieli syna, który został następnym wicehrabią Karladów, Agilbertem II. Agilbert II, poślubiwszy Nobilie, pannę z rodu wicehrabiów Lodève, nabył wicehrabiostwo Lodève, sto kilometrów na południe, na południowym stoku Sewennów, już w Langwedocji. Nie dorobił się męskiego następcy; jego córka Adela wyszła około roku 1050 za Berengera, czyli Berengariusza, z Milhaud, a ich syn został – Gilbertem III. I tu trafimy na Prowansję, ponieważ Gilbert III, ożeniwszy się z Gerbergą, spadkobierczynią pierwszej linii hrabiów Prowansji, został panem Prowansji – tyle że dla nas grubo za późno.

Prawdopodobnym ojcem naszego bohatera był wedle mego obliczenia ów Agilbert I, syn Bernarda, pierwszego wicehrabiego Karladów, a wnuk Gerberta. Chłopca odesłano zapewne do klasztoru, by nie dzielić schedy po ojcu. W słowach samego Gerberta pobrzmiewa jakiś dramat rodzinny, ale na pewno nie kogoś z rodziny chłopskiej. Syn chłopski nie pisałby o wsparciu ze strony rodu i fortuny... Chłop zresztą mógł być w najlepszym razie biedakiem, ale nie – wygnańcem. Chłopską rzeczą była naonczas w razie represji śmierć, a i ten „wygnaniec" brzmi jak figura przenośna, literacka, nie dosłowna; faktyczny wygnaniec nigdy by się tym w onych czasach nie chwalił, wygnanie poza swoją społeczność było jedną z kar nieprzynoszących zaszczytu. Łacina nie znała pojęcia „wychodźstwa", emigracji; jest w niej tylko banita, wygnaniec, wywołaniec – *exsul*. „Wygnać" Gerberta mogła tylko jego własna rodzina, jak przypuszczam – rodzony starszy brat, ów Agilbert, Gilbert II...

Przyjrzyjmy się samemu opactwu Aurillac nad rzeczką Jordanne, dopływem Cère. Już ono było czymś szczególnym. Ufundował je – u stóp swego rodzinnego zamku – zacny hrabia Aurillac, Gerald, postać w swych cnotach chrześcijańskich zupełnie jak na ówczesne rycerstwo wyjątkowa; sam nawet jeździł do Rzymu prosić papieża o opiekę nad klasztorem. Zmarł w roku 909 w wieku lat czterdziestu paru, *in odore sanctitatis*, jako dobroczyńca Kościoła, i pozostał obecny w Aurillac na zawsze – już jako święty Gerald. Jego figura, naturalnej wielkości, wznosiła się na ołtarzu w kościele opactwa; Georges Duby cytuje w „Historii kultury francuskiej" opinię z początku XI wieku, zanotowaną przez *Franka* z północy kraju, gdzie rzeźby jako sztuki nie znano – „wszystkim wieśniakom, którzy patrzyli na nią (tj. figurę), wydawało się, iż na nich spogląda przenikliwym wzrokiem i blaskiem oczu odpowiada z większą dobrocią na modlitwy" (tłum. H. Szumańska-Grossowa).

Dopiero w rok po śmierci Geralda powstało Cluny, przyszła stolica ruchu odrodzenia chrześcijaństwa, z fundacji zresztą księcia Akwitanii, Wilhelma Pobożnego. Kolejny opat Cluny, Odon, miał przybyć do Aurillac w roku 925 dla modłów u grobu świętego i przyjąć opactwo do kongregacji kluniackiej (tu już pierwsza niejasność, bo Odon ponad wszelką wątpliwość został opatem Cluny po Bernonie dopiero w roku 927); na prośbę opata z Tulle spisał żywot Geralda, rycerza wzorowego, który właściwie był świątobliwym mnichem już jako wojownik, zanim wyrzekł się życia doczesnego i wstąpił do zakonu.

Nie zajmowalibyśmy się owym Geraldem aż tak szczegółowo, gdyby nie fakt, że w tej Akwitanii zarówno święty, jak i sam Gerbert, nosili imiona germańskiego pochodzenia. Imiona to były, co Riché jako wzorowy patriota francuski przemilcza, po jakichś rycerzach frankijskich: *ger*, *gar* to w staro-germańskim oszczep, włócznia, główna broń wojenna starych Franków obok topora i miecza; drugi człon imienia Geralda bierze się z *waltan*, panować, zaś imienia naszego bohatera – od *brecht*, jaśniejący, słynny, wyróżniający się. Druga wersja jego imienia zawiera też człon rdzennie germański, *lent*, od staro-wysoko-niemieckiego *lant*, jak dzisiejszy *land*, ziemia, rola, pole, kraj. W tym kontekście domniemane imię Gerbertowego ojca też brzmi logicznie – pierwszy jego człon pochodzi bowiem od staro-wysoko-niemieckiego *agin*, miecz.

Te imiona same niosą informację dość zasadniczej wagi. Frankowie podbili Akwitanię z Owernią przeszło czterysta lat wcześniej. Ale już w drugiej połowie VI wieku (!) ludzie z arystokratycznych rodów Owernii obsadzili niemało pozycji w państwie i kościele Franków; jak pisze nasz Zientara (nie Duby), z czasem „możni pochodzenia rzymskiego przyjmują germańskie imiona i przestają wspominać o swym senatorskim pochodzeniu". Potwierdza ten proces imię Geralda. Potwierdzają też imiona Agilberta i Gerberta. Lud natomiast w tych stronach mimo setek lat współżycia nie zalecał się do byłych zdobywców. Co nie przeszkadza, że wszyscy razem, ta frankizująca szlachta i wieś, będą dla tych z północy – „Rzymianami", pełnymi poczucia wyższości i odrębności, i że pozostaną nimi aż po wiek X. Dla samych siebie – też.

Ale też to był rzymski świat i w sensie dosłownym, fizycznym: same drogi południowej Galii (centrum Galii w czasach rzymskich było Lugdunum, Lion, a nie Lutecja, czyli przyszły Paryż) zaświadczały o tej rzymskiej inności – w II wieku po Chrystusie Fulwiusz Flakkus i Postumus Albinus położyli tu, w późniejszej Langwedocji, setki kilometrów niezwykle trwałych *voies ferrées*, dróg „utwardzonych", nie do zdarcia tłuczniówki, z grubych ziaren żwiru i kamyków, ubitych mocno w warstwie piasku. Jak porządna to była robota, niech nam uświadomi fakt, że przez tyle wieków te „drogi utwardzone" skutecznie opierały się działaniu deszczów.

Taka droga, jeśli dobrze odczytałem mapę w nieocenionej książce Adriany Rosset o drogach i mostach średniowiecza, wiodła i przez Aurillac, choć nie był to szlak pielgrzymek do hiszpańskiego sanktuarium św. Jakuba w odległej Compostelli; tu w X wieku pielgrzymowano do grobu św. Geralda. Nie znamy dokładnie ówczesnych szlaków handlowych, a to one również, obok pielgrzymek, decydowały o takich inwestycjach; na innej mapie, w dziele Duby'ego, są tylko szlaki najruchliwsze. Dbali tutaj o drogi i mosty, oczywiście, mnisi, bo to im, i to jeszcze Karol Wielki, zlecił ich konserwację i budowę.

Pomniki wiedzy i umiejętności tych mnichów znajdujemy także poza głównymi drogami. Jak wiemy, nie brakowało pomiędzy nimi wysoko kwalifikowanych techników, by nie rzec – geniuszy budownictwa, akurat w epoce Gerberta, choć duch i litera zasad Cluny takie zajęcia podobno wykluczały.

Nie kto inny, a tutejsi benedyktyni postawili nieco później, w XI wieku, ów cudowny klasztor na skale Canigou w Pirenejach i oni przerzucili w roku 1035 przez rzekę Tarn w Albi, niedaleko Tuluzy, piękny most, z ostrymi łukami, na potężnych, kilkumetrowej grubości filarach. Rozpiętość jego przęseł sięgała od dziesięciu do piętnastu metrów, nad filarami most dźwigał jeszcze sklepy i magazyny kupieckie. Rzym tutaj, innymi słowy, istniał nie tylko jako przeszłość, ale jako praktyczne umiejętności dnia bieżącego.

Dodajmy pewien inny, zwykle przemilczany szczegół – w niedalekiej Tuluzie mieściła się pierwotna stolica państwa Wizygotów, którzy stąd, z ówczesnej południowej Galii, podbijali Półwysep Pirenejski, a ci Wizygoci, zetknąwszy się bliżej z cywilizacją rzymską, nie tylko nie chcieli jej zniszczyć, ale sami się programowo romanizowali. W wieku XX wywołało to pogardę wielkiego hiszpańskiego krytyka społeczeństwa masowego, Jose Ortegi y Gasseta; widocznie pod urokiem jakichś rosłych, zdecydowanych blondynów z Północy, Ortega y Gasset w swojej książce *Espana invertebrada* (Hiszpania bez stosu pacierzowego) potępiał Wizygotów – „Germanów zdeprawowanych rzymskością".

My tym Wizygotom oddajmy, że pierwsi po upadku cesarstwa zachodniego pomyśleli o rekompilacji prawa rzymskiego, wcześniej od samego Justyniana. *Lex Romana Visigothorum*, z roku 506, z czasów króla Alaryka II, pozostaje ich niedocenionym, a niewątpliwym intelektualnym pomnikiem chwały. Tym bardziej że skodyfikowali prawo rzymskie już pod naporem kolejnych dzikusów, Franków; wedle Ortegi y Gasseta, dopiero Frankowie, „plemię harde i pełne witalności", stworzą idealne w pojęciu Ortegi społeczeństwo zhierarchizowane, z elitami – podczas, gdy zromanizowani Wizygoci nie dali Hiszpanii, na jej nieszczęście, „kręgosłupa" elit. My odnotujmy, że dali jej za to w niecałe 150 lat później kolejny zbiór praw, *Fuero Juzgo, Forum Iudicium*, opracowany pod auspicjami króla Chindasvinta – co tylko przedłużało, wedle Ortegi, dogorywanie form kulturowych, życia już pozbawionych.

Ten wtręt był nam potrzebny tutaj nie dla uzupełnienia Richégo ani dla sporu z elitaryzmem Ortegi; wiemy z niego, że dawna Galia południowa pod władzą Wizygotów starała się pozostać rzymska także w życiu umysłowym, nie tylko murarskim.

Nie znamy daty urodzenia Gerberta. Riché ma to za dowód plebejskiego pochodzenia, ale takie same kłopoty są z datami urodzin ludzi znakomitych ówcześnie rodów; oni, jak się tu okaże, w ogóle nie za bardzo datami się przejmowali.

Co do naszego bohatera, podaje się rok 940, ba, nawet 930... Podaje się też okres między 940 a 945, a także rok 945 i rok 950. Pierre Riché cytuje wszakże dwie nader ważne informacje, pozwalające w przybliżeniu datę ustalić. Po pierwsze, Gerbertowy uczeń, Richer, podał, że jego nauczyciel i mistrz w 967 r. opuścił klasztor w Aurillac, będąc „młodzieńcem", czyli, że wedle tradycyjnej klasyfikacji nie skończył wówczas jeszcze lat dwudziestu jeden. Z kolei w roku 997 Gerbert mówi sam o „swojej starości", czyli że musiał mieć lat co najmniej pięćdziesiąt. Wolno więc nam przyjąć, że nasz bohater urodził się „około" roku 947.

Jeżeli tak, to – sądząc po wieku, w jakim skończy nauki w opactwie St. Geraud – oddano go do zakonu dość późno;

nie możemy wyrokować, czy tradycja mówi prawdę o spotkaniu chłopca z opatem Geraldem z Saint-Cère, który przejął rządy w Aurillac po opacie Adraldzie w roku 960, ale siedem lat nauk w szkole klasztornej do roku 967 to akurat tyle, ile trzeba, tyle, ile wówczas w szkole spędzano.

Przypuszczam, sądząc po owym imieniu, że Gerbert jakieś nauki wstępne odebrał jednak w domu i że, co więcej, już ktoś w domu spostrzegł niezwykłość jego talentów. Tradycja mówi, że chłopiec obserwował gwiazdy; talenty w zakresie nauk ścisłych, jak i w technice, manifestują się wcześnie i musiały też bardzo wcześnie objawić się w jakichś Gerberta chłopięcych wyczynach technicznych – nie zdarza się bowiem, by talent mechanika-konstruktora dał o sobie znać dopiero po dwudziestce. Może wręcz zainteresowano nim opata z lęku, by te zdolności nie obróciły się przeciw starszemu bratu, który – jak przypuszczam – pozbył się go z domu?

Rozwijał się nasz bohater wszechstronnie. Jak wiemy od Richera, młody Gerbert studiował tu, w Aurillac, literaturę klasyczną, a nie wiedzę techniczną, tu, jak napisał Georges Duby, „na skraju schronienia owerniackiego, gdzie wspomnienia rzymskie, bezpieczne od najazdów i nazbyt uciążliwych panowań, przechowały się w stanie bardziej żywym" (tłum. j.w.). Przechodził po prostu kurs „gramatyki" i „retoryki", ale wiemy od Richégo, że pod ręką mistrza.

Imię tego mistrza, Rajmunda z Lavaur, przytoczy później sam, i to z wyrazami najwyższej wdzięczności. Z czego wynika, że późniejszy gust literacki i nacisk Gerberta na studiowanie literatury łacińskiej w ramach „retoryki" nie był jego nowatorskim pomysłem, lecz dziedzictwem intelektualnym Aurillac. Pierre Riché przypuszcza, że już tutaj zetknął się z wiadomościami o postaci, która będzie jego wzorem życiowym, czyli o Boecjuszu, logiku i filozofie z VI wieku; popiera to przypuszczenie informacją, że w tym czasie niedaleko, bo w Périgord albo w Limousin, powstał poemat o nim; jednakże i „dialektyka" w *trivium* mogła już dać Gerbertowi pierwszy kontakt ze swym przyszłym duchowym mistrzem.

Przyszły św. Wojciech spędził na takich naukach w szkole katedralnej w Magdeburgu pod mistrzem Otrykiem dziewięć lat, odebrawszy wcześniej podstawowe nauki w domu rodziców od zaproszonych na ich dwór księży. O Gerbercie wiemy, że na lata 967–970 pojechał dla dalszych nauk z zakresu *quadrivium* – lub raczej dla ich rozszerzenia – do klasztoru Vich (czyt. Wik) w północnej Katalonii.

Myślę, że Gerbert, jak sugerują dzieła Duby'ego i Richégo, mógł się wiele nauczyć w samym Aurillac i że atmosfera, sprzyjająca nauce, panowała, mimo Cluny, i tam, i w wielu innych klasztorach z terenu przyszłej Francji. A panowała dlatego, że panowała od dawna, od czasów Karola Wielkiego.

To przecież na dworze Karola Łysego, króla Francji, wtedy – państwa zachodnio-frankońskiego, pojawił się w roku 840, a raczej w roku 845, dla kierowania szkołą pałacową ów Johannes Scotus, Jan z Irlandii, którego zwiemy Eriugeną, trzydziestoletni filozof, który tak pobudził do myślenia współczesne sobie umysły. Potępiały go kolejne synody, potępiały jednak tylko za określone „błędy", za odrzucenie predystynacji podwójnej, i do zbawienia, i do potępienia. Wcale nie za całość poglądów i koncepcji, zawartą w głównym jego wykładzie nauki chrześcijańskiej, *De divisione naturae*. Ich konsekwencji współcześni swymi umysłami nie ogarniali. Oto, dla przykładu, wedle Eriugeny platońskie idee nie tylko istniały same dla siebie, ale istniały pierwotnie w stosunku do indywiduów, egzystujących fizycznie, namacalnie, widzialnie, będących czymś pochodnym, wtórnym – co rzekomo podważało... wiarę w istnienie Trzech Osób w Trójcy Świętej. Nie znano wtedy na Zachodzie pism i rozpraw greckich Ojców Kościoła; Eriugeny – nie zrozumiano. W jego systemie Bóg stworzył świat z pomocą „idei", owych bytów myślnych, a za pośrednictwem Chrystusa wracały one do Boga. Dopiero w parę stuleci później, przy tej samej niewiedzy, odkryje się w trybie kolejnych wnioskowań i przekształceń logicznych, że koncepcje Eriugeny prowadzą do utożsamienia Boga ze światem; wtedy będzie się już wyklinać „panteizm" Eriugeny, paląc wszystko, co napisał i co po nim z niego przepisano. Jednakże wcześniej, pokolenie tuż po nim, nastąpi Eryk z Auxerre i jego uczeń, Remigiusz z Auxerre, zmarły w roku 908, obaj uczący w szkole tamtejszego opactwa St. Germain, świętego Germana, kontynuatorzy Irlandczyka.

Eriugeny teologowie do dziś nie zrehabilitowali w pełni, prawdopodobnie z braku czasu. Ale przynajmniej historycy Kościoła uznali, koniec końców, potępienie go za bezpodstawne. Eriugena, swoją drogą, nie miał jednak szczęścia i do nowożytności. W XIX wieku dyskwalifikował go wybitny historyk niemiecki, Heinrich von Sybel, notabene zarazem – konserwatywny polityk (wedle niego rozbiory Polski były potrzebą Niemiec!):

„Okres ten nie posiadał żadnej idei osądu historycznego, żadnego poczucia rzeczywistości historycznej, żadnego śladu krytycznej refleksji. Zasada autorytetu, która bez żadnych ograniczeń rządziła w dziedzinie religijnej, broniła całej tradycji tak samo jak tradycyjnego dogmatu. Wszędzie ludzie byli bardziej skłonni wierzyć, niż badać, wszędzie wyobraźnia panowała nad rozumem".

To o czasach tego filozofa potępionego właśnie za krytyczną refleksję, właśnie za podważanie tradycji, właśnie za użytkowanie rozumu...

Zacytowałem opinię von Sybela z „Rozwoju myśli społecznej od wiedzy ludowej do socjologii" (tłum. J. Szacki, B. Szacka, A. Molska, J. Possart) Howarda Beckera i Harry'ego E. Barnesa, bo dwaj Amerykanie sami uzupełnili jeszcze tę opinię epitetami, nazywając Eriugenę jednym z „żałosnych towarzyszy muzy Klio", jednym z „naśladowców Orozjusza i Kasjodora"! Z czego prosty wniosek, że ani von Sybel, ani oni w ogóle Eriugeny nie czytali i, co gorsza, nie czytali niczego o nim...

Na temat Eriugeny stoi u naszego niezastąpionego Władysława Tatarkiewicza w jego „Historii filozofii":

„W epoce niemowlęctwa nauki ten subtelny filozof był zjawiskiem prawie niepojętym (...). W epoce, która co najwyżej umiała encyklopedycznie zestawiać skromne wiadomości naukowe, był jedynym umysłem o aspiracjach systematycznych i zdolnościach spekulacyjnych".

O tych dwóch z Auxerre, o Eryku i Remigiuszu, świetny polski historyk filozofii średniowiecza, Zdzisław Kuksewicz, napisze znów, że w ich dziełach pojawi się nowa problematyka wyprzedzająca swój czas, „problematyka powszechników, zawierająca zagadnienie przedmiotu poznania ludzkiego, jego wiarygodności i podstaw, a będąca owocem studiów tekstów logicznych Arystotelesa oraz komentarzy Boecjusza".

Ich dziedzictwo nie zamarło, skoro żyło po wiekach; chyba jedynie utaiło się w klasztorach X wieku, być może z lęku przed ryzykiem potępień, a być może tylko wręcz pozornie – jako że brakuje nam dowodów rzeczowych w postaci rękopisów. Bo ów Boecjusz ze swymi traktatami logicznymi będzie podstawą nauk naszego bohatera. I wielkie idee polityczne Gerberta z Aurillac – Sylwestra II byłyby nie do pomyślenia, gdyby umysł ich twórcy nie miał za sobą gimnastyki umysłowej szkół klasztornych i katedralnych ówczesnej Francji.

Powtórzę: szczególna musiała panować atmosfera w tym opactwie Aurillac, skoro młodego zdolnego człowieka wysłano, by się kształcił dalej w innym klasztorze, i to na pogranicze z cywilizacją islamu. Opowiem najpierw, jak do tego doszło wedle przekazów tradycji, czyli – głównie – Richera, Gerbertowego ucznia. Uzupełnię je potem istotnymi danymi, które zgromadził Pierre Riché.

Do Aurillac zawitał hrabia Barcelony, Rajmund, czyli – po hiszpańsku już – Ramon, Borel, postać w pełni historyczna. Opat klasztoru zapytał go ponoć, czy Hiszpania ma jakichś ludzi nauki. Kiedy hrabia przytaknął, opat poprosił go, by zechciał zabrać ze sobą za Pireneje pewnego młodego niesfornego mnicha, pragnącego się nauczyć wszystkiego, co można, który swoim lekceważeniem ignorancji swoich współbraci wzbudził ich przeciw sobie irytację. I Borel zabrał młodego Gerberta ze sobą.

Pierre Riché ustalił nie tylko to, kto uczył Gerberta w Aurillac. Również i to, że nie mamy żadnych dowodów, by Gerbert sprzeciwił sobie braci z klasztoru św. Geralda. Utrzymywał z nimi zawsze serdeczne stosunki; jako człowiek dojrzały objawiał im wdzięczność, a nawet, rzekłbym, synowską czułość. U Richera stoi, że hrabia Borel zabrał Gerberta „za zgodą braci".

U Richégo Borel pisze się – Borrel. Zapewne pisano go i tak, i tak. Wiek? U Richégo nie ma nic o tym. Wedle moich obliczeń (Borel, jak znalazłem, zmarł w roku 1018) do Aurillac przyjechał rówieśnik Gerberta. Miał w niedalekim sąsiedztwie poślubić Ledgardę, córkę hrabiego Rouergue'u, Rajmunda Ponsa.

Katalonia w owych czasach była bliższa Akwitanii niż północ przyszłej Francji, i to nie tylko w sensie czysto geograficznym. Resztki dawnej Marchii Hiszpańskiej Karola Wielkiego należały wprawdzie formalnie jako lenno do królestwa zachodnich Franków, czyli *Francji,* ale ta, podobnie, jak w Akwitanii, nie miała tu nic do powiedzenia. Żony i wzory życiowe brało się z Akwitanii. Jeździli mnisi do królów z północy, kiedy chodziło o jakiś przywilej, którym by się można wylegitymować przed miejscowym hrabią czy księciem, bo rzymska sztuka prawowania się nigdy tu nie zanikła, ale nie bierzmy tego za jakieś poczucie więzi czy łączności. Takie same dokumenty załatwiało się i w Rzymie; każde ich źródło było dobre, gdy chodziło o interesy.

Temu chłopakowi, jak i jego współczesnym, nie brakowało energii, ambicji i rozmachu. Potomek rodziny rządzącej hrabstwami Katalonii, połączy te kilka hrabstw swoich kuzynów pod swoją władzą. Jego dziadek, Guifred, tytułował się księciem; Rajmund, objąwszy hrabstwo w roku 950 jako dziecko, rewindykował dla siebie tytuł książęcy, niemniej historia widać mu go nie uznała, bo wszyscy piszą o nim per „hrabia" – mimo całej dla niego sympatii.

Młody mnich w roku 967 pojechał z nim i jego dworem – do Katalonii. Czy rzeczywiście tylko do Katalonii? A właśnie...

Pozostaje tajemnicą, skąd wzięła się wszechstronność zainteresowań Gerberta. Riché na ten temat milczy. Ale też literatury „technicznej" Zachodu X wieku na razie nie odkryliśmy.

U historyka techniki, Sprague'a de Camp'a, znalazłem, że niejaki Erakliusz napisał dzieło „O sztukach Rzymian", w sto lat zaś później mnich niemiecki, Teofil, na podstawie tegoż dzieła i innych źródeł, napisał był traktat „o sztukach rozmaitych", gdzie obok przepisów alchemicznych znajduje się jednak mnóstwo praktycznych i rzeczowych informacji na najrozmaitsze rzeczywiście tematy, od sporządzania farb i wytopu szkła aż po budowę organów czy też odlanie dzwonu.

Nieco więcej wiedział „stary" Franz Maria Feldhaus, wielki niemiecki historyk techniki. *De coloribus et artibus Romanorum* Herakliusza było akurat późniejsze, bo z roku 994; nie zawierało niczego o charakterze mechaniczno-technicznym. Teofil zaś żył około roku 950 w Kolonii, był najwybitniejszym spośród techników swego czasu, a pisał o praktycznych umiejętnościach w służbie potrzeb kościołów.

W rzeczywistości pierwszy traktat dotyczył malarstwa i kolorów, a *Teofil* to był pseudonim mnicha-artysty i technika, imieniem Roger, z początku dopiero XII wieku – co wyjaśnił Enrico Castelnuovo, który jego pasjonujące zresztą dzieło, rodzaj artystycznej autobiografii, z wieloma przepisami technicznymi, sam czytał.

Wszystko, co umiano wtedy na Zachodzie, umiano prawie anonimowo, i wszystko to pozostawało w tyle za techniką Bizancjum i krajów islamu. Nie żebym lekceważył ówczesne budownictwo czy np. sztukę konstrukcji organów: aż trudno pojąć, jak oni potrafili wydobyć takie bogactwo dźwięków przy tak prymitywnych środkach, z tymi rurami wydmuchowymi w szyi skóry baraniej, z tymi drewienkami u rozciętego zadu, które zwierane i wpychane w miech wyciskały powietrze...

Umiejętności to były rzadkie i graniczyły z czarami (pamiętajmy, że kowal w wielu kulturach ludowych będzie równoznaczny z czarownikiem aż po nowożytność). Sami technicy byli rarytasem. Feldhaus opowiada, jak w ostatnim dziesięcioleciu X wieku opat Gozbert z bawarskiego klasztoru Tegernsee u stóp Tyrolu przez trzy lata szukał jakiegoś mistrza, co by mu odlał dzwon; dopiero biskup tej diecezji, z Freising, znalazł mu w końcu jakiegoś kleryka, który to potrafił. Poznamy tu innego wybitnego technika i artystę, który jako biskup został jedną z najwybitniejszych postaci stulecia, ale na pewno Zachód Europy onego czasu nie był ojczyzną techniki. Dlatego, nim spróbujemy dociec, jak nasz bohater próbował urządzić Europę, warto szukać odpowiedzi na pytanie, gdzie i jak dojrzewał brat Gerbert z Aurillac, ojciec Europy, dla współczesnych i potomnych – jak pamiętamy – groźny czarodziej.

VIII

Po co tam pojechał, co stamtąd przywiózł

Klasztor Vich wznosił się – i wznosi aż po dzień dzisiejszy – za Pirenejami, wtedy – w hrabstwie Barcelony; samo to hrabstwo było, jak wiemy, pozostałością po Marchii Hiszpańskiej Karola Wielkiego, lennem królestwa Francji na terytorium północno-wschodniego skrawka Katalonii. Samo Vich leżało w dawnym hrabstwie Ausone, jednym z hrabstw, które podporządkował sobie Borel. Na zachód od ziem jego hrabstwa rozciągało się na dalszym szczątku owej Marchii Hiszpańskiej chrześcijańskie królestwo Aragonii, ale już dwadzieścia – trzydzieści kilometrów od samej Barcelony rządził arabski kalifat Kordowy. Vich było więc swoistym oknem cywilizacji benedyktynów na kwitnący i wspaniały świat muzułmański.

Rządził tu biskup Vich, Hitto vel Hatto (Pierre Riché podaje tę drugą wersję), wedle Richera – sam podobno biegły matematyk. Pod jego opiekę oddał młodego mnicha Borel. W klasztorze Gerbert studiował zgromadzone tam rękopisy, uczył go też hellenista Miro Bonfilla, kuzyn hrabiego Borela, sam z innej, hrabiowskiej rodziny, późniejszy, od 971 r. biskup pobliskiej Gerony.

W samej już Barcelonie, odległej o kilkadziesiąt kilometrów, uczył Gerberta duchowny z tamtejszej katedry, tłumacz arabskiego dzieła na temat astrolabium, *De astrologia*, Sunifred Lobet, z którym nasz bohater się zaprzyjaźnił.

Przekładano wówczas teksty arabskie na łacinę, jak zwraca uwagę Minois, dość masowo; zacytuję – „w klasztorze Ripoli (u Richégo – Ripoll, jak na mapie) doliczono się dwustu manuskryptów przetłumaczonych na łacinę przez przybyłych z południa mnichów mozarabskich. Jedno z najpiękniejszych dzieł zawierało rozprawy z arytmetyki i astronomii" (tłum. A. Szymanowski). To ważne, bo dowiadujemy się dzięki temu, że Katalonia była na bieżąco z arabskim postępem nauk w Sewilli, Kordowie i Toledo – autor „Dziejów Arabów", Philip Hitti, podaje, że intensywne studia nad astronomią podjęto w kalifacie Kordowy od mniej więcej połowy X wieku!

Jedno zaś pewne: dla współczesnych Gerberta, a już zwłaszcza dla tych w Katalonii, w Vich, Ripoll, Barcelonie czy Geronie, nie ulegało wątpliwości, że Arabowie górowali nad *Latins*, Łacinnikami, we wszystkich dziedzinach wiedzy.

Pierre Riché nie wierzy w XI-wieczne informacje Ademara de Chabannes, kronikarza młodszego od Gerberta zaledwie o pokolenie, że nasz bohater podjął podróż do muzułmańskiej Kordowy. Podkreśla, że chrześcijanie z Północy na dworze kalifa byli na ogół wysłannikami oficjalnymi, których uwierzytelniały odpowiednie dokumenty.

To prawda, wymieniano posłów dość często. Ale ja trafiłem na takiego wśród nich, który był uczonym i w Kordowie znalazł się akurat dla celów naukowych, przy tym bardzo wcześnie: Filip Hitti za średniowiecznymi źródłami niemieckimi pisze o zakonniku z Lotaryngii, późniejszym opacie klasztoru w Gorze, Janie, którego w roku 953 wysłał do Hiszpanii Otton Wielki, zaś ów Jan siedział w Kordowie aż trzy lata (!) i, nauczywszy się prawdopodobnie arabskiego, przywiózł ze sobą na północ spory pakiet rękopisów.

Wedle tego, co zanotowała tradycja francuska, nie było jasne, czy przed Gerbertem arabscy nauczyciele mieli jakichś łacińskich uczniów; Gerbert uchodził za pierwszego. Brzmiało to wiarygodnie, ale we Francji po prostu nie znano źródeł spoza jej terenu; Gerbert, jak już wiemy, nie był ani pierwszy, ani jedyny.

Naszemu młodemu mnichowi starczyłyby zresztą listy polecające od hrabiego Borela, a przecie w ogóle nie musiał szukać awansów na dworze kalifa. Ciekawiła go raczej sama Kordowa, jej uczeni i jej księgi. Chrześcijan zaś tam nie brakowało.

Owi tamtejsi chrześcijanie z obyczaju byli już Arabami, przejąwszy kulturę arabską i cywilizację; zwano ich właśnie mozarabami, od arabskiego *musta'rib* (jak określano tych, co się zarabizowali). Tworzyli w państwie kalifa Kordowy odrębną warstwę społeczną, dość samodzielną, a samorządną. Mieli prawo sami karać swoich przestępców; tylko w sprawach zagrożonych karą śmierci decydował muzułmański kadi. Między światem zaś muzułmańskim i chrześcijańskim kursowali bez ograniczeń, najlepszy dowód, że tylu mnichów mozarabskich wędrowało do klasztorów hrabstwa Barcelony. Podróż z nimi na terytorium kalifatu nie powinna była naszemu bohaterowi nastręczyć większych trudności.

Wszystko wskazuje na to, że w odróżnieniu od miast arabskiego Bliskiego Wschodu nie wymagano tu, przynajmniej za al-Hakama II, legitymowania się przy wjeździe do miasta. Innymi słowy, przybysz z północy mógł tu poruszać się dość swobodnie, wyróżniając się na tle wyrafinowanej elegancji warstw wyższych tego społeczeństwa jedynie swoim burobrązowym habitem. Ale i tutaj spotykało się osobników ubranych tak skromnie jak benedyktyn z dzikich krajów Północy.

Tradycja powiada, że Gerbert „bez większych skrupułów" uczęszczał na nauki do arabskich nauczycieli w Barcelonie, a być może w Sewilli i Kordowie. W Kordowie zaś żył i pracował najwybitniejszy ówcześnie uczony arabskiej Andaluzji, pochodzący z Madrytu, al-Madżriti, starszy prawdopodobnie od Gerberta (choć zmarły po nim, około 1007 r.), a jak przypuszczam – już otoczony sławą, bo talenty matematyczne objawiają się wszak bardzo wcześnie.

Abu al-Kasim Maslama al-Madżriti zyskał, co wiemy z Hittiego, honorowy tytuł-przydomek *al-hasib*, „matematyk", ponieważ w matematyce był zaiste *imamem*, autorytetem. Był autorytetem geometrii jako miernictwa i równie dobrze – trygonometrii i astronomii: to on skorygował i opublikował *zidż*, tablice planetarne, po wielkim Chorezmijczyku, al-Hhwarizmim, z pierwszej połowy IX wieku, z pierwszymi arabskimi tablicami sinusów i tangensów. Nie on zaś jeden w Andaluzji brylował w matematyce i astronomii; w Kordowie, Toledo i Sewilli było takich więcej. Notabene dzięki temu, że wschodnio-arabską literę *dżim* wymawiali oni tutaj jak „g", nie mówimy dziś *aldżebra*, tylko *algebra*, od ich *al-gabr*, operacji przekształcenia przez uzupełnienie, dokonywanej na równaniu z jedną niewiadomą.

Z Hiszpanii, ściślej – z jej świata arabskiego, moim zdaniem, a nie z samej Katalonii, przywiózł nasz bohater to, co samo przysporzy mu podejrzeń o konszachty z diabłem – matematykę i astronomię.

Nie mamy pewności, czy trzy dzieła, które zachowały się w późniejszych odpisach i które w 1899 r. wydał w Berlinie N. Bubnow jako prace matematyczne Sylwestra II, odpowiadają dokładnie temu, co napisał sam autor. Ale pewne jest, że późniejsi kopiści średniowieczni przypisali je naszemu bohaterowi, w tamtej zaś epoce historia matematyki nie spotkała żadnego innego poza jego uczniami i korespondentami Europejczyka, któremu by można je przypisać.

Tak więc spod jego pióra wyszły *Libellus de numerorum divisione*, „Książeczka o dzieleniu liczb", i *Regula de abaco computi*, „Zasady liczenia przy pomocy abaku". Tyle wiem z prac znakomitego historyka matematyki średniowiecza, Rosjanina Adolfa P. Juszkiewicza; Pierre Riché podaje też inny tytuł – *Regulae de numerorum abaci rationibus*, prawdopodobnie inny tytuł tego samego rękopisu.

Abak odgrywał ówcześnie ogromną praktyczną rolę w... handlu. Drewniana deska z kilkoma kolumnami wyżłobionych dziewięciu zagłębień, wynalazek jeszcze starożytny, podobno – Pitagorasa, umożliwiała posługiwanie się systemem dziesiętnym – w pierwotnej wersji abaku kładło się w każdej kolumnie, odpowiadającej kolejno jednościom, dziesiątkom, setkom, tysiącom itd., tyle kamyków, ile wymagała dana cyfra (zero oznaczało się, zostawiając kolumnę pustą). W czasach, gdy nie znano cyfr, które zwiemy „arabskimi", kiedy nie znali ich jeszcze sami Arabowie, abak pozwalał liczyć szybko, pomijając zapis cyframi rzymskimi czy też zapis literowy (bo używano do tego i liter greckich), w którym notowano tylko wynik.

Na temat abaku nawet historycy matematyki podają czasem informacje nie całkiem pewne; solidna historia abaku jest dopiero do napisania. Nasz bohater pierwszy opisał cyfry zachodnio-arabskie, zwane *gubar* (nasze cyfry są podobniejsze do nich niż do cyfr hinduskich), opisał je zaś sto lat po najwcześniejszych rękopisach mauretańskich, w których je współcześni nam uczeni znaleźli. Samo słowo *gubar* wiedzie się od piasku, pyłu, z czego nasi uczeni wywnioskowali, że abak był gładką deską, posypaną piaskiem, w którym kreśliło się znaki cyfr lub kładło kamyki. Ja myślę, że owo *gubar* ilustruje geograficzny szlak abaku z Bliskiego Wschodu do hiszpańskiej Mauretanii, czyli że po prostu kupcy arabscy kreślili kolumny abaku, a potem pisali cyfry lub kładli kamyki – na piasku. Pisać bowiem na desce z piaskiem, nawet w wyżłobionych kolumnach, po prostu się nie da; efekt jest sam przez się tak niepewny, że w handlu nie do pomyślenia. Próbowałem przed laty z kolegami i nikogo bym nie namawiał...

Najstarsze w europejskim rękopisie cyfry *gubar* znaleziono w księgozbiorze klasztoru Albeldo koło Logronio, na terytorium królestwa Nawarry, też pozostałego po Marchii Hiszpańskiej Karola Wielkiego, w rękopisie datowanym na rok 976. Z czego wynika, że nie znaleziono ich w Ripoll ani w Vich. Skoro tak, mamy prawo wnioskować, że nasz bohater poznawał je u źródła – wśród Arabów.

Uczeń naszego bohatera, autor „Historii Francji", Richer z Reims, odnotował, że jego mistrz nie posługiwał się kamykami, lecz odrębnymi dla każdej cyfry żetonami, wyrzeźbionymi z rogu, które zwano *apeksami*. Apeksami zwano jednak i znaki same, i owe żetony. Juszkiewicz pisze, że słowo to znaczyło w łacinie także „sposób pisania"; ja myślę, że znaczyło to, co stoi w słownikach, czyli spiczasto zakończony stożek, że więc zwano apeksy po łacinie od ich kształtu.

Gerbertowy apeks liczby 1 zwał się *igin*, 2 – *andras*, 3 – *ormis*, 4 – *arbas*, 5 – *quimas*, 6 – *caltis*, 7 – *zenis*, 8 – *temenias*, 9 – *celentis*.

Nazwy czwórki, piątki i ósemki są wyraźnie arabskiego pochodzenia, odpowiadają liczebnikom arabskim *arba*, *chams* i *saman*. Pozostałe jednak – raczej greckiego i łacińsko-germańskiego, czyli z *romance*, ludowego języka ówczesnej Hiszpanii, co sygnalizuje, że posługiwanie się abakiem było w świecie tamtej Hiszpanii czymś dosyć rozpowszechnionym.

Wbrew Georges'owi Minois, abak to nie żadna, jak mogliśmy się przekonać, „maszyna ułatwiająca rachunki". Gerbert nie musiał go sam „sporządzać", konstruować; co najwyżej go – odtworzył. Wbrew też Burke'owi nieprawdą jest, że „mnożenie i dzielenie były prawie niewykonalne, ponieważ stosowano wciąż cyfry rzymskie". Znów kulą w płot.

Na ile abak przyspieszał rachunki? Ludzie tamtych czasów, co wiemy od historyków matematyki, liczyli szybko i bez abaku – na palcach; różne sposoby zagięcia palców oznaczały jedności, dziesiątki, setki i tysiące, a dzięki różnym układom rąk rachowało się tak i do miliona (z tego, że w tej arytmetyce jednościom odpowiadały palce, mamy angielskie *digit*). Był to jednak rachunek dla zawodowców, dla kupców, którzy dzięki niemu potrafili się porozumiewać między sobą prawie niedostrzegalnie dla otoczenia. Abak rozszerzał te możliwości i zapewniał dokładność.

Gerbert nie zachował swej wiedzy dla siebie. W wieku XI w Paryżu abak i działania na nim opisał w swojej *Liber abaci* – Bernelinus, jego uczeń, który w przedmowie powołał się na swego mistrza, „pana papieża Gerberta", *Dominum Pontificem Gerbertum* („Dominus" było zwrotem grzecznościowym, stosowanym wobec ludzi wyższej hierarchii społecznej, coś jak dzisiejsze *sir* w Anglii).

Matematyka wydawała się wiedzą tajemną; niewykluczone, że właśnie praca o dzieleniu liczb przysporzyła Gerbertowi pierwszych podejrzeń. Ktoś, kto potrafił dzielić liczby – uwaga! – dowolnie duże, wychodzące poza zakres operacji na palcach, musiał tej sztuki zaczerpnąć od sił nieczystych... Aliści chrześcijańscy współcześni Gerberta i tak nie zdawali sobie sprawy, że obcuje on z Boską nieskończonością jako pojęciem matematycznym, że posługuje się liczbami, które nie mają fizycznego odpowiednika, których nie da się obliczyć, liczbami niewymiernymi – w świecie, który znał wyłącznie liczby całkowite, wymierne, obliczalne palcami czy też kamykami na abaku.

Czy idei nieskończoności i liczb niewymiernych mógł udzielić Gerbertowi matematyk Hatto z Vich, śmiem wątpić. Musiałby sam dotrzeć do księgi X „Elementów" Euklidesa, znanej wtedy jedynie Arabom, i być umysłem na miarę Gerberta, a nic o tym nie świadczy. Myśl matematyczna Gerberta potwierdza, moim zdaniem, informacje Ademara z Chabannes: Gerbert podróżował do kalifatu Kordowy i to nie dla celów turystycznych.

Na czymże zresztą bazować miałyby wszystkie insynuacje, poczynając od tej wersji, którą cytuje Sprague de Camp – że Gerbert studiował sztuki tajemne w Kordowie, by uciec stamtąd z księgą pewnego czarodzieja i jego córką, aż po tę wersję, wedle której przefruwał na skrzydłach demona ogromne przestrzenie, unosząc nad Pirenejami grube księgi ukradzione u pewnego niegodziwego nekromanty (czyli, jak pamiętamy, wróżbiarza, który dla odkrycia przyszłości wywołuje duchy zmarłych)?

Powiedzmy na korzyść tamtej epoki, że mimo kluniackiej niechęci do nauk świeckich nikt w kręgu zakonnym nie wysuwał pod adresem Gerberta żadnych oskarżeń. Przeciwnie, Gerbert korespondował z innymi zakonnikami o podobnych zainteresowaniach. Odbywano publiczne dysputy naukowe. Tak właśnie w Rawennie przed obliczem Ottona II Gerbert będzie publicznie dyskutował z Otrykiem, owym znanym erudytą z Magdeburga, co to prowadził tam szkołę klasztorną (gdzie bijano okrutnie małego Wojciecha, przyszłego świętego).

W tej korespondencji, obejmującej cały ówczesny świat zachodni, w tych dysputach, nie było jałowych popisów. Wspomniany tu już rosyjski historyk matematyki, Adolf P. Juszkiewicz, podaje przykład wymiany listów z pewnym znacznie młodszym korespondentem, już za pontyfikatu Gerberta jako Sylwestra II. Tym korespondentem był Adelbold, wtedy jeszcze młody człowiek z Liège, uczeń Gerbertowego przyjaciela, Notkera z Liège, również uczonego, potem biskup Utrechtu; wtrąćmy tu, że zdeklarowany później patriota odrębności ziem mówiących po niemiecku.

Gerbert tłumaczył mu sposób prawidłowego obliczania pola trójkąta równobocznego, posłużywszy się notabene przybliżoną wartością pierwiastka z 3. Ale też w swej pracy o geometrii, którą mu załączył, Gerbert wyłożył jej podstawy wraz z metodami miernictwa i sposobami obliczania powierzchni figur wielokątnych. Georges Minois za pracą Pierre'a Richégo cytował nagłówek listu Adelbolda, ale już po łacinie – *ad Dominum Silvestrem, pontificem et philosophum,* „do Pana Sylwestra, papieża i filozofa"; w odpowiedzi papież opatrzył swoją pracę nagłówkiem, informującym, że napisał ją *dominus Gerbertus, pontifex et philosophus, dictus etiam Silvester Secundus.*

Był w tej pracy po trosze i filozofem rzeczywiście; swoją uwagą, że w rzeczywistości nie istnieje żadna abstrakcyjna linia, żaden punkt ani żadna powierzchnia poza jakąś konkretną bryłą, antycypował przyszły spór o uniwersalia, powszechniki – wynikało z tego bowiem jednoznacznie, że wbrew neoplatońskiemu „realizmowi" nie ma żadnych rzeczywistych bytów abstrakcji, ani w głowie Pana Boga, ani gdzie indziej. Na szczęście może dla Gerberta, współcześni nie umieli jeszcze podjąć tej dyskusji, neoplatonizm nie stał się jeszcze chrześcijańskim kanonem wiary. Niemniej możemy wnioskować z tej uwagi papieża-matematyka, że temat nie był mu obcy, że wręcz znał rozważania obu wielkich następców Eriugeny, uczonych z Auxerre, i uważał za celowe zaznaczyć swój odmienny, zaczerpnięty od Arabów pogląd w tej sprawie, choć temat wcale tego nie wymagał.

Astronoma w naszym bohaterze odsłania nam jego *Liber de astrolabio,* „Książka o astrolabium". I było to astrolabium arabskie – co możemy wnioskować z jego konstrukcji.

Wiemy zatem, że prowadził obserwacje i pomiary astronomiczne.

Nie było mu to raczej potrzebne do wyznaczania, dzięki znajomości współrzędnych danej gwiazdy w danym okresie roku, położenia geograficznego miejsc, w których się znajdował.

Czy parał się astrologią, która z gwiazd czytała przyszłość? Roli astrologii w historii nauki nie wypada traktować tak wzgardliwie, jak to robimy, bo to właśnie ona zainteresowała naszych przodków astronomią. Uważali ją za naukę ścisłą; „astrologią" dla nich była sama astronomia. Ojcowie Kościoła i wczesne sobory odróżniały astrologię od astronomii i potępiały – bo nie mogą gwiazdy opisywać, a tym bardziej przesądzać losu ludzkiego, którym rządzi Bóg. Ale, wbrew „Popularnej encyklopedii średniowiecza", lub wbrew jej tłumaczom, nie uznawano w astrologii zabobonu w naszym tego słowa rozumieniu. Uważano ją za naukę, tyle że – zgodnie z poglądem św. Augustyna – pogańską, wrogą Bogu. A po wiekach nieuctwa odkrywano ją w wieku X na nowo, z pewnością – jako rewelację naukową.

Mamy wszelkie dane, by przypuszczać, że współcześni Gerberta, którzy się z arabską astrologią zetknęli, wręcz się nią pasjonowali; w świecie codziennej niepewności każdy sposób na rozpoznanie jutra wywoływał gorączkowe zainteresowanie. Co więcej, gwiazdom przypisywać można było większą dokładność informacji, nieledwie naukową, dziedziczoną w swym bogactwie po wielowiekowej starożytności, tak więc znajomość ich mowy najmniej przyczyniała podejrzeń o kontakty z siłami nieczystymi – zwłaszcza że prawie nikt owej mowy gwiazd nie znał. Jeśli nikt jej teraz nie potępiał, jeśli w późniejszych nieco latach mnisi sami pisali traktaty astrologiczne, to znaczy, że za czasów Gerberta astrologią, czyli astronomią, zajmowały się i osoby bardzo świątobliwe. Myślę, że jeśli nasz bohater nie uprawiał sam astrologii, wróżenia z gwiazd, to dla przyczyn ideologicznych – on bowiem rozumiał, że wiara w Boga wyklucza wiarę we władzę gwiazd.

Zachodni historycy nauki kwestionują dziś Gerbertową znajomość astrolabium przed rokiem 984. Tego roku pisał Gerbert do swego przyjaciela, owego Sunifreda Lobeta z Barcelony, prosząc, by przysłał mu traktat o astrolabium, co pozwoli Gerbertowi opracować swój o nim podręcznik. Owi historycy dziwią się, że Gerbert nie zapoznał się z nim podczas pobytu w Katalonii. Otóż z tego listu nic takiego nie wynika; wynika tyle, że Gerbert szukał czyjegoś tekstowego opracowania po to, by opracować swój podręcznik.

Astronomia była tak wtedy arabska, jak i matematyka. Mamy po niej do dziś takie terminy, jak *zenit*, *nadir* czy też *azymut*. Lobet, jej znawca, nie mógł zaś w trakcie nauki nie zapoznać swego ucznia ze sferą armilarną, podstawowym przyrządem astronomicznym, służącym od starożytności do wyznaczania współrzędnych astronomicznych. Był to układ kół (pierścieni, *armilla* to obrączka, pierścień) z podziałką kątową i przeziernikiem do nastawienia „sfery" na dany punkt sfery niebieskiej, astrolabium stanowiło tylko jego pewną odmianę; Arabowie stosowali w swoich astrolabiach dwa przezierniki. I przypuściłbym raczej, że nasz bohater, zawołany technik i konstruktor, próbował je wręcz jakoś udoskonalić, tylko żadne ślady jego wysiłków nie mogły się uchować przed bezmyślnością potomnych...

Sferę armilarną miał własną. Albo ją zbudował sam, albo ją przywiózł był jeszcze z Hiszpanii.

Będąc arcybiskupem w Rawennie, Gerbert miał tam ponoć skonstruowaną „na podstawie obliczeń astrologicznych" (oczywiście – astronomicznych) mosiężną głowę czy też figurę, która, jak pisze Feldhaus, „odzywała się jedynie wówczas, gdy postawiono jej pytanie i odpowiadała przy tym tylko *tak* lub *nie*.

Nasza wiedza o ówczesnych, zgoła fantastycznych zabawkach mechanicznych świata arabskiego, wydających dźwięki i wykonujących wcale złożone ruchy, nie wyklucza domysłu, że coś w tym rodzaju zmajstrował i nasz geniusz. Ale ta „głowa" raweńska był to najpewniej opisany szczegółowo przez Richera Gerbertowy „globus nieba", z kołami przedstawiającymi okręgi kuli niebieskiej, znany już zresztą w starożytności, pozwalający wyznaczać współrzędne ciał niebieskich. Co się zaś tyczy astronomii, ówczesne arabskie astrolabium trybowe, z pozycjami zmienianymi tylko obrotem wału napędowego, pozwalało określać fazy Księżyca na dowolną datę! Czy Gerbert je ulepszył? Umysł tego rodzaju wszystko, na co się natknie technicznego, z reguły ulepsza; ale nic konkretnego na ten temat, niestety, nie wiemy.

Pomiary astronomiczne miały wówczas i znaczenie praktyczne, choć mało zrozumiałe dla ogółu – w obliczeniach kalendarzowych.

Na ile było to ważne?

Historycy długo spierali się o to, czy chrześcijańska ludzkość bała się nadchodzącego roku tysięcznego, czy nie. Historycy wiedzieli to, co i ona – że w Apokalipsie (20,7) stoi „A kiedy się skończy lat tysiąc..." Dysponowali świadectwami, że wielu kaznodziejów ostrzegało wtedy swoich wiernych, wzywając do naprawy i pokuty. Ale nic nie dowodziło jakiejś histerii. I dopiero wielki mediewista francuski, Marc Bloch, zwrócił uwagę, że ówczesny przeciętny chrześcijanin w ogóle nie bardzo się orientował, jaką liczbą dany rok oznaczyć, a co więcej, niewiele go to obchodziło: żył nie kalendarzem lat, lecz rytmem pór roku i związanych z nim liturgii.

Mnóstwo dokumentów z tego czasu, zwrócił uwagę

Bloch, nie zawiera daty ani żadnych wzmianek, pozwalających ją ustalić. Najczęściej podawano rok panowania któregoś z władców, niekiedy nawet i dwóch, dla dokładności. Innymi słowy, oni nawet nie bardzo wiedzieli, że nadchodzi rok tysięczny, liczyli bowiem, jak zwraca uwagę Charles Lelong, albo od stworzenia świata, albo od śmierci Chrystusa, albo – na terenie przyszłej Francji – od... śmierci św. Marcina. A znowuż w Hiszpanii, wyższej cywilizacyjnie, która bardziej interesowała się czasem i upływem lat, liczono kalendarz chrześcijański od roku 38 przed Chrystusem; nie wiemy zresztą dlaczego.

Początek roku tysięcznego, gdyby nawet ten tysiąc wyliczono prawidłowo, mógł przypaść, co więcej, zależnie od kraju, a nawet biskupstwa, na jeden z siedmiu aż terminów między 25 marca 999 r. a 31 marca roku 1000; *more Gallico* rok zaczynał się od Wielkiej Nocy, zresztą Kościół ciągle jeszcze dość krzywo patrzył na 1 stycznia jako początek roku – było to dlań święto pogańskie. Co prawda, i kalendarz juliański z tym świętem przyjmował się dość opornie: Juliusz Cezar początek roku ustalił na początek stycznia, ale Grzegorz z Tours jeszcze w VI wieku po Chrystusie za początek roku uważał wedle starego obyczaju rzymskiego dzień 1 marca. Może dlatego, że poganie nader hucznie obchodzili 1 stycznia, *kalendy* styczniowe (stąd nasza „kolęda"): zaczynali dzień od prezentów, obdarowując się wzajem, potem bawili się, przebierając się najrozmaiciej, za krowy, jelenie, cielęta, łanie i... kobiety (bo oczywiście bawili się ludzie, czyli mężczyźni). Żeby sobie z tą konkurencją poradzić, Kościół ustanowił ten dzień rocznicą obrzezania małego Jezusa i nakazał post.

Przez długie wieki nie był pewny dzień Bożego Narodzenia – Kościół wschodni pozostał przy Epifanii 6 stycznia i do dziś Kościoły prawosławny tudzież grekokatolicki trzymają się tej daty. Kościół zachodni zderzył się natomiast z inną jeszcze konkurencją, z bardzo popularnym świętem wyznawców Mitry, narodzinami Słońca Niezwyciężonego; przypadały one 25 grudnia, więc z końcem IV wieku na tenże dzień oznaczono datę Bożego Narodzenia. Mitraizm rozwiał się z czasem w niebycie zapomnienia, data została.

Z tymi świętami jednak nie było kłopotów. Problemem za to iście fachowym było wyliczenie dat chrześcijańskich świąt ruchomych, jak choćby Wielkanocy. I tu konieczna była wiedza ludzi takich jak Gerbert z Aurillac, odpowiednie tablice bądź – odpowiednio skomplikowane, na granicy czarów urządzenie mechaniczne, pozwalające obliczyć datę paschalnej, czyli Wielkanocnej pełni księżyca.

Człowiek tej wiedzy, co nasz bohater, umiał takie tablice sam opracować. Nie wykluczyłbym, że potrafił i że skonstruował odpowiednią „maszynę". Arabskie astrolabium trybowe byłoby dobrym punktem wyjścia dla takiej konstrukcji. Niestety, nie wiemy i pewnie już nigdy nie będziemy wiedzieli, czy coś podobnego Gerbert z Aurillac stworzył...

IX

Podróże czarodzieja

Mój pogląd na twórczość techniczną Gerberta z Aurillac różni się od poglądów zarówno jego zwolenników, jak i dawnych jego „oskarżycieli". Sądzę, że świadectw „czarodziejskich" osiągnięć Gerberta mamy grubo mniej, niż ich dokonał.

Sprague de Camp wspomina o skonstruowanym przezeń zegarze wodnym, Leo Moulin przypuszcza, że brat Gerbert specjalizował się w doskonaleniu klepsydr, i przytacza opinię, że wynalazł on zegar, „który regulowany był według biegu gwiazd" – rzecz bardziej niż prawdopodobna, bo wiemy, jak to się robiło, a co więcej, była to pierwsza potrzeba klasztornego życia: tego wymagał skrupulatnie przestrzegany porządek dnia. Być może brat Gerbert w Aurillac od zegarów zaczynał.

Był w tej specjalności znakomitym fachowcem. Znalazłszy się wraz z dworem Ottona III w roku 996 w Magdeburgu, w gościnie u wychowanków mistrza Otryka, zademonstrował swe umiejętności: posłużywszy się lunetą bez soczewek, eliminującą tylko boczne oświetlenie, ustawił wedle gwiazdy polarnej miejscowy zegar słoneczny. Mamy tego w pełni wiarygodne świadectwo: opis pióra późniejszego kronikarza, biskupa Thietmara z Merseburga. Bez śladu podejrzeń, z uznaniem dla uczoności późniejszego papieża.

Inna legenda, którą znalazł w dokumentach średniowiecza Feldhaus, potwierdza niezwykłą inteligencję naszego bohatera, jego zdolność kojarzenia – nawet, jeśli jest tylko legendą. Zacytuję jednak najpierw nie Feldhausa, lecz Richégo, który przytoczył oryginalny tekst Williama z Malmesbury, zapożyczony z kolei z „Gesta Romanorum":

„Była blisko Rzymu, na Polu Marsowym, figura ze spiżu czy też z żelaza, z wytkniętym przed siebie palcem wskazującym prawej ręki, a na jej głowie można było przeczytać napis: „tu uderz" (Feldhaus podaje oryginalną, łacińską wersję *Hic percute!*, „tutaj uderz", albo „tutaj przebij"). Ludzie minionego wieku, przekonani, że te słowa wskazują istnienie jakiegoś skarbu, kaleczyli uderzeniami topora niewinną statuę. Gerbert naprawił ich błąd, nadając napisowi sens całkowicie odmienny. W południe, kiedy słońce stoi w zenicie, oznaczył, jak daleko sięga cień owego palca i wrócił (do tego miejsca) nocą ze sługą, który niósł latarnię. Kopali ziemię zwykłymi narzędziami; otworzyło się przed nimi duże wejście, ujrzeli obszerną komnatę, z murami ze złota, z sufitem ze złota, wszystko było w złocie; żołnierze ze złota (...), król i królowa ze złota przy stole (...). W rogu olśniewający maleńki karbunkuł rozpraszał swoim blaskiem ciemności nocy. W przeciwnym rogu stało dziecko, uzbrojone w łuk z naciągniętą cięciwą i strzałą gotową do lotu. Tak więc wszędzie sztuka cudowna zachwycała oczy widzów, na wszystko można było popatrzeć, niczego nie można było dotknąć; kiedy bowiem ktoś zdawał się dotykać jakiegoś przedmiotu, wszystkie figury wydawały się drżeć, gotowe uderzyć na śmiałków. Gerbert, przestraszony, pohamował swoje pożądanie. Sługa nie umiał się powstrzymać przed sięgnięciem po nóż cudnie wyrobiony, który zobaczył na stole; myślał bez wątpienia, że wśród takiego bogactwa da się ukryć jego małą kradzież. W tej samej chwili jednak wszystkie figury zadrżały i zwróciły się przeciw niemu, dziecko wypuściło strzałę w karbunkuł, wszystko pogrążyło się w ciemnościach..."

Feldhaus ten cały opis skraca:

„Sylwester kazał kopać tam, gdzie wskazywał cień palca, gdy słońce stało w zenicie, i dostał się do podziemnej komnaty, gdzie znalazł wielkie skarby. Lecz kiedy ktoś z towarzyszących mu wziął jedną z kosztowności, złota figura chłopca, stojąca pod ścianą z napiętym łukiem, wypuściła strzałę i trafiła w drogi kamień promieniujący światłem na całą komnatę. Zrobiło się ciemno i obecni tylko z wielkim trudem wydostali się na powierzchnię" (tłum. St. Sosnowski).

Feldhaus dodał w tym miejscu, że opis takiego automatycznego strzelca przekazał nam jeszcze Heron z Aleksandrii, słynny starożytny mechanik-konstruktor... Ja dodam, że i sam Gerbert, wedle mojej oceny, potrafiłby takiego strzelca sprokurować; z pewnością więc o jego twórczości technicznej wiemy dużo mniej, niż zdziałał, tym bardziej, że wielcy mistrzowie konstrukcji tego rodzaju robią na ogół sporo rzeczy dla własnej przyjemności, zaś fantazję Gerberta pobudzić mogły wiadomości o bajecznych wprost konstrukcjach Arabów – w Bagdadzie kalifowi al-Mamunowi śpiewały sztuczne ptaki, siedzące na gałęziach sztucznych drzew.

Wiemy, że nasz bohater umiał skonstruować organy, a przy ówczesnych możliwościach technicznych był to zawsze wyczyn nie lada; podobno w Reims, czemu jednak taki fachowiec jak Feldhaus nie wierzył, Gerbert zbudował organy wykorzystujące siłę podgrzanej pary wodnej dla pompowania powietrza w piszczałki...

Musiało zaś być tych „czarów" Gerberta niemało, jeśli opowiadano, że dzięki pomocy diabła potrafił unieść się w powietrze podczas pogoni! Znał już dźwignie, tryby, bloki – mógł skonstruować tak zapadnię, jak mechanizm dźwigający człowieka w górę; słowem, późniejsze paszkwile Williama z Malmesbury wcale nie muszą być aż tak naciągane, jak się wydają...

Technikę i wiedzę techniczną tamtych czasów trzeba w ogóle badać raczej na podstawie dowodów rzeczowych, niż samych „zeznań" przypadkowych czasem rękopisów. Powstawały wtedy przecież istne cacka architektury, jak ów klasztor na wysokiej skale Pirenejów, ale też i mocarne zamki, których bramy łączyły z drugim brzegiem fosy nie mosty zwodzone, lecz – na razie – pomosty przesuwane na rolkach (można je obejrzeć na ilustracji w owej unikalnej książce Adriany Rosset „Drogi i mosty w średniowieczu i w czasach Odrodzenia").

Dodam jeszcze, że nawet na dalekiej Północy wikingowie budowali obwałowane obozy na narysie koła z taką precyzją, że odchylenia od prawidłowego narysu koła nie przekraczały 0,5 procent! I to przy średnicach tych kół w Trelleborgu 136 m, a w Aggersborg nawet 240 m, przy szerokości tych wałów u podstawy do dwudziestu nawet metrów i wysokości rzędu kilkunastu metrów. Że nie wspomnę o potężnych, obronnych konstrukcjach ziemno-drewnianych na kamiennych ławach, jakie stawiali wcześniej, ku podziwowi wikingów, Słowianie (od Słowian wezmą wikingowie nazwę grodu – *gard*, w odróżnieniu od swego *borg*, umocnionego wzgórza; ich najwyższsi bogowie, Asowie, będą mieszkali w takim słowiańskim *gard*, Asgardzie). Słowem, znajomość geometrii musieli ci budowniczowie średniowiecza posiąść dość wysoką i pozostaje dla nas tajemnicą, jak do niej doszli... Ot, następne pole domysłów i supozycji.

Sądzę, że hiszpański pobyt ogromnie wpłynął na osobowość młodego mnicha – inżyniera, matematyka i filozofa. To zaiste fascynujący świat, owa *al-Andalus*, Andaluzja, arabska Hiszpania kalifatu al-Hakama. Współżyją tam ze sobą muzułmanie, mozarabowie, czyli owi chrześcijanie, którzy się zarabizowali, zachowując swą religię, oraz Żydzi i rozmaici cudzoziemcy, każda grupa w odrębnej dzielnicy miasta, ale w bliskim ze sobą, codziennym kontakcie; jak pisze Angel del Rio w swej doskonałej „Historii literatury hiszpańskiej", tu „kościół wznosi się obok meczetu lub synagogi", przenikają się wzajem i funkcjonują obok siebie różne języki – arabski uczonych, arabski ludowy z zapożyczeniami z *romance*, języka potocznego wizygocko-łacińskiego pochodzenia, hebrajski, łacina ludzi wykształconych i sama romance.

U władców chrześcijańskiej, biednej, północnej Hiszpanii bywają wtedy lekarze i uczeni arabscy i żydowscy, nie mówiąc już o pięknych arabskich i żydowskich kochankach; muzułmańskich i mozarabskich nauczycieli mógł Gerbert, jak wiemy, znaleźć i w Barcelonie, podczas swego pobytu i w długi czas potem. Dopiero po wieku z okładem zrodzi się tu wrogość religijna; jeszcze Alfons VI, który pod koniec XI wieku zdobędzie na Arabach Toledo, dawną stolicę Wizygotów, będzie z dumą głosił się „królem trzech religii".

Wtedy, za czasów al-Hakama, wiąże chrześcijańskie królestwa i hrabstwa północy z muzułmańskim kalifatem wspólne – zagrożenie: ci sami straszni *madżus*, czciciele ognia, którzy do tej pory napadali tylko ziemie kalifatu. Od historyków wikingów wiemy, że ich flotylla w latach 966 – 970 znowu opłynęła bądź też nawet opływała kilka razy groźny przylądek Finistere (koniec ziemi) w hiszpańskiej Galicji, ale teraz nie dla ataku na Sewillę, lecz po to, by spustoszyć chrześcijańskie Santiago de Compostella, od połowy IX wieku sanktuarium św. Jakuba Starszego i wyrosłe wokół niego miasto. Normanowie zaatakowali więc – Asturię, jedyny skrawek Hiszpanii, którego nigdy nie zdołali podbić Arabowie. Al-Hakam zapewne chętnie pomógłby królowi Asturii i Leonu bronić się przeciw tym bandytom, ale wikingowie spadali jak jastrzębie, palili, rabowali, mordowali, wszystko jak najszybciej, by równie szybko wracać na swe łodzie i oddalić się w nieznanym kierunku. Hiszpańscy muzułmanie i chrześcijanie tego czasu nienawidzili przede wszystkim – ich. Nie siebie wzajem. Dla siebie wzajem byli nieledwie przyjaciółmi.

Takie właśnie dziedzictwo tolerancji i życzliwości pozostawiła w moim przekonaniu ta epoka rozkwitu. Czasy późniejsze z niej tylko czerpały, nie wnosiły już nowych, twórczych impulsów.

Mamy prawo przypuszczać, że nasz bohater przeżył swój pobyt hiszpański nie tylko jako doświadczenie naukowe, ale również w kategoriach natury religijnej i światopoglądowej. Bo i w świecie islamu wzbierał wtedy ruch na rzecz skromności, czystości obyczajów i powrotu do źródeł. Ale – wtedy – bez fanatyzmu jeszcze i gwałtu; był to akurat najpiękniejszy czas andaluzyjskiego islamu i być może późniejszy uniwersalizm Gerberta brał się po części z optymizmu, którym natchnęła go ta Hiszpania, otwarta, gościnna, tolerancyjna i pełna uczonych.

Było to, jak wspominałem, zjawisko w ciągu owych niedługich lat wręcz ogólne. Nawet kiedy Otton II oberwał potem takie lanie pod Crotone w 982 r. od wojsk al-Aziza, kalifa Fatymidów, wspartych przez oddziały bizantyjskie, to przecie ów kalif był kimś wyjątkowym: otwartogłowy, mądry patron nauk, za żonę miał – Rusinkę, a za wezyra... chrześcijanina, Isę (czyli Jezusa) ibn Nastura.

Tej równoczesności postaw i skłonności w kręgach kulturowych dwóch religii nikt do tej pory nie przebadał: al-Aziz odpowiada formacji kordowańskiego al-Hakama II, zaś jakby reakcją na nich, ruchem kluniackim islamu, było to, co przyszło później, ruch oczyszczenia, skierowany przeciw doczesności.

Jak ruch kluniacki, tak i ten kierował się przeciwko doczesności we wszelkich jej przejawach, z wiedzą świecką włącznie – i rozwinął się do skrajności, przed którymi świat chrześcijański na szczęście zdołał się uchronić. Po śmierci al-Hakama, po roku 976, faktyczny za dzieciństwa jego syna regent kalifatu kordowańskiego, Muhammad, zostawszy wezyrem, nie tylko uzurpował sobie władzę nad państwem, ale chciał rządzić i duszami wiernych islamu; trudno orzec, czy kierowała nim żądza władzy i sławy, czy fanatyzm religijny; moim zdaniem, i jedno i drugie...

Wrócił do zaniechanych dawno wojen z chrześcijańskimi państwami północy Hiszpanii, toczył te wojny z wściekłym zapałem, jedną po drugiej, aż przybrał w 981 r. tytuł *al-Mansur bi-Allah*, „zwycięzcy, którego wspomógł Allach" (co w naszej transkrypcji brzmi Almanzor). W połowie lat osiemdziesiątych będzie oblegał Barcelonę hrabiego Borela, potem zburzy miasto Leon, w roku 997 dotrze do Composteli i w perzynę obróci wspaniałą bazylikę św. Jakuba.

W samej Kordowie spali wszystkie, wskazane mu przez ulemów księgi biblioteki al-Hakama z dziedziny filozofii i wiedzy, które wykraczały poza przedmiot zaleceń Koranu. Zabił mi tylko klina prof. Ryszard Kiersnowski w swoim świetnym studium „Moneta w kulturze wieków średnich" wiadomością, że w Hiszpanii wybito w latach 1001–1002 złotego dinara z napisem, arabskim oczywiście, „Imam Hiszam władca wiernych przez Boga wspierany" – bo nie mógł go wybić zza grobu al-Hakam, jeno Almanzor; tak więc albo tłoczył solidne monety zmarłego kalifa, albo... próbował ratować się dobrym jego wspomnieniem. A może to jakiś sygnał zmierzchu? Sukcesy i ekscesy Almanzora zakończą bowiem dzieje kalifatu – niezadługo, po śmierci Almanzora na polu bitwy w roku 1002, kalifat rozsypie się na mozaikę małych państewek, a ich dobrobyt nie pozwoli im porozumieć się dla obrony przeciw chrześcijańskiej rekonkwiście...

Następca mądrego al-Aziza w Kairze, inny Al-Hakam, też po naszemu el-Hakim, Fatymida, w tym samym czasie, co Almanzor, doszedł w podobnej dogmatycznej namiętności do skrajnego szaleństwa: rozdawszy swe dobra, poświęciwszy się modłom, swoje faworyty kazał powsadzać do obciążonych kamieniami skrzyń z powbijanymi z zewnątrz, wystającymi w środku gwoździami, i skrzynie wrzucić do Nilu. Zaczął prześladować chrześcijan i Żydów, a swoją decyzją zburzenia Grobu Świętego w Jerozolimie sprowokował wyprawy krzyżowe.

Obłąkany kalif nie był sam w tej przemianie; wielu bogaczy doznawało podobnych, często nagłych, a demonstracyjnych nawróceń. Jednakże pobyt Gerberta za Pirenejami przypadł na wcześniejszy, szczęśliwy okres, a jak się zaraz okaże, ta młodość mogła go natchnąć optymizmem.

Po studiach hiszpańskich kontynuował je Gerbert w Rzymie. Tradycja i tę podróż kojarzy z nieocenionym, jak widać, a mądrym jego rówieśnikiem, hrabią Borelem. Według Richégo Borel wybrał się do Rzymu z biskupem Hattonem, by uwolnić kościół Katalonii od podległości arcybiskupstwu Narbonne i żeby na razie, dopóki nie uwolni się spod władzy muzułmanów Tarragony, zrobić chwilowo metropolią – Vich, tym bardziej, że już w 956 r. konsekrowano arcybiskupa tejże Tarragony. Borel chciał arcybiskupem zrobić biskupa Vich, czyli Hattona. Z nimi udać się miał do Rzymu i Gerbert.

Wedle Richera, historyka, Gerbertowego ucznia, „Bóg zdjęty litością nad ignorancją swego Kościoła natchnął hrabiego Borela decyzją podjęcia podróży do Rzymu i przekonał go zarazem, by zaprowadził Gerberta do papieża Jana XIII". To by się zgadzało: papieżem był wtedy właśnie ów Jan XIII. Czy jednak Jan XIII „wypytywał Gerberta, słuchał go, podziwiał", czy w swej przychylności dał znać przez swego legata Ottonowi I, że przybył oto właśnie z Hiszpanii do Italii młody mnich, „który zna, rzecz nadzwyczajna, matematyki" (tak, tego słowa używało się w liczbie mnogiej aż po wiek XIX!), to już inna kwestia. Raczej do opatrzenia znakiem zapytania: Otton miał odpowiedzieć bez zwłoki, że młodziana trzeba zatrzymać, nie szczędząc mu żadnych środków, poczem zrobił go opatem klasztoru Bobbio – a my wiemy, że Otton I przebywał od 966 r. na terenie Włoch i często widywał się z papieżem, więc nie trzeba było żadnych umyślnych, by mu przekazać jakąkolwiek wiadomość, zaś Gerbert wprawdzie został rzeczywiście opatem Bobbio, ale dziesięć lat później, i to dzięki Ottonowi II...

Georges Minois powtarzał rzekomo za Pierrem Richém, że papież zatrzymał Gerberta przy sobie w Rzymie, ale w książce Richégo nie ma takiej wiadomości. Nasz Witold Dzięcioł podaje natomiast, że papież wręcz przedstawił Gerberta Ottonowi i że to Otton I zatrzymał Gerberta we Włoszech – Riché uważa za prawdopodobne, że Gerbert uczył piętnastoletniego Ottona II, a dzięki temu poznał i cesarzową Adelajdę, żonę Ottona Wielkiego, później zaś także i młodziutką żonę następcy tronu, Ottona II.

Niestety, nawet świadectwa Richera mogą być przesadne. Nie mamy, przynajmniej na razie, żadnego potwierdzenia takich sukcesów nauczycielskich Gerberta. Być może kiedyś, po dalszych, wnikliwych studiach nad manuskryptami w bibliotece Watykanu, ktoś znajdzie jakiś przejaw papieskiego zainteresowania Gerbertem, ale ja mam to wszystko za sympatyczne *post factum* pochlebstwa pod adresem naszego bohatera. Gdyby go już wtedy odkryto, nie puszczono by go tak łatwo ze dworu, a i uposażonoby go dostatecznie w dowód łaski czy opieki. Tymczasem nie mamy śladu żadnych takich łask wobec Gerberta z Aurillac. Brakuje więc – faktów. Późniejszych gestów Ottona II wobec Gerberta nie musimy tłumaczyć wcześniejszą ich obu znajomością i przyjaźnią.

Jedyne fakty, jakie znamy, są przykre. Borel z Hattonem, co wiemy od Richégo, uzyskali wprawdzie w styczniu 971 r. od Jana XIII ulokowanie metropolii w Vich, a biskup Hatton, wyniesiony do godności metropolity, otrzymał od papieża paliusz, oznakę władzy arcybiskupiej, czyli specjalny biały pas wełniany z wyhaftowanymi czarnymi krzyżami, narzucany na ornat. Niestety, do Katalonii Borel wracał już sam: nowego metropolitę 22 sierpnia 971 roku – zamordowano. W Rzymie. Rzym był miastem bezprawia, w którym wszystko mogło się zdarzyć – i właśnie zdarzyło się... Gerbert stracił więc jednego przyjaciela, opiekuna i nauczyciela, zaś drugi pojechał do domu, do Katalonii.

Na razie zatem nie znamy losów Gerberta w Rzymie. Zaznajamiał się tu podobno ze starą literaturą łacińską, z jej klasycznymi pozycjami, poezją Wergilego i Horacego. Jeśli to prawda, jeśli Gerbert nie studiował ich już wcześniej pod ręką Rajmunda w Aurillac (a mógł), nie było to próżne zainteresowanie – przydadzą się ci starożytni Gerbertowi, kiedy sam będzie uczył innych, młodszych od siebie (do czego niezadługo dojdziemy).

Być może tam również dopiero studiował logikę starożytnych, od „Isagogi" Porfiriosa w tłumaczeniu łacińskim Boecjusza aż po własne Boecjusza komentarze i traktaty logiczne. Byłbym skłonny przypisać lekturom Boecjusza, współczesnego Benedyktowi z Nursji, szczególną rolę w uformowaniu osobowości naszego bohatera; Pierre Riché napisze wręcz, że Boecjusz przez całe życie Gerberta będzie jego wielkim wzorem.

Kapitalny przegląd dziejów Gotów, pióra naszego mediewisty, Jerzego Strzelczyka, przybliżył nam niezwykłą postać Boecjusza. Manlius Torquatus Severinus Boethius, z senatorskiego rodu Anicjuszów, jak go określa Strzelczyk – „ostatni Rzymianin", wybitny matematyk, logik i filozof, *konsul Manlius,* jak go tytułował Richer (a więc i szkoła Gerberta), pasjonował się też polityką. Jako urzędnika dworu króla Ostrogotów, Teodoryka Wielkiego, oskarżono Boecjusza o udział w spisku z udziałem Bizancjum dla rozbicia państwa Ostrogotów. Przypłacił to głową. Oskarżono go fałszywie i Teodoryk skazał go bezpodstawnie. Bo nawet jeśli „ostatni Rzymianin" marzył o odbudowie cesarstwa, w co można uwierzyć, to nie dał Gotom żadnych dowodów przeciw sobie do ręki. Najwidoczniej Teodoryk nie musiał pytać, co naprawdę myśli ten Rzymianin...

Boecjusz zginął, ucieleśniając tęsknotę za państwem doskonałym. Kto wie, czy ten zarzut nie był dla Gerberta pierwszym impulsem, kierującym i jego w podobną stronę... Na pewno zaś Boecjusz mógł być nauczycielem moralności udziału w życiu publicznym, nauczycielem o najwyższej sile perswazji, wzmocnionej dowodem z własnej śmierci. Skazany, oczekując w więzieniu na śmierć, napisał z właściwym dziedzictwu starożytnych stoicyzmem, godne mędrca dziełko „O pocieszeniu, jakie daje filozofia". Jerzy Strzelczyk zacytował z niego parę zdań apostrofu do Filozofii, warte przytoczenia tutaj nie tylko ze względu na naszego czytelnika sprzed tysiąca lat:

„Ty i Bóg, który tchnął cię w dusze mędrców, jesteście świadomi, że do władzy nic mnie innego nie pociągnęło prócz pragnienia wspólnego dobra dla wszystkich prawych obywateli. Stąd te ciężkie i nieprzejednane konflikty z ludźmi złymi oraz – co jest następstwem niezawisłości sumienia – stała pogarda dla niezadowolenia możnych, gdy chodzi o strzeżenie prawa".

Przez wieki całe cieszyła się ta rozprawa niesłabnącą popularnością, a warto by ją wznawiać nawet i dzisiaj. Robi ogromne wrażenie na każdym czytelniku; myślę, że nie docenia się roli tej inicjacji moralnej w rozwoju młodego Gerberta.

Wedle Pierre'a Richégo poza szkołą na Lateranie, czyli w obrębie pałacu papieskiego Jana XIII, o programie przede wszystkim religijnym, nie było w Rzymie żadnej innej. Trudno zaakceptować taką tezę; każdy klasztor prowadził swoją, czego zaś jak czego, ale klasztorów tam nie brakowało. Mogły to być szkoły dość kiepskie, jako że Italię tego czasu uważano za bardzo ciemną, tak dalece, że zdaniem Richera nie znano tu muzyki ani astronomii. Oczywiście, Richer najwyraźniej powtarzał opinie obiegowe, bo muzyki po prostu uczyć musiano, a i ktoś musiał też poprawnie obliczać daty świąt ruchomych, więc aż tak źle być nie mogło. Ale sama opinia świadczy, że pochwalić się te szkoły nie bardzo miały czym.

Gerbert nie przyjechał tu jednak dla dalszych nauk w którejś z tych szkół. Mógł co najwyżej studiować księgi, których nie było w Aurillac, Vich, Ripoll czy Barcelonie. Nie ma więc po co szukać dlań tutaj szkoły. Wystarczały mu biblioteki. Gdzie jednak mieszkał?

Co do mnie, przypuszczałem, że Gerbert trafił do gościnnego i mądrego, bardzo uczonego klasztoru benedyktynów pod wezwaniem św. Bonifacego i św. Aleksego na Awentynie, gdzie po latach trafi i św. Wojciech. Moje domysły rozwiało w jakimś sensie dzieło Richégo. Informuje ono, że tamtejszy kościół św. Bonifacego był jedynie skromnym wtedy kościołem, zaś klasztor ufundował dopiero w roku 977 przybyły wówczas do Rzymu ze swą biblioteką manuskryptów, wygnany z muzułmańskiego Damaszku jego chrześcijański metropolita, Sergiusz (z nim też trafiła do świata chrześcijaństwa zachodniego pierwsza wersja słynnej „Legendy o świętym Aleksym"). Jednakże istniał już wtedy na pewno, co wiemy od historyków Kościoła, klasztor św. Aleksego, bo to z niego wyszedł właśnie pierwszy biskup misyjny Poznania z roku 968, Jordan. I jak historia ukaże, był to najważniejszy wtedy, najbardziej wpływowy klasztor Wiecznego Miasta.

Święty Bonifacy, Anglik z Wessexu, w życiu świeckim pierwotnie Winifred, w VIII wieku apostołował poddanym całego państwa Franków, w którym reformował Kościół, nawracając Franków na wschód od Renu; apostołem „Niemiec" zrobiły go dopiero czasy późniejsze. W X wieku był jeszcze świętym wszystkich Franków i młody mnich o frankijskim imieniu mógł tam się udać jak „do swoich". Nawet jeśli nie znał dialektu staro-wysoko-niemieckiego, jakim mówili Górni i Środkowi Frankowie, ani dolnofrankońskiego; tutaj porozumiewali się wszyscy w łacinie, być może nie tak pięknej, jak samego patrona, ale możliwie poprawnej.

Jest dla mnie rzeczą więcej niż prawdopodobną, że Gerbert osiadł w tym właśnie klasztorze, znanym z ożywionego życia umysłowego. Gdyby to okazało się faktem, spór o autorstwo pierwszego „Żywota" świętego Wojciecha, przypisywanego bądź to Gerbertowi jako papieżowi Sylwestrowi II, bądź późniejszemu opatowi klasztoru, Janowi Canapariusowi, okazałby się bezprzedmiotowy: obaj domniemani autorzy musieliby znać się od lat. Adnotacja na rękopisie z klasztoru na Monte Cassino, przypisywała tekst Sylwestrowi, używając zwrotu *edita,* co nie rozstrzyga niczego, bo Sylwester mógł wręcz zlecić napisanie „Żywota" Canapariusowi, a potem go adiustować, redagować i podać, opublikować, czyli *edere.* Gerbert-Sylwester zaś bardzo spieszył się z kanonizacją przyjaciela ich obu. Innymi słowy, tamten kontakt z początku lat siedemdziesiątych ułatwiłby rezygnację ze sporu. Niestety, na razie nie możemy tej znajomości udowodnić.

X

Duch Reims i scholastyk Gerbert

Rzymski pobyt Gerberta przypadł na ostatnie lata panowania Ottona Wielkiego i pontyfikatu Jana XIII. Jan XIII zmarł 6 września 972 r., ale jeszcze przed śmiercią przypadła mu satysfakcja ukoronowania w Niedzielę Wielkanocną 14 kwietnia drugiej cesarzowej, księżniczki bizantyjskiej, Teofano, jako żony siedemnastoletniego wtedy Ottona II.

Już Otton I chciał na swój sposób dowartościować swoje cesarstwo poprzez ożenek z córką po przemądrym cesarzu Konstantynie VII Porfirogenecie. Otworzyłoby to mu być może, teoretycznie przynajmniej, drogę do opanowania całego Półwyspu Apenińskiego – którego tyle różnych części, od Wenecji poczynając, na Kalabrii kończąc, uważało się za władztwo bizantyjskie. Wysłał więc Otton w 968 r. do Bizancjum wymownego i bardzo pewnego siebie biskupa Kremony, Liutpranda; ten Longobard, utalentowany pisarz i historyk, niegdyś kanclerz Berengariusza, który go oddalił, sam, jak przystało na Longobarda, Rzymu i Rzymian nie znosił, ale bardzo był oddany Ottonowi, któremu zawdzięczał biskupstwo i łaskawą przyjaźń. Otton mógł na niego liczyć.

Historyczny pech jednakże chciał, że po śmierci syna wielkiego Konstantyna Porfirogenety, a podczas dzieciństwa jego wnuków, cesarzem Bizancjum został jeszcze pewniejszy siebie od Liutpranda, po wojskowemu szorstki, wielki wódz bizantyjski, „śmiertelny postrach Saracenów", zdobywca Krety, Nicefor Fokas. Wyszła za niego, byle nie stracić swej pozycji, za wiekowego już i osiwiałego wojaka – matka chłopców, wdowa po owym synu Konstantyna Porfirogenety, niezwykle piękna i szalenie ambitna Teofano, córka, wtrąćmy, szynkarza... Fokas miał więc wszystko: władzę i kobietę, której mu wszyscy zazdrościli. I nie miał zamiaru z nikim szukać porozumienia. Liczył, że zbrojnie odzyska wasalne do tej pory wobec Bizancjum włoskie księstwa Benewentu i Kapui (zresztą – z książętami longobardzkiego pochodzenia), które musiały związać się z Ottonem.

Bizancjum w ogóle do Zachodu odnosiło się z pogardą. Stąd i w uczonym biskupie Fokas nie uznał posła, trzymał go w odosobnieniu, niby więźnia, u stołu sadzał na podłym miejscu. Liutprand dowiedział się, że – jak napisał znakomity historyk świata bizantyjskiego, Georg Ostrogorski – „jego mocodawca nie jest żadnym cesarzem ani Rzymianinem, ale po prostu królem barbarzyńców" i „nie może być mowy o małżeństwie między *porfirogenetką*, córką cesarską, a synem jakiegoś barbarzyńskiego władcy". Liutprand wrócił pełen furii, relację o swoim poselstwie spisał złością i jadem. Nawet wina według niego ci „Grecy" mieli gorsze, nie mówiąc już o kuchni; sam ten wojak w roli cesarza był kimś, kogo lepiej nie spotkać nocą na swej drodze, a karmił się odrażająco – czosnkiem, cebulą i porami, popijając to, o zgrozo, wodą!

Otton Wielki mocno przeżył zapewne policzek ze strony wojaka, który nie znał się nawet na kuchni... Ale rozwój sytuacji sprzyjał planom Ottona. W 969 r. spiskowcy zamordowali Nicefora Fokasa w jego własnej sypialni, a tron objął organizator spisku, inny znakomity wódz, skądinąd młody i przystojny Jan Cymiskes, kochanek cesarzowej Teofano. Teofano bowiem po kilku latach miała Fokasa dosyć.

Cymiskes poradził sobie ze wszystkim. Przejął władzę, samą Teofano odsunął, ożenił się za to, by swoją władzę uprawomocnić, z mocno starszawą już damą z cesarskiego rodu, Teodorą, córką Konstantyna Porfirogenety, czyli ciotką nieletnich po nim wnuków. Kapitalnymi operacjami wojennymi zdruzgotał kolejną inwazję Rusów, chcąc zaś mieć wolne ręce na wschodzie, zabezpieczył się od zachodu – i wysłał jednak Ottonowi Wielkiemu bizantyjską żonę dla jego syna, Ottona II. Nie była to wszelako dziewczyna z cesarskiej rodziny, *porfirogenetka*. Wysłał po prostu swoją siostrzenicę o imieniu pięknej cesarzowej, Teofano, za to panienkę, jak się okazało potem, obdarzoną i urodą, i rozumem.

Wedle jednych danych Teofano była o parę lat starsza od młodego Ottona, wedle innych – o parę lat młodsza, czyli że miałaby w roku 972 lat około dwunastu. Do mnie przemawia ten drugi wariant, zwłaszcza że Widukind, kronikarz nader wiarygodny, pisał o niej *puella*, dziewczynka. To zaś czyni zrozumiałym, dlaczego Teofano urodziła pierwsze dziecko, martwe zresztą, dopiero w roku 977, a czworo dzieci, które przeżyły, w tym trzy córki, przez następne pięć lat, zaś Ottona III w 980 r., osiem lat po ślubie.

Tak czy inaczej, rzymski ślub młodego Ottona II z krewną cesarza Bizancjum oznaczał nowe perspektywy Ottonowego cesarstwa i cywilizacji; Teofano jako matka Ottona III i jako dorosła już kobieta wniesie w życie syna inne punkty odniesienia i może – inne ambicje. Ostrogorski sądził, że właśnie te związki z Bizancjum wpłynęły na idee Gerberta i Ottona III, że to z nich wzięła się „odnowa rzymska", *renovatio Romana*, którą podjęli. Zientara sądzi, że wszystko zaczęło się od decyzji Ottona II z roku 982, kiedy włączył on do swych tytułów tytuł – *imperator Romanorum*, cesarz Rzymian, żeby zrównoważyć bizantyjski tytuł *basileos kai autokrator ton Romaion*. Proszę jednak zwrócić uwagę: dopiero w roku 982! W dziesięć lat po ślubie z Teofano, w kilkanaście lat po ukoronowaniu jego samego cesarzem. Nie, stanowczo, idee „odnowy rzymskiej" nie z tego dziedzictwa się wzięły...

Pierre Riché sam dostarcza argumentów przeciw domysłom na temat cesarskiej opieki nad Gerbertem: daty wskazują, że Gerbert opuścił Rzym zaraz po największym święcie rodziny cesarskiej i swego domniemanego ucznia, Ottona II, czyli po jego ślubie z Teofano.

Na koniec kwietnia 972 r. datuje się bulle Jana XIII dla arcybiskupa Reims dotyczące klasztoru św. Remigiusza koło Reims, Saint-Remi, i nowozałożonego klasztoru w Mouzon. Adalberon, metropolita Reims, przybył do Rzymu w grudniu 971 r. I to on – albo też Gerannus, oficjalny przedstawiciel króla zachodnich Franków, Lotara, archidiakon Reims, uczący w jego szkole katedralnej – odkrył Gerberta z Aurillac. Bo w maju 972 r. Gerbert pojawia się już w Reims; jak sądzi Riché, razem z Gerannusem. Zostanie tam Gerbert scholastykiem, czyli jednym z nauczycieli, w tamtejszej właśnie szkole katedralnej.

Nie sposób sobie wyobrazić, by nauczyciel młodego cesarza, gdyby nim Gerbert naprawdę został, człowiek ambitny, o horyzontach na światową miarę, zrezygnował ze swojej pozycji na dworze dla uczenia młodych mnichów państwa zachodnich Franków, państwa, którego nikt nie brał zbyt serio nawet już w nieodległej Akwitanii.

Reims to nie dziura: ponad pół kilometra kwadratowego obwiedzione starymi rzymskimi murami, odbudowanymi w czasach napadów normańskich, z czterema umocnionymi bramami, i to w sercu „jednej z najmilszych krain Francji", jak określił Szampanię niemiecki autor książki o „pierwszym królestwie historii niemieckiej", o Merowingach i Karolingach

(Niemcy też muszą zaczynać swe dzieje przed własnymi narodzinami). Dookoła musował szampan, z winorośli zaszczepionej tu jeszcze przez legiony rzymskie, a *kupcy wodni* płynącą niedaleko Marną – jeśli tylko nie pojawiały się na niej łodzie wikingów – przywozili wszelakie dobra obcej proweniencji, od korzeni Wschodu po luksusowe tkaniny.

Nieopodal, w odległości półtora kilometra, leżało owo Saint-Remi, czyli św. Remigiusz: potężny klasztor pod jego wezwaniem oraz kilka kościołów – bazylik grzebalnych, wszystko wspólnie ufortyfikowane w mocną twierdzę, która nie musiała obawiać się Normanów ze skandynawskiej Północy.

Tym najważniejszym miastem państwa zachodnich Franków, arcybiskupstwem z jego dziesięcioma biskupstwami i szkołą katedralną rządzi wówczas postać wybitna, Adalberon z Ardenów, w moim odczuciu – jeden z twórców Francji jako państwa, niedoceniony przez jej historyków. W roli współtwórcy państwa nie był zresztą kimś przypadkowym: to Kościół będzie uczył wielmożów przyszłej Francji rojalizmu jako ideologii.

Arcybiskup Reims miał po temu formalne wręcz, przez Boga ustanowione kwalifikacje. Ampułkę z olejem świętym, którym namaszczało się w Reims koronowanego króla, przyniosła z nieba św. Remigiuszowi gołębica, gdy z jego rąk brał chrzest ojciec państwa Franków, Klodwig – z czego prosty wniosek, że władcę państwa Franków osadza na tronie sam Pan Bóg.

Książęta i hrabiowie owego państwa nie bardzo chcieli przyjąć do wiadomości tej z nieba płynącej charyzmy – w końcu to oni sami króla wybierali. To raczej współcześni nam historycy francuscy po drugiej wojnie światowej żywili do tych królów ze zrozumiałych względów uczucia patriotyczne, na miarę uznania dla generała de Gaulle'a. Wedle kolejnego, wspaniałego dzieła Georges'a Duby'ego „Czasy katedr" rzekomo już w roku 1000 wszyscy uważali króla Francji za rywala cesarza teutońskiego!

Cóż, sam się przez lata swych lektur mediewistycznych musiałem przyzwyczaić, że nawet dla największych uczonych przy dystansie tylu wieków dwadzieścia lat w jedną, dwadzieścia w drugą stronę nie odgrywa specjalnej roli; Duby wprawdzie zaznacza, że to opinie biografów o czterdzieści lat późniejsze, ale wielkość Francji wymaga snadź, by Robert Pobożny był wielkim królem już znacznie wcześniej...

Tymczasem przekonanie, że nic nie może zetrzeć charyzmy z pomazańca Bożego, dopiero z czasem się stopniowo przyjęło i utrwaliło - onże uczeń naszego bohatera ze szkoły w Reims, król Robert Pobożny, najpierw był istnym pośmiewiskiem swoich wasali, w przymioty zaś niemal świętego Pańskiego obrósł dopiero w lata potem, a i to bardziej może w „Żywocie" pióra Helgauda, mnicha z Saint-Benoit nad Loarą około roku 1040, niż naprawdę. Ów mnich napisał:

„Moc Boża dała temu człowiekowi wielkiej doskonałości taką władzę nad ułomnościami ciała, iż dotykając swą bogobojną dłonią chorych tam, skąd brała się ich boleść, i czyniąc znak krzyża, uwalniał ich od wszelkiej choroby" (cyt. za G. Duby „Czasy katedr", tłum. K. Dolatowska).

Cóż się dziwić, że na tle takich cudów arcybiskup Reims, pierwszy naprawdę już francuski, wielki mąż stanu, musiał zejść na plan dalszy?

Adalberona powołał na stolicę arcybiskupią w roku 969, a więc niewiele wcześniej, król Franków zachodnich, czyli - „Francji", rozciągającej się na północ od Loary, Lotar, jeszcze z rodu Karolingów. Nie wiemy jednak, czy Lotar nie uległ w tym przypadku naciskom ze strony Hugona Kapeta, hrabiego Paryża, który, jak i ojciec, Hugon Wielki, wywierał wpływ na całe jego panowanie (poznamy tu ich obu); Adalberon będzie w przyszłości zdecydowanym przeciwnikiem Karolingów, zresztą, jak się przekonamy, na ogół niedołęgów, doprawdy nie zasługujących na poparcie.

Wedle Richégo klasztory „Francji" owego czasu, a więc X stulecia, nabierały dopiero smaku do pięknych ksiąg; my wiemy, że omal go wówczas nie straciły pod naporem propagandy kluniatów. Nawet te rękopisma, które wspomina Riché, znalazły się tam na przełomie IX i X wieku, a więc wtedy, kiedy powinny, w epoce Eryka i Remigiusza z Auxerre. Wspominany przez Richégo Hucbald z Saint-Amand, autor traktatu *De musica*, napisanego podobno w Reims, to przełom IX i X wieku.

Ze wspaniałej „Historii kultury francuskiej" Georges'a Duby'ego i Roberta Mandrou nie dowiadujemy się, niestety, jaką rolę odgrywało Reims w świecie „Francji", kultury Franków zachodnich, zwłaszcza tych żyjących na północ od Loary. Nie ma w tym dziele postaci pewnego arcybiskupa z IX wieku, Hinkmara (jak wiemy z rzeczowej, polskiej historii Kościoła, którą napisał ks. prof. Marian Banaszak – znakomitego pisarza i zręcznego dyplomaty), choć to on – autor *Annales*, „Roczników", doprowadzonych do roku jego śmierci w 888 r. – zainspirował Eriugenę do pisania słynnych rozpraw filozoficznych i teologicznych.

I to Hinkmar nadał swojej stolicy arcybiskupiej swoistego „ducha Reims", który ożyje znowu w Adalberonie tudzież w jego młodszym przyjacielu i uczniu, Gerbercie.

Objął Hinkmar swój tron arcybiskupi w dwa lata po podziale państwa Karola Wielkiego, dokonanym w Verdun, w r. 845, już w państwie Franków zachodnich; był przyjacielem i zaufanym doradcą Karola Łysego, króla-filozofa, który ściągnął na swój dwór Eriugenę (być może ściągnął go w rzeczywistości – Hinkmar, bo to raczej on wiedział, kim jest ów emigrant z Irlandii).

Polityczne przygody Hinkmara swoim schematem poprzedziły w jakiejś mierze późniejszy schemat analogicznych przygód naszego bohatera. Hinkmara zrobił arcybiskupem

Karol Łysy po „zdeponowaniu" – dekretem zarówno królewskim, jak i papieskim – jego poprzednika, Ebbona. Ebbonowi odebrano arcybiskupstwo za to ponoć, że próbował zmusić cesarza Ludwika Pobożnego do pokuty kościelnej (śmiem wątpić, czy za to, bo Ludwik zmarł kilka lat wcześniej). Ale Ebbon zyskał poparcie Lotara I, tego Lotara, któremu na mocy traktatu w Verdun przypadł środkowy pas między państwami Franków zachodnich i wschodnich. I Lotar zwołał na rok 846 – synod generalny. Do Trewiru, leżącego w obrębie jego ziem, nie na ziemiach Karola Łysego, w którego państwie mieściło się prawie całe arcybiskupstwo Reims. Powstał tym samym pierwszy problem teoretyczny zarządzania Kościołem – problem, który powróci za czasów naszego bohatera. Hinkmar stworzył precedens. Hinkmar zaś całe życie bronił praw metropolitów.

Hinkmar będzie ich bronił w sposób świadczący o wielkim zaiste umyśle: w jego Reims, mniej więcej w latach 847 – 852, powstanie słynny zbiór dekretów, uchodzący w pojęciu współczesnych i wielu pokoleń potomnych za dzieło Izydora z Sewilli, hiszpańskiego arcybiskupa-uczonego z VII wieku. Zbiór te objął rozmaite uchwały soborów i synodów oraz dekrety papieży od początku IV wieku po pierwszą połowę VIII stulecia. Część z nich była autentyczna, ale część były to... falsyfikaty, wyprodukowane w Reims, tyle że w logicznej zgodności z treścią dokumentów prawdziwych.

Normy owe porządkował prawnik doprawdy kompetentny. Czy sam Hinkmar? Cóż, Hinkmar publicznie uznał niektóre dekrety za... fałszywe. Tym samym oddalił od siebie wszelkie podejrzenia – o ile się takie w ogóle wówczas rodziły. Autor (może niejeden) tego zbioru porządkował jednak życie Kościoła z określoną intencją, na rzecz racji Hinkmara: *Pseudo-Izydor* – uwaga! – bronił biskupów, z jednej strony, przed dominacją władzy świeckiej, z drugiej – przed podporządkowaniem nawet synodom prowincjonalnym. Papieżowi oddawał finalną jurysdykcję we wszystkich sprawach i wyłączne prawo zwoływania synodów. Potem, w latach sześćdziesiątych IX wieku, zbiór trafi do Rzymu i Rzym papieski chętnie przyjmie go za podstawę swego procedowania.

Wśród tych dekretów znajdzie się i słynna „darowizna Konstantyna Wielkiego", która w naszej opowieści wróci jako temat wielkiej zagadki. Na razie mamy pierwszą już zagadkę: co Gerbert z Aurillac i jego patron, Adalberon, wiedzieli o trybie narodzin „Pseudo-Izydora", który w przekonaniu współczesnych był „Izydorem" prawdziwym? Czy Hinkmara znali tylko z jego obrony samodzielności metropolity, czy także – z niezwykłego, ale wpółfałszywego dzieła?

Jedynej ówcześnie poważniejszej postaci szkoły katedralnej w Reims, Flodoarda, autora cennych „Roczników", poematów i „Historii Kościoła Reims", nasz bohater poznać już nie mógł; Flodoard zmarł w podeszłym wieku w roku 966 i jeśli coś wiedział, zabrał tajemnicę ze sobą do grobu. Nowy arcybiskup chciał, żeby dzieci jego Kościoła kształciły się w wiedzy godnej ludzi wolnych, *artes liberales*. Sam wedle Richera obeznany z naukami ludzkimi i Boskimi, obdarzony, jak przystało mężowi stanu, talentem znakomitego mówcy, poszukiwał kogoś, kto by edukował jego „zgraję uczniowską". Swoim zaś kanonikom narzucił dyscyplinę życia klasztornego, zmusiwszy ich do wspólnotowego trybu życia – Adalberon brał bowiem serio ideę powrotu do Chrystusowych obyczajów.

Gerannus podobno miał trudności z logiką, której nauczał, i korzystając z pojawienia się biegłego w logice Gerberta wolał zająć się muzyką w ramach studium *quadrivium*. Nie wydaje mi się to prawdą, patrzy raczej na kolejny okrężny komplement Richera wobec swego ukochanego mistrza; Gerannus – jak podaje Riché – poświęcił się reformie, czyli po prostu zaprowadzeniu porządku w klasztorze Mont-Notre-Dame.

Chętnie wierzę natomiast, że Gerbert z Aurillac zrobił duże wrażenie na arcybiskupie. I Adalberon nie musiał czekać do śmierci Gerannusa, by Gerbertowi powierzyć kierowanie szkołą.

Na rozwój intelektualny zachodniej chrześcijańskiej części ludzkości Gerbert z Aurillac wpłynął najmocniej właśnie swoimi naukami w Reims.

Zacznijmy od tego – jak uczył. Riché wywnioskował z informacji Richera, że w programie Gerbertowego *trivium* nie było przedziału między trzema przedmiotami. Ja bym rozumiał te same informacje inaczej. Gerbert czynił te same źródła wiedzy bogatszymi – dzięki swej interpretacji i komentarzom.

Gramatyka utrzymała swą niezachwianą odrębność. Pierre Riché dziwił się, że wśród tekstów omawianych przez Gerberta w jej ramach znalazł się tylko jeden starożytny historyk – Lukan. Jednakże epopea Lukana, *Farsalia*, nie miała w sobie nic z dzieł Liwiusza czy Tacyta. Lukan w ogóle nie był historykiem. Napisał – poemat o wojnie domowej Cezara z Pompejuszem (którego Cezar pokonał pod Farsalos). Poemat bardzo deklamacyjny, pełen patetycznej retoryki, z opisami mordów, rzezi, pożarów, ze stu dziewiętnastoma mowami i wstawkami poświęconymi... przyrodzie, opisom geograficznym i gwiazdom. Wielkim poetą Lukan też nie był; sądzę, że się posługiwano jego poematem dlatego, że – był dostępny. Od Wergilego czy Horacego dzieliła go różnica paru klas.

Tak samo inny rozważany autor starożytny, Aulus Persjusz Flakkus, też kiepski poeta, „satyrykiem" był tylko formalnie. Jego „satyry", zagmatwane i mętne aż przysłowiowo, traktują w większości o... etyce stoickiej, co im właśnie zapewniło miejsce w programach średniowiecznych nauk szkolnych. Myślę, że i z komedii Terencjusza, pisanych pięknym już językiem, brano te, które podejmowały problemy wychowania młodzieży.

Juwenalis ze swymi autentycznymi satyrami świetnie pasował Gerbertowi i jako reformatorowi życia kościelnego, i jako uczonemu, atakował bowiem zarówno upadek moralności, chciwość, rozrzutność, jak i degradację życia umysłowego.

Stacjusz, Publius Papinius Statius, przetrwał od starożytności tylko półtora księgą swego poematu *Achilleis*, ale opiewał bohatera, zaś przykład bohatera też działał wychowawczo. Również i z Wergilego tudzież Horacego wybierano, jak sądzę, teksty z pedagogicznymi walorami, choćby takimi nawet, jak doskonałość w posługiwaniu się różnymi miarami wierszowymi.

Słowem, ci starożytni każdy na swój sposób zachowywali jakąś aktualność w świecie uczniów szkół klasztornych – którzy dowiadywali się zarazem, jak nisko upadł gatunek ludzki od czasów antyku, skoro żaden autor współczesny nie nadawał się na materiał do nauki. I, co więcej, nie nadawał się do tego żaden z Ojców Kościoła, bo żaden nie pisał tak jak potrafili pisać tamci...

Przenikały się ze sobą rzeczywiście w naukach Gerbertowych dialektyka, a więc logika, z retoryką. Podstawy przyjął Gerbert najlepsze z możliwych – *Isagogę* i *Topica*. Richer zaświadcza, że uczniowie Gerberta opanowywali sztukę wymowy, dowodzenia, dyskutowania i prowadzenia sporu, tak więc prawidła logicznego rozumowania i wskazówki erystyczne znajdowały od razu praktyczne zastosowanie. Młodzi ludzie spod ręki Gerberta wychodzili przygotowani i do udziału w życiu publicznym, i do perswadowania wiernym, by chcieli żyć zgodnie z zasadami swej wiary. Była to nowa formacja księży, bo przecież do tej pory księża z parafii nie wygłaszali kazań. A nie wygłaszali, bo nie umieli...

Gerbert uczył też arytmetyki i geometrii, uczył astronomii, i uczył też – muzyki, czyniąc zrozumiałymi „rozmaite nuty, uszykowując je na monochordzie, rozkładając ich współbrzmienia na tony i półtony, diatoniczne i chromatyczne, i metodycznie rozkładając tony na dźwięki", jak to zapisał świadek najwiarygodniejszy, onże Richer, Gerbertowy uczeń z tej szkoły (cyt. za G. Dubym, tłum. H. Szumańska-Grossowa).

Gerbert nadał szkole rangę pierwszej szkoły na terenie dawnej Galii, a przyszłej Francji. Dzięki niemu przynosiła sławę miastu Reims i promieniowała nie tylko na kraj. Z tym, że z końcem stulecia nie była już jedyną szkołą tak wysokiej klasy. W Reims uczył się za czasów Flodoarda starszy nieco od Gerberta mnich z Fleury, Abbon, później szczerze o Gerberta zazdrosny i zajadle mu wrogi, także – pasjonat astronomii i matematyki; zostawszy, po powrocie z Ramsay w Anglii w 988 r., opatem klasztoru św. Benedykta we Fleury nad Loarą, uczynił ze swojej szkoły klasztornej ośrodek myśli i nauki. Z tym, że Fleury słynęło i wcześniej: na długo przed Abbonem tamtejsi mnisi-śpiewacy odgrywali spektakle proto-teatralne, występując jako postacie z Ewangelii w dialogach na niej opartych. Inscenizowali np. na Wielkanoc zmartwychwstanie Chrystusa! A jeszcze Auxerre... To charakterystyczne: rozwój idei kluniackich w świecie zakonnym wcale tym uczonym i protoartystom nie przeszkadzał.

O historycznej roli Gerberta zadecydowali w dużym stopniu jego uczniowie. Dla nas tym najważniejszym jest – z uwagi na samego Gerberta – ten akurat nienajważniejszy, ów Richer, syn królewskiego dworzanina-rycerza, oddany w 980 r. do klasztoru św. Remigiusza. Bo to on jeszcze za życia naszego bohatera pisał w Reims w latach 991 – 995, zresztą z jego inicjatywy, swoją „Historię Francji", dalszy ciąg *Annales* Hinkmara. Opisał lata 888–995, czerpiąc z prac Flodoarda, który opracował roczniki z lat 919–966. Richer znał Cezara, Salustiusza, których kopie miał Gerbert, podobnie, jak – we fragmentach – Liwiusza. Wedle Richégo, nie był Richer tak dokładny, jak Flodoard, ale przekazał nam wiadomości bezcenne, zwłaszcza o swoim mistrzu. Przekazałby nam ich więcej, gdyby nie to, że jego „Historia" urywa się na roku 995; albo sam Richer zmarł przedwcześnie, mając, jak obliczam, lat niespełna trzydzieści, albo w 996 r. dla jakichś nieznanych nam przyczyn zakończył pracę.

Prócz tego przysięgłego zwolennika, uczył Gerbert paru jeszcze niezwykłych młodzianów, z których dwóm pisane było odegrać ogromną rolę w historii nauki i myśli, zaś trzeciemu – zostać królem Francji.

Dumą Gerberta mógł być Fulbert – sądząc po jego imieniu chłopak z Lombardii, longobardzkiego pochodzenia, oczywiście – mnich. Urodził się około roku 960, trafił więc pod rękę Gerberta w wieku lat kilkunastu. Przejmie odeń zainteresowania matematyczne i filozoficzne, a także Gerbertowe poczucie misji, Gerbertowe powołanie – i Gerbertową wszechstronność, choć w innych nieco kierunkach. W młodości pasjonował się medycyną; zasłynął szeroko również dysertacją z roku 1020 o... obowiązkach lennika wobec seniora. Ze szkoły Gerberta wyszedł jako matematyk i filozof, ze znajomością logiki, arytmetyki i astronomii; był też – kompozytorem pieśni religijnych.

W wieku dojrzałym Fulbert założy w 990 r. przy katedrze w Chartres, leżącym na terenie księstwa Francji, na jego pograniczu z Normandią, słynną szkołę, która będzie przyswajała ich *Galii* wiedzę czerpaną od Arabów, za inspiracją, jak się łatwo domyślić, jego mistrza, Gerberta. W roku 1006 zostanie wybrany (uwaga – wybrany!) biskupem Chartres i powołanie go na stolicę biskupią będzie wyrazem pobożnej uczciwości w ocenie ludzi ze strony jego młodszego kolegi ze szkoły w Reims, króla Roberta, bo sam Fulbert nie znosił jego trzeciej, akurat zaakceptowanej przez Kościół żony (Robert zresztą chyba nie kochał jej także).

Fulbert sam nie był uczonym. Patronował twórczości naukowej innych, opiekował się ludźmi zdolnymi, uczył ich, zagrzewał do nauki, niecił w Chartres, jak pisze Zdzisław Kuksewicz, „klimat intelektualnego wysiłku i ambicji, zapał do nauk". To on będzie ściągał z Salerno tłumaczone tam z arabskiego traktaty medyczne; to on napisze – wierszem, dla ułatwienia pracy pamięci – podręcznik arytmetyki i spis arabskich nazw gwiazd. To urodzony nauczyciel. Dzięki jego inicjatywie Chartres po jego śmierci w 1028 r. będzie aż po XII stulecie najżywszym ośrodkiem intelektualnym Francji, a być może i całej Europy. Fulbert był chyba ideałem jako spadkobierca Gerberta z Aurillac, tym, kto najdoskonalej uchował jego myśl i jego ducha.

Adalberon, bratanek arcybiskupa Reims, Adalberona z Ardenów, był od Fulberta starszy. Zwano go zdrobniale z łacińska *Ascelinem*, „Toporkiem". Młodszy od swego mistrza o mniej więcej lat siedem, uczył się u Gerberta we wczesnych latach siedemdziesiątych. Gerbert będzie go zwał w przyszłości „przyjacielem", a nie uczniem – zanim Ascelin, pełen ambicji, z temperamentu raczej gracz polityczny, zarobi w opinii Richera na tytuł „starego zdrajcy" (pod koniec życia Gerberta Ascelin swoją niesfornością i wściekłą ambicją przysporzy mu nawet kłopotów jako papieżowi, popadnie też w ostry konflikt z królem, nim ustatkuje się dopiero gdzieś po czterdziestce). Jednakże pod jego z kolei opieką jako biskupa Laon rozwinie się tam w przyszłości najwybitniejszy w XI wieku ośrodek studiów teologicznych.

Pośrednimi wychowańcami Gerberta będą jednak wszyscy, którzy ze szkół klasztornych i katedralnych uczynią w XI wieku żywe ośrodki myśli i nauki. Bo nie samo tylko

Chartres. Także diecezja Liège (Leodium), której szkoły klasztorne stworzą razem coś na kształt uniwersytetu, ściągając doń uczonych z Francji i Niemiec, Anglosasów zza kanału La Manche i... Czechów!

A ten trzeci wybitny uczeń Gerberta?

To właśnie ów przyszły król Francji, Robert, syn Hugona Kapeta, wtedy jeszcze tylko syn hrabiego Paryża. Ale Robert należy już do innej nieco historii.

XI

Między Robertynami, Karolingami i Ludolfingami

Kiedy urodził się Robert, syn Hugona Kapeta, tego dokładnie nie wiemy – mimo że nie był na pewno plebejskiego pochodzenia. Podaje się rok 970 albo „około 970 roku". Jeśli tak, to albo trafił pod rękę Gerberta jako chłopczyk siedmio-, ośmioletni, co mało prawdopodobne, albo też, mając lat kilkanaście, po roku 984, kiedy to Gerbert wrócił kolejny raz do Reims, opuściwszy po raz drugi Włochy. Robert nie robił potem wrażenia kogoś, na kim wpływ preceptora odcisnął się w sposób decydujący. Ani zaś mały chłopiec, ani kilkunastolatek nie był jeszcze królewskim synem. Był synem jednego z wielmożów królestwa Francji. Tyle że najambitniejszego.

Ten najambitniejszy pochodził z rodu ludzi mocnych. Jan Baszkiewicz w swojej doskonałej „Historii Francji" samymi przydomkami kontrastuje ze ślamazarnością i niezgulstwem kolejnych, ostatnich francuskich Karolingów dynamizm rodu, któremu początek dał w IX wieku Robert Mocny, hrabia Anjou i Blois. Hugon, hrabia Paryża, ojciec Hugona Kapeta, mianował się Wielkim, Magnus, sam, być może zresztą raczej – Dużym, ale potomni zaakceptowali ten pierwszy sens przydomku. Tamci zaś byli – Karolem Otyłym, Ludwikiem Jąkałą, Karolem Prostakiem (albo wprost – Głupim), na koniec – Ludwikiem Gnuśnym. Nawet jeden z nielicznych w tej grupie inteligentnych władców, Ludwik IV Zamorski, zabił się, spadając z konia na polowaniu, co w tamtych rycerskich czasach było, nie ukrywajmy, dość kompromitujące. Tak samo, po ledwie roku panowania, w roku 987, spadłszy z konia na polowaniu, zmarł od poniesionych obrażeń jego wnuk, ów dwudziestoletni Ludwik V Gnuśny – i wbrew opinii Jana Baszkiewicza nie była to „śmierć godna średniowiecznego pana, kawalerzysty i myśliwego". Przeciwnie, trzeba nie lada fajtłapy, żeby mając dwadzieścia lat spaść z konia w tak niezręczny sposób.

Już Hugon Wielki mógł zostać królem jako przywódca francuskiej arystokracji; już jego stryj, Odon, syn Roberta Mocnego, był kiedyś królem; i przez rok był królem jego ojciec, Robert, który w 929 r. obalił Karola Prostaka. Sam Hugon w 926 r. dostał za żonę córkę Athelstana, *Pana Całej Anglii*, najpotężniejszego z jej saskich królów. Ale siostra Athelstana była żoną Karola Prostaka i matką przyszłego Ludwika IV, z którym przebywała u brata na wygnaniu; stąd, gdy zmarł w 936 r. Rudolf, książę Burgundii, następny po Robercie król Francji, Hugon dogadał się z ówczesnym swoim angielskim teściem i... zrezygnował z tronu. Doradził wybór kolejnego Karolinga, owego Ludwika IV, nazwanego Zamorskim, którego sam zresztą przez rok trzymał w garści.

Czy Ludwik słuchał go tak, jak sobie życzył Hugon, nie wiemy. Po śmierci Ludwika, po jego nieszczęsnym koźle na polowaniu, Hugon Wielki cieszył się wielkimi wpływami na dworze jego syna, małego Lotara III, który został królem Francji w roku 954 w wieku lat trzynastu.

Lotar był chłopcem energicznym. Być może udzielił mu się temperament patrona. Hugon Wielki zmarł niedługo potem, w roku 956. Przekazał jednak swą rolę dorosłemu już, mniej więcej szesnastoletniemu synowi, też Hugonowi, temu, który zostanie kiedyś królem Francji (rodacy go nazwą Kapetem, ponieważ jako tytularny, świecki opat kilku opactw, miał prawo do noszenia duchownej „kapy"). Ale i Lotar wyrósł na wcale energicznego władcę, zgoła różnego od przysłowiowych niedołęgów ze swojej dynastii.

Hugon Wielki zostawił synowi jako rodzinną domenę księstwo *Francji*, czyli środkową część kraju, z hrabstwem Paryża, hrabstwem Orleanu, Étampes na południu księstwa i Senlis na północnym wschodzie. Nie było to wiele. Formalnie jednak było to frankijskie jądro królestwa, bo *Francia* wtedy oznaczała po prostu ziemię Franków.

Jeszcze więcej być może znaczyło inne dziedzictwo, o którym się mało mówi: tą żoną Hugona Wielkiego, która urodziła mu Hugona Kapeta, nie była owa anglo-saska Eadhilda, lecz panna z rodu saskich Ludolfingów, ni mniej, ni więcej – siostra samego Ottona Wielkiego, Hathui, czyli Hatta. A Hugon Wielki temuż Ottonowi Wielkiemu, królowi niemieckiemu, o czym się też mało mówi, złożył w 940 r. hołd lenny, czego jako patriota przyszłej Francji na pewno nie powinien był robić. Nie bardzo zdajemy sobie sprawę z symbolicznego znaczenia takiego aktu. Wtedy nie klękało się nawet przed Panem Bogiem. W modlitwie, stojąc, unosiło się ku Bogu twarz i otwarte dłonie, podczas gdy lennik, przysięgając suwerenowi wierność i posłuszeństwo, wkładał, klęcząc, swoje dłonie w jego dłonie... Uformowała się cała mitologia wasalstwa, która czciła najwyższe oddanie suwerenowi aż po ofiarę z życia. To nie był czczy gest. I całą sztuką ówczesnej polityki było zrobić go niczym więcej niż gestem.

Tak czy inaczej, legował Hugon synowi związki rodzinne z dynastią saską w Niemczech. To się musiało liczyć. Choć w doraźnych grach nie zawsze się liczyło: po śmierci Ottona I Hugon Kapet, wykorzystując trudną sytuację swego ciotecznego brata, Ottona II, zainspiruje „swojego" króla, Lotara III, do zaboru Lotaryngii.

Lotar, syn drugiej siostry Ottona Wielkiego, a więc również brat cioteczny Ottona II, sam na dobitek żonaty był z jego przyrodnią siostrą, Emmą, córką cesarzowej Adelajdy z jej pierwszego, włoskiego małżeństwa. Ale i to niewiele tu znaczyło. Apetyt brał górę nad związkami rodzinnymi i rodzinną lojalnością, zaś Lotaryngia budziła apetyt wielki.

Było to samodzielne wtedy państwo, „Francja Środkowa", czyli środkowa ziemia Franków, resztki po dziale Lotara z traktatu w Verdun z roku 843, czyli państwo Lotaryngów, teraz – lenno króla niemieckiego. Z tej Lotaryngii, ogromnej wtedy, obejmującej aż... Akwizgran i Kolonię, wypędził w swoim czasie rządzącego nią hrabiego Reginara III arcybiskup koloński, nieżyjący już Brunon, młodszy brat Ottona Wielkiego. To działalność Brunona zadecydowała o tym, że księstwo Lotaryngii przezeń zarządzane pozostało jednak lennem królestwa Franków wschodnich. I to Brunon, człowiek wysokiej inteligencji, by nie rzec – intelektualista, miał swój udział w cesarskiej koronacji starszego brata: on go do niej namawiał...

Teraz, po 973 r., po śmierci Ottona Wielkiego, wystąpili z pretensjami o Lotaryngię synowie Reginara, Reginar IV i Lambert. Miał na nią wszelako chrapkę i Karol, brat Lotara, króla Francji, pamiętajmy – jeden z Karolingów. Otton II, zajęty innymi sprawami, a zwłaszcza wojnami ze zwolennikami swego stryja, chciał rzecz załatwić polubownie. Gotów był oddać część Lotaryngii w lenno synom Reginara, a Dolną Lotaryngię, tę dziś francuską, wraz z Niderlandami, na tej samej zasadzie, jako księstwo – Karolowi. Dwór Lotara uznał to za przyznanie się do słabości i postanowił wykorzystać okazję.

Pierre Riché podaje inną wersję okoliczności konfliktu: ów Karol swoją szwagierkę, królową Emmę, żonę Lotara, pasierbicę, jak wiemy, nie kogo innego, a samego Ottona Wielkiego, córkę jego burgundzkiej żony, cesarzowej Adelajdy z jej pierwszego, włoskiego małżeństwa, oskarżył o romans z Adalberonem, owym Ascelinem, Adalberonowym bratankiem.

Ascelinowi, protegowanemu stryja, nie brakowało zdolności. Błyskawiczną karierę zawdzięczał także im, nie tylko stryjowi: liczył sobie około dwudziestu lat, kiedy król Lotar zrobił go w 974 r. swoim kanclerzem. W roku 977 Lotar dał mu biskupstwo Laon po śmierci starego tamtejszego biskupa, Rorykona. Ambitny młody człowiek mógł oczywiście zawrócić w głowie królowej, Riché nie wykluczał romansu; późniejsze fakty dowiodą wręcz, że Emma po prostu kochała Ascelina i po śmierci męża nie wahała się dostarczać dalszego żeru podejrzeniom. Wtedy jednak biskupi zebrani na synodzie w Saint-Macre de Fismes nie znaleźli żadnych dowodów i oskarżenie odrzucili. Skompromitował się w rezultacie sam Karol. Udał się po tym rzekomo na dwór Ottona II, a ten miał dać mu w lenno księstwo Dolnej Lotaryngii.

Myślę, że historia ta, prawdziwa aż po przedostatnie zdanie, w końcowej fazie zawiera jakiś błąd: Otton II raczej tylko zamierzał dać Karolowi, bratu szwagra, Lotaryngię. Gdyby już mu ją dał, dalszy bieg wypadków nie miałby sensu.

Wiosną roku 978 ruszył pod dowództwem Lotara błyskawiczny zagon zbrojny z udziałem samego Hugona Kapeta – aż na Akwizgran (łatwo się domyślić, który z nich był motorem tej ekspansji). Dopadli starej stolicy Karola Wielkiego tak szybko, że Otton II musiał podobno uciekać, wstawszy wraz z Teofano od biesiadnego stołu! Zdobywcy obozowali trzy dni w pustym pałacu Karola Wielkiego, poczem zawrócili do domu. I wyłącznie już tylko dla satysfakcji – spiżowemu orłu na kolumnie przed pałacem obrócili dziób w przeciwnym kierunku, na wschód.

Ja sądzę, że napastnicy dopadli – pustego pałacu. Ottona raczej nie było w Akwizgranie. Uganiając się za swoim wiecznie intrygującym, już ponad sześćdziesięcioletnim stryjecznym bratem, który znalazł sobie sprzymierzeńca w Mieszkowym szwagrze, Bolesławie Pobożnym, Otton II w dzień Wielkanocy tego roku definitywnie udowodnił swoją wyższość przeciwnikom. Ująwszy Henryka Kłótnika, by oddać go pod straż zaprzyjaźnionemu biskupowi, ująwszy innych niewiernych sobie Henryków, swoich nominatów, od czeskiego Bolesława odbierał owego dnia w Magdeburgu przysięgę wierności.

Prawdą natomiast pozostaje, że dopiero po jakimś czasie, uporawszy się ze swymi niemieckimi rywalami, Otton II zabrał się do porachunków ze swymi francuskimi kuzynami. Jego wyprawa odwetowa też poszła jak w masło i dotarła aż do Paryża; obozował demonstracyjnie na Montmartre. Paryża wziąć nie zdołał. Obronił jednak miasto przed Ottonem nie tyle jego cioteczny brat, Hugon Kapet, co Sekwana. W każdym razie Hugon nie otworzył przed nim bram miasta. Zimą Otton zawrócił do domu.

Wedle Richégo wspierał go podczas odwrotu jego lennik, brat arcybiskupa Adalberona z Reims, Gotfryd, drugi stryj Ascelina, po ojcu potężny hrabia Ardenów i Verdun, owego wielkiego centrum handlu niewolnikami. Mało, zdaniem Richégo wspierał Ottona „bez wątpienia" i sam arcybiskup, który – po raz drugi „bez wątpienia" na przestrzeni tego samego akapitu książki Richégo – przyjął Ottona II u siebie, gdy ten ze swą rewanżową ekspedycją przemierzał ziemie wasalne Lotara i zawitał do Saint-Remi w najbliższym sąsiedztwie Reims. Miał go przyjąć Adalberon razem z Gerbertem – i to było to, co nazwano początkiem „podwójnej gry" arcybiskupa i jego sekretarza, jak napisał Pierre Riché.

Wszelako w tej sprawie nic nie działo się „bez wątpienia", związki zaś Adalberona z Ottonami charakter miały też nieledwie rodzinny...

Tu musimy otworzyć kolejny nawias w tej historii i zarysować związki między arcybiskupem a jego sekretarzem.

Adalberon był znacznie starszy od naszego bohatera; dokładnej daty jego urodzin nie znamy, określa się ją na rok 920 „lub" 930; tak to jest z dokładnością wielu dat X wieku...

Ojcem jego tudzież Gotfryda i Reniera (ojca Ascelina), hrabiego na flandryjskim hrabstewku Bastogne, był Gozlin, potężny pan, hrabia Ardenów i Verdun, który ciągnął niemałe przychody z roli swego Verdun w handlu niewolnikami, świecki zarazem, tytularny opat klasztoru w Gorze. Braci, a więc stryjów Adalberona i Gotfryda, miał Gozlin, sam zmarły dość wcześnie, w roku 942, dwóch, też nietuzinkowych.

Jeden to równie potężny biskup Metzu, Adalberon I, który zmarł w 962 r. i nie zmieści się już w naszej opowieści; drugi, najmłodszy, to późniejszy książę Lotaryngii, Ferri, który dożyje roku 983. Swoją drogą, sam fakt, że Otton II Ferriemu da Lotaryngię, najlepiej świadczy o związkach całej rodziny z Ottonami (dodajmy zaś, że za żonę Ferri miał... siostrę Hugona Kapeta, czyli córkę Hugona Wielkiego, Beatrycze). Obu, Gozlina i Adalberona I, przeżyła notabene ich matka, o równie mało francuskim imieniu Uda lub Huoda, czyli – po prostu – Oda. Jest niewątpliwym paradoksem, że właśnie z tej rodziny wyszedł „nasz" Adalberon, ktoś, kto odegra taką rolę w uformowaniu przyszłej Francji, choć byłoby logiczniejsze, gdyby został mężem stanu niezależnej Lotaryngii...

Onże „nasz" Adalberon, opat klasztoru w Gorze, a potem klasztoru w samym Metzu, został arcybiskupem Reims po tym, kiedy 6 listopada 969 r. zmarł jego tutejszy poprzednik, Odolryk. Został nim dzięki „protekcji", jak się wyraża współczesny nam francuski słownik biograficzny, samodzielnego już i energicznego, dobiegającego trzydziestki, Lotara III. My wiemy jednak, że nie musiał Lotar nikogo „protegować"; to on sam wyznaczał jako król Francji „swoich" biskupów i arcybiskupów, a Reims leżało w zasięgu jego władzy suwerena –

ziemie tylko jednego biskupstwa tej archidiecezji, biskupstwa w Cambrai, na granicy z Flandrią, mieściły się w granicach Lotaryngii. Potrzebna więc była tylko późniejsza akceptacja ze strony Rzymu i też w 970 r. Rzym (kontrolowany, jak pamiętamy, przez siedzącego wówczas na miejscu Ottona Wielkiego) potwierdził nominację Lotara.

Adalberon został kanclerzem Lotara; czy Lotar III chciał mieć w nim swojego człowieka – przeciw dominacji Hugona, którego nazywa się Kapetem?

W cztery lata później Lotar zrobi swoim kanclerzem – najwyraźniej z poręki Adalberona – jego bratanka, wspomnianego tu już Adalberona, zwanego Ascelinem. Rozbrat nastąpi dopiero po roku 977. Ascelin dostał wtedy od Lotara biskupstwo Laon, na granicy ziem jemu podległych, obok owego biskupstwa Cambrai. Riché nie rozstrzyga, czy król Lotar uwierzył w niewinność swego byłego kanclerza, choć sąd biskupów oczyścił od podejrzeń zarówno królową, jak i, tym samym, młodego biskupa. Kogoś jednak, kto popadł w niełaskę, nie spotykały naonczas takie wyróżnienia jak biskupstwo, wtedy – feudalne władztwo świeckie, z posiadłościami, dochodami, dworem i swoimi zbrojnymi; gdyby Ascelin stracił zaufanie Lotara, po prostu wróciłby jak niepyszny na dwór swego stryja. Więc nie to było podłożem późniejszego konfliktu między arcybiskupem Reims a królem Francji.

Nasz bohater współpracował z Adalberonem. Dysponujemy tylko jednym dokumentem, który w imieniu swego arcybiskupa sporządził prawdopodobnie Gerbert z Aurillac. Wiem o nim znów dzięki bezcennej książce Pierre'a Richégo. Był to list do Tybalda, biskupa Amiens w Pikardii, napisany w roku 975 (Tybald, rówieśnik Adalberona, zuchwały feudał, nieliczcy się z obowiązkami osoby duchownej, raz już ekskomunikowany przez synod w Trewirze w roku 948, wrócił na swój stolec biskupi w 972 r., poczem na prośbę Adalberona ekskomunikował go znowu Benedykt VII, przysławszy nawet specjalnego emisariusza, diakona Stefana, którego Gerbert ponoć znał z Rzymu). Niestety, Gerbert nie pisał wtedy listów z kopiami dla archiwum, tak że nawet znalezienie tego jednego było kwestią szczęścia historyków.

Nie potrafimy dociec, kto na kogo wpłynął bardziej, Adalberon na Gerberta, czy Gerbert jako jego sekretarz i doradca – ze swoimi horyzontami naukowymi – na niego. Adalberon zajmował się usilnie odnową Kościoła od chwili objęcia swego stolca; zaprowadzał porządki energicznie i zdecydowanie; tak samo od początku interesował się nauką, nie potrzebował do tego wpływu Gerberta. I nie ulega dla mnie wątpliwości, że to on ściągnął młodego uczonego do swej szkoły w Reims.

Przez długie lata pobytu Gerberta w Reims przestawali ze sobą bardzo blisko. Będziemy się mogli przekonać, że nasz Witold Dzięcioł miał rację, określając Adalberona „najwybitniejszym mężem stanu swoich czasów"; mnie się też widzi Adalberon – obecny w „Historii Francji" Baszkiewicza, nieobecny w dziele Duby'ego, dwuznacznie traktowany przez Riché'go – jednym z twórców i pierwszym wielkim mężem stanu przyszłej Francji.

Historycy sugerują, że to Gerbert był natchnieniem Adalberona w jego planach politycznych; to Gerbert miał zawiązać później konspirację przeciw Karolingom. Poglądy Adalberona znamy z listów Gerberta, ale sądząc z posunięć i wystąpień Adalberona, łączyła ich wspólna wyobraźnia polityczna. I w ogóle niewykluczone, że było wręcz odwrotnie, że to raczej późniejszy uniwersalizm Gerberta i Ottona III, nie mający jednak nic wspólnego w praktyce z „uniwersalizmem" pierwszych Ottonów, był po trosze Adalberonowej proweniencji.

To miał być uniwersalizm równych sobie państw chrześcijańskich; tak możemy go odczytać z ich działań. Przy całej swej sympatii dla Ottonów Adalberon będzie budował państwo władców Francji, a nie władzę i potęgę pierwszych dwóch Ottonów. Żadnego ich „uniwersalizmu" jemu przypisać nie sposób. Ich człowiekiem nie był. Był ich przyjacielem jako brat ich lenników, co najwyżej. Za to był – entuzjastą cesarstwa, który żył mitem cesarstwa rzymskiego. Może nawet ideologiem takiego mitu. Ale nie „klientem" ani agentem Ottonów.

Wracajmy do roku 978. Pierre Riché podał, wprawdzie nie wprost, przesłanki dla supozycji, że arcybiskup Reims podejmował u siebie Ottona II podczas jego odwrotu spod Paryża.

Doszło podobno do konfliktu między Adalberonem a Lotarem w związku z obsadą owego podlegającego Reims biskupstwa Cambrai, rozciągającego się, jak się już orientujemy, poza królestwem Franków zachodnich, na terytorium Lotaryngii. Lotar zagarnął dobra biskupstwa Arras, które leżało w obrębie ziem jego królestwa, ale od długiego czasu połączone było z biskupstwem Cambrai; w tymże zaś roku 978 zmarł biskup Cambrai, Teudon. Po Teudonie wstąpił na tę stolicę biskupią Rotard, poddany księstwa Lotaryngii, a suwerenem władnym go nominować był oczywiście suweren Lotaryngii, nie król Francji – o czym Pierre Riché już nie wspomina. Lotar chciał jednak przejąć kontrolę i nad Cambrai.

Chciał posłużyć się w tym przedsięwzięciu rodziną hrabiów Vermandois, sąsiadów arcybiskupstwa Reims, tradycyjnie, jak podaje Riché, wobec niego wrogich, wasali jednak... Hugona Kapeta, księcia Francji.

Eudes z Chartres, jeden z owych Vermandois, syn Tybalda zwanego Szachrajem, ożeniwszy się z bratanicą króla, córką Karola, czuł się z tej racji bardzo mocno. Zbudował kilka kilometrów od Cambrai – fortecę. Zareagował na to brat Adalberona, Gotfryd, ów hrabia Ardenów i Verdun, czyli wasal Ottona II. Przyszedł ze swoimi wojskami, fortecę zdobył i zniszczył.

Niestety, nie znam daty owej rozprawy, a co gorsza, nie wiem, jak to się miało do stosunków między Lotarem a Hugonem Kapetem, też bratem ciotecznym cesarza Ottona, któremu jednak Hugo Paryża nie poddał. Wojna między Lotarem a Ottonem przyniosła swoisty remis.

Czy zaś w 979 r. Otton II, jak to by wynikało ze źródeł co najmniej niepewnych, rzeczywiście poszedł ze swym rycerstwem zaatakować władcę Polan, Mieszka, i to na jego ziemiach?

Otton lubił sukcesy wojenne, co do tego mamy pewność. Tylko – do czegóż takiej wyprawy Otton potrzebował? Czy chciał wymusić na Mieszku powrót do trybutu, który wiązał Mieszka z jego ojcem, Ottonem Wielkim? A może... może w ogóle nie doszło do żadnej wyprawy Ottona, tylko znowu do kolejnej, prywatnej wojny któregoś z saskich wielmożów, w której Otton musiał interweniować?

Kronika biskupów Cambrai mówi pod rokiem 979, że Otton poszedł daleko na wschód wojować ze Słowianami, a znowuż XIII-wieczna kompilacja, znana jako roczniki św. Trudperta, że cesarza pobili wtedy Polanie. Ale jedna wiadomość pochodzi z rejonu bardzo odległego, druga z bardzo odległego czasu, nie wiedzą o niczym ani Widukind, ani Thietmar. Znamy tylko wynik: Mieszko, owdowiały ze śmiercią Dąbrówki w roku 977, dostał w roku 979 lub 980 za żonę od Teodoryka (Dytryka), margrabiego Marchii Północnej, jego córkę Odę i wróciło wtedy od Mieszka z niewoli do domu wielu Sasów.

Wiemy o tym od nieocenionego dla nas kronikarza, biskupa Thietmara; sam tego pamiętać jako małe dziecko nie mógł, ale trudno go posądzić o sympatię dla ojca tej późniejszej zmory cesarstwa, Bolesława Chrobrego, jest więc źródłem w pełni wiarygodnym.

Samo to małżeństwo było skandalem. Pod każdym względem. Odę, mniszkę po ślubach, wydobyto z klasztoru w Kalbe, odebrano więc oblubienicę Bogu. A przy tym Oda łamała dane Bogu słowo...!

Thietmar uważał za konieczne usprawiedliwić jakoś ten skandal, by nie rzec – hańbę. Napisał, że stało się to „dla ratowania ojczyzny (saskiej, naturalnie) i dla umocnienia niezbędnego pokoju", no i „dla trwałego pojednania". Czyli że jakiś konflikt był. Pytanie, czy Ottona. Bo mamy prawo domniemywać, że Otton miał – już wtedy – większe kłopoty niż hołdowanie potencjalnego sojusznika.

Ja bym się domyślał też i – romansu. Przypuszczam, że ponadpięćdziesięcioletni Mieszko po prostu się... zakochał. Bo, jeśli już, możnowładcy sascy mieli więcej córek na wydaniu, niż ta jedna mniszka. Ottona zaś, jak podejrzewam, w ogóle przy tym już nie było. Zobaczymy go zaraz gdzie indziej.

Na zachodnich rubieżach cesarstwa nastąpi teraz niespodzianka: Otton II za plecami Hugona dogada się ze swym ciotecznym bratem i jednocześnie szwagrem, a więc Lotarem – bez udziału drugiego ciotecznego brata, Hugona. Zawrą w lipcu 980 r. pokój w Margut nad Chiers, dopływem Mozy – w zamku leżącym na ziemiach Gotfryda, owego hrabiego Ardenów i Verdun, brata Adalberona. Dzięki tej ugodzie Karol, oskarżyciel królowej, przyrodniej siostry Ottona II, brat Lotara, dostanie jedną z Lotaryngii, stając się – lennikiem cesarza (najlepszy dowód, że Emma przyprawiła jednak rogi Lotarowi, bo inaczej przyrodni brat nie łagodziłby może w ten sposób oskarżyciela). Co do tego ostatniego, czyli Karola, to lenno będzie go zresztą kosztowało potem – koronę Francji...

Otton II chciał tu mieć spokój. Tak samo, jak potrzebował go na wschodzie. Spieszyło mu się; już dawno powinien był ruszyć do Italii. Jednakże nie tylko Hugona nie było przy tym zaskakującym ludolfińsko-karolińskim porozumieniu. Nie było także – Adalberona. Ani, tym bardziej, Gerberta. Nie było na pewno. Bo gdyby byli, nie ruszyliby sami potem za Ottonem do Italii – tak, jak ruszył później i Hugon Kapet, cioteczny brat cesarza.

Sytuacja w Rzymie nadal nie była stabilna – choć upłynęło już sporo lat od kolejnych zaburzeń po śmierci w 973 r. Ottona Wielkiego.

Wtedy, w 973 r., podnieśli znowu bunt Krescencjusze pod wodzą Krescencjusza, zwanego Pierwszym, wtrącili Benedykta VI do więzienia i tam go w lipcu 974 r. – udusili. Pod ich dyktando wybrano papieżem diakona Francone di Ferruccio, który przybrał imię Bonifacego VII. Poradzili sobie jednak z tą rebelią sami zwolennicy cesarstwa w Rzymie, pod wodzą konkurencji, czyli hrabiów Tusculum. I jeszcze w tym samym miesiącu Francone uciekł ze strachu do Bizancjum – z całą, odnotujmy i to, zawartością skarbca papieskiego. Krescencjusze potem przycichli. Na parę lat.

Przez te parę lat rządził wybrany w październiku tegoż 974 roku jako Benedykt VII, biskup Sutri, z rodu Alberyka, czyli jeden z hrabiów Tusculum. Nic nie zapowiadało jakichś nowych perturbacji, choć było jasne, że ma on w Krescencjuszach przysięgłych wrogów, a ci wrogowie szermować znowu muszą tym samym argumentem – że na papieża nie wybiera się biskupa, bo żaden biskup nie powinien opuszczać swojej diecezji.

Benedykt VII próbował reform kluniackich z ducha i potrzebował pomocy już w 979 r., bo Krescencjusze z kolei próbowali konszachtów nawet z Bizancjum. Wobec zaburzeń w Wiecznym Mieście Benedykt VII musiał uciekać. Mógł wrócić do Rzymu dopiero z Ottonem, w roku 981.

Dopiero całość obrazu sytuacji pozwala zrozumieć, dlaczego Hugon, zwany Kapetem, wymanewrowany przez „swojego" króla, obróci się przeciw niemu i podejmie próbę odbudowy swych związków z kuzynem, czyli Ottonem II. Teraz też stanie się zrozumiałe, dlaczego będzie próbował pomóc Hugonowi zaprzyjaźniony i skuzynowany z nim jego zwolennik, arcybiskup Reims, Adalberon z Ardenów, którego zdołali zrazić do siebie obaj Karolingowie. Trudno bowiem sobie imaginować, by dla innych celów arcybiskup ze swym sekretarzem i doradcą udali się do Italii na dwór cesarski.

XII

...A jednak Henryk Kłótnik nie udusił tego dziecka

Otton II przybył do Pawii razem z Teofano i półrocznym niemowlęciem, przyszłym Ottonem III, w grudniu 980 r. Tu dzięki mediacji wielkiego Majola, kolejnego opata Cluny, który ponoć odmówił przyjęcia tiary papieskiej w 974 r., Otton pojednał się ze swoją matką, cesarzową Adelajdą, ową Burgundką. Adelajda nie mogła dogadać się z bizantyjską synową i osiadła była na stałe w dobrze sobie znanej Pawii, gdzie ongiś królowała Italii – choć niewykluczone, mówiąc między nami, że zamieszkała tu, by w imieniu syna pilnować niesfornych miejscowych feudałów. Otton przybywał teraz do Pawii także dla ich utemperowania...

Innymi drogami dotarli tu Adalberon z Gerbertem. Jakimi, tego Pierre Riché nie podaje; ja sądzę, że jednak tymi samymi – podróżując bowiem wówczas do północnych Włoch przez Alpy Nadmorskie od strony Prowansji ryzykowało się, jak się później dowiemy, zbyt wiele.

Cesarz przyjął ich podobno wspaniale i zabrał na swój statek, którym spłynął Padem, a dalej – morzem, wraz ze swym dworem, aż do Rawenny. Proszę nie dziwić się lądowaniu statku w Rawennie, która nie leży nad morzem; wtedy – dzięki kanałowi – leżała; to morze z czasem odsunęło się od niej.

Na statku obchodzono święta Bożego Narodzenia. W Rawennie cesarz zaaranżował zaś... publiczną dysputę Gerberta z Otrykiem, do roku 978 głową szkoły katedralnej w Magdeburgu (tej szkoły, w której tak niemiłosiernie bito małego Wojciecha, przyszłego świętego), teraz jednym z kapelanów cesarza.

Same pretensje Otryka, a mówiąc wprost – jego zawiść, to najlepsza ilustracja sławy już międzynarodowej, którą osiągnął nasz scholastyk szkoły katedralnej w Reims, choć nie wytykał nosa poza swe miejsce pracy. Otryk sprowadził sobie z Reims Gerbertową klasyfikację nauk i demonstrował uczonym na dworze Ottona II, jak dalece jest ona fałszywa. Cesarzowi podobała się rola władcy-mędrca, protektora nauk, godnego następcy Karola Wielkiego, doprowadził więc do publicznej dysputy między uczonymi.

Gerbertowi nietrudno było udowodnić, że to, co prezentował Otryk jako jego klasyfikację, nie ma nic wspólnego z tym, co Gerbert opracował. Otryk formułował swe zarzuty w postaci konstrukcji logicznych i dysputa zamieniła się w pojedynek logików – budowali oni kolejne sylogizmy, ustalali relacje logiczne między pojęciami, podważając konstrukcje przeciwnika. Była to istna szermierka myśli i poprawności wnioskowania; sporą jej część streszcza nieoceniony Richer, najpewniej dzięki pamięci samego naszego bohatera – bo jego samego przecież na miejscu nie było. Otryk wciąż ponawiał ataki, najrozmaitszymi sposobami, dyskurs ciągnął się przez cały dzień. Kres położył mu dopiero władczą decyzją Otton II, widząc zmęczenie słuchaczy. Gerbert, który sam swoich uczniów ćwiczył w takiej właśnie szermierce, „Topika" Cyceronowe traktując jako jej podręcznik, zwyciężył w tym pojedynku dość łatwo i przekonywująco. Jego wyższość była dla wszystkich oczywista, zrobiła najwyraźniej ogromne wrażenie.

Otryk niedługo potem, jeszcze w tym samym roku 981, wycofał się z życia publicznego i umarł. Czy tak bardzo zgryzła go porażka? Być może. Nie zdajemy sobie sprawy, jak wysoki punkt honoru cechował tych średniowiecznych rycerzy. Tak, rycerzy; Otryk w tym przypadku był rycerzem myśli, który poniósł kompromitującą w swoim odczuciu klęskę.

Gerbert nie został w Italii. I nie został Adalberon. Riché cytuje Richera:

„Otrzymawszy bogate dary od cesarza augusta, wrócił do Galii ze swym metropolitą, okryty chwałą".

I dalej aż po rok 991 niczego się o losach Gerberta od Richera z jego „Historii" nie dowiadujemy.

Otton II, stanąwszy w Wiecznym Mieście, poskromił bunty i zaprowadził spokój. Wziął się też za porządki w Kościele. Po Wielkanocy, którą w Rzymie obchodził wraz matką i żoną 27 marca 981 r., przewodniczył pospołu z Benedyktem VII wielkiemu synodowi w bazylice św. Piotra. Proklamowali razem walkę przede wszystkim z symonią, czyli, jak to po polsku dawniej określano, „świętokupstwem", z kupczeniem godnościami kościelnymi. Cesarz wystosował w tej sprawie jednobrzmiący list do wszystkich arcybiskupów, biskupów, opatów, królów, książąt i hrabiów „całego świata". Samo brzmienie listu mówiło, że nie są to zdawkowe deklaracje. Otton II wierzył w to, co podpisał.

Benedykt VII nawiązał współpracę z opatem Cluny, Majolem, przełożonym całej, coraz potężniejszej kongregacji klasztorów kluniackich, podjął dzieło reformy zakonów w imię kluniackich idei. W samych Włoszech postęp przebiegał jednak opornie, ideały kluniackie tu się nie przyjmowały, tym bardziej, że większość najpotężniejszych opactw, takich jak Nonantola, Farfa czy Bobbio, pozostawała pod kontrolą rodzin wielkich miejscowych feudałów. Wzorzec eremu przyszłego św. Romualda, ściągający pod Rawennę dziesiątki pielgrzymów i ciekawych, nie działał ani na mnichów, ani na pewnych siebie możnowładców. Otton postanowił obsadzić główne przynajmniej opactwa ludźmi, którzy spróbują poddać same zgromadzenia normom życia zakonnego, a mienie klasztorów wyrwać z rąk przeniewierców.

Otton szczerze wierzył w swoją misję; ale też wiedział z praktyki swoich poprzedników, że potędze możnowładców dobrze jest przeciwstawić władzę, opartą właśnie na feudałach Kościoła, na biskupach i opatach, ponieważ tylko po nich, jeśli są rzetelnymi, oddanymi idei Chrystusowej kapłanami i mnichami, spodziewać się można lojalności i współpracy.

W roku 982 powierzył opactwo Nonantoli przyjacielowi, jak podaje Riché, cesarzowej Teofano, Grekowi z południowej Italii, Janowi Filagatosowi. Bobbio zdecydował się powierzyć – naszemu bohaterowi, uczonemu z Reims, Gerbertowi z Aurillac, człowiekowi, ukształtowanemu przez arcybiskupa Reims, znanego ze swej reformatorskiej pasji na terenie swojej archidiecezji.

Tu wtrąćmy, że niedługo po synodzie zjawił się na dworze cesarza w Rzymie Hugon Kapet – w towarzystwie biskupa Orleanu, Arnulfa, i jednego z francuskich feudałów, hrabiego Boucharda zwanego Czcigodnym. Dzięki informacjom Richera dowiedzieliśmy się z opisu tej wizyty, że pełen energii i zręczny Hugo Kapet miał zasadnicze luki w edukacji, nie mówił bowiem po łacinie; nie mówił też żadnym z dialektów ingweońskiej wspólnoty dialektu zachodnio-germańskiego, zaś król niemiecki, Sas, nie znał języka zachodnich Franków, czyli *langue d'oui*, którym jednak mówił jego ojciec; jako tłumacz służył tym rozmowom ów Arnulf, biskup Orleanu. Co uzgodnili, tego, niestety, nie wiemy. Wiemy, że pożegnali się jak przyjaciele. Potwierdziły ten układ stosunków przywileje, które uzyskali Hugon i Arnulf dla dwóch opactw na swoich terytoriach.

Czy Hugon Kapet protegował tu uczonego z Reims? Wątpię. To raczej arcybiskup z Reims przygotowywał uprzednio wizytę Hugona.

Historycy bardzo różnili się co do tego, kiedy Otton II powierzył Bobbio Gerbertowi, w roku 981, 982 czy 983. Dokładnej daty nie znamy. Jednakże Riché zacytował fragment bardzo gwałtownego listu Gerberta jako opata Bobbio do Pietra Canepanovy, biskupa Pawii, z którego to listu wynika, że w owym momencie Otton był zajęty wojną. A zatem wiosną 982 r. Gerbert z pewnością był opatem Bobbio i to już od dłuższego czasu, bo inaczej trudno byłoby zrozumieć jego irytację.

Słynny klasztor benedyktynów w Bobbio założył jeszcze św. Kolumban, przybyły z Irlandii. W roku 612. Onże św. Kolumban i jego Bobbio położyli ogromne zasługi dla nawrócenia w parę lat później na katolicyzm króla ariańskich Longobardów, Agilulfa, i jego poddanych, z ich stolicą w niedalekiej, odległej o kilkadziesiąt kilometrów Pawii; Bobbio chlubiło się niegdyś iroszkocką, obostrzoną regułą, ustanowioną przez św. Kolumbana, teraz jednak, w drugiej połowie X wieku, słynęło raczej swoim upadkiem. Z jego czołowej roli w życiu umysłowym Italii nie zostało nic poza bogatą biblioteką klasztorną, jedną z najbogatszych w chrześcijańskim świecie, z sześciuset pięćdziesięcioma rękopisami. Klasztorem rządził przeor, niejaki Petroald, wywodzący się, jak samo imię wskazuje, z którejś miejscowej, longobardzkiej rodziny feudałów; swoim własnym rodzicom powierzał ziemie klasztoru...

Włości opactwa rozciągały się nie tylko w Piemoncie i dolinie Padu. Także na pogórzu alpejskim, w krainie jezior; również w Toskanii i nad Zatoką Liguryjską. Tutejsi feudałowie robili, co mogli, żeby zawładnąć tymi majętnościami, a i wpisani do ksiąg dzierżawcy uważali się za właścicieli ziemi, którą dostali w użytkowanie w zamian za czynsz i daniny w naturze. Mnisi z Bobbio już pół wieku wcześniej odwoływali się do władców Italii, żądając obrony swych praw; w 929 r. zabrali na dwór króla do Pawii ciało św. Kolumbana, by relikwie przemówiły za nimi. Niewiele to pomogło. Gerbert, opat nowy, niezwiązany z miejscową elitą, napisał w jednym z pierwszych listów do cesarza, że zastał mnichów oberwanych i głodnych, skarb, magazyny i spichlerze puste.

Pierre Riché sądził, że cesarz nie mógł pomóc swojemu wybrańcowi, ponieważ nie chciał narazić się możnym Lombardii, którzy mu dostarczali posiłków wojskowych. Ale dobrze zorganizowane opactwo byłoby również źródłem takich posiłków. Klasztory tej epoki były z reguły potęgami wojskowymi, zdolnymi wystawić ku swej obronie lub na wezwanie władcy-suwerena oddziały liczące i ponad tysiąc zbrojnych. Na wojnę, którą właśnie podjął, Otton II uzyskał największe kontyngenty wojskowe od swoich przyjaciół biskupów i opatów królestwa Niemiec.

Pietro Canepanova, biskup Pawii, był kanclerzem Ottona jako króla Italii. Jako biskup – miał swoich wasali, którym dawał włości biskupstwa w lenno. Oddawał im jednak również w lenno ziemie... opactwa Bobbio. Gerbert protestował. Ów pełen oburzenia list, prawdopodobnie, sądząc po jego nastroju, któryś z rzędu, zarzucał biskupowi, że dzieli dobra opactwa między swoich rycerzy jak swoją własność. Gerbert nie przebierał już w słowach: „Kradniecie, grabicie, podburzacie przeciw nam rycerstwo Italii".

Wtedy właśnie wytknął też biskupowi, że wykorzystuje dogodny moment, kiedy Otton II zajęty jest wojną. Sam, choć lennik króla Italii, na tę wojnę, jak widać z powyższego, nie poszedł. Czy wysłał jakichś swoich zbrojnych? Musiałby mieć ich za co wyekwipować...

Tezy, że Gerbert związał się wtedy na zawsze z Ottonami, jak chce Pierre Riché, nie da się, moim zdaniem, obronić włoską korespondencją Gerberta. Narażając się najbliższemu człowiekowi, jakiego miał cesarz na terenie Włoch, niczym nie dowodził Gerbert takiego przywiązania. Nie cesarz jako osoba interesował Gerberta, ale – jako głowa cesarstwa.

Otton II rozglądał się za nowymi sukcesami. Wygląda na to, że nic nie mogło pohamować jego młodzieńczego pragnienia sławy i władzy. Nie potrafiła sobie chyba z nimi poradzić i śliczna, mądra, rodząca właśnie kolejne dzieci Teofano, lub też Otton chciał jej właśnie przede wszystkim zaimponować. Nie panował w pełni nad tym, co posiadał, mimo to ani myślał zrezygnować z podporządkowania sobie całego Półwyspu Apenińskiego – choć wiadomo było, że nie może liczyć na zbyt wielu bliskich sobie ludzi wśród włoskich feudałów na południe od Rzymu. Ale bogactwo było na południu...

Nie wiemy, jak układał plany. Czy kanclerz Ottona II jako króla Włoch, ów Pietro Canepanova, próbował tonować zapędy swego dwudziestoparoletniego władcy?

Otton w styczniu 982 r. ściągał dla swego nowego przedsięwzięcia rycerstwo zza Alp i z Włoch. Na południe ruszył wiosną 982 r. Miał je po prostu zdobyć. Wbrew Riché'mu, nie chodziło jednak o „walkę z muzułmanami, którzy zajmowali Kalabrię". Chodziło przede wszystkim o posiadłości Bizancjum. Konflikt zbrojny z muzułmanami wziął się raczej z łatwości pierwszych sukcesów.

Najwyraźniej ani Otton, ani jego kanclerz i doradca, nie zdawali sobie sprawy, jakie potęgi wyzywają. Wiedzieli, że wielki wódz, Jan Cymiskes, wuj Teofano, nie żyje – odpadły więc względy lojalności. Ale widać nie orientowali się, że cesarstwem wschodnim rządził wtedy (i miał rządzić długo, jeszcze nawet za panowania pełnoletniego już Bazylego II), stary, doświadczony administrator, doskonały wódz, brat przyrodni Konstantyna Porfirogenety z nieprawego łoża, czyli stryjeczny dziad małego Bazylego, eunuch Bazyli, a dysponował on wówczas najbardziej doświadczonym wojskiem świata, zaprawnymi żołnierzami zwycięskich kampanii Nicefora Fokasa i Jana Cymiskesa.

Nie do zlekceważenia było również państwo szyickiego kalifa al-Aziza, Fatymidy, od 973 r. rządzącego już z Kairu.

Rozciągało się od Arabii po Atlantyk. Jego armią kierował Sycylijczyk i chrześcijanin z pochodzenia, założyciel Kairu, Dżauhar, również wódz znakomity, sprawdzony w wielu zwycięskich kampaniach. Z Fokasem zaś i Cymiskesem przegrywały w Azji Mniejszej wojska nie jego, al-Aziza, lecz kalifa Bagdadu. I Bizancjum więc, i kalifat Fatymidów były potęgami nie do zlekceważenia; ułamek tylko ich łącznej potęgi, stacjonujący na południu Italii, mógł wystarczyć na siły Ottona, bez dowództwa Bazylego czy też Dżauhara. Ottonowi zaś nie wpadło prawdopodobnie do głowy, że siły chrześcijańskie wesprzeć może przeciw niemu muzułmański sojusznik...

Co więcej, Otton nie miał przyjaciół nawet wśród miast włoskiego Południa, które w najlepsze handlowały zarówno z Bizancjum, jak z kalifatem mądrego i przyjaznego Fatymidy. Szedł tylko z kontyngentami rycerskimi, dostarczonymi przez jego przyjaciół, książąt Kościoła zza Alp.

Zajął wiosną 982 r. bizantyjski wówczas Tarent, poczem zrobiwszy go swoją bazą wypadową ruszył do Kalabrii, przeciw *Saracenom*. Tam wszystko skończyło się 13 czerwca – katastrofą. Jak już wiemy, sam Otton cudem tylko umknął.

Sytuacja w samym Rzymie zdawała się, na szczęście dla Ottona, opanowana i nic nie zapowiadało dramatu, który miał nadejść. Nowy opat Bobbio uczestniczył w czerwcu następnego roku, roku 983, w zjeździe, na który Otton II zwołał do Werony, teraz karyncko-bawarskiej, feudałów Niemiec i Włoch. Jako opat powinien był tam Gerbert pojechać; tego wymagała pozycja opata, wielkiego zwłaszcza klasztoru; opat był wszak jednocześnie świeckim feudałem.

Na tym zjeździe dwudziestoośmioletni zaledwie Otton II z genialną intuicją przeprowadził wybór swego następcy – trzyletniego synka, Ottona III, którego mu urodziła Teofano (wszelako, wbrew Richému, nie ukoronowano tutaj malca królem Niemiec). Riché wymienia różnych uczestników zjazdu, możnowładców świeckich i duchownych *Germanii* i *Italii*; nie wymienia jednak – bardzo ważnych dla dalszego toku naszej opowieści przedstawicieli doży Wenecji, Pietra Candiano IV.

Wenecja, nominalnie związana ciągle z Bizancjum, ale jako potęga morska i handlowa w pełni już samoistna, nie bała się nikogo. W Weronie prosiła o potwierdzenie swych dotychczasowych przywilejów na terenie cesarstwa Ottona II (Candiano miał w tym swój osobisty interes – ożeniony z siostrą jednego z największych włoskich feudałów, dostał odeń rozległe majętności na terenie Lombardii). Otton zażądał w zamian udziału floty weneckiej w walce przeciw Arabom. Wenecja odmówiła. I zapalczywy Otton ruszył przeciwko Wenecji.

Wenecji nie zdołał dosięgnąć Karol Wielki, jeszcze słabej wtedy i niewielkiej; na lądowych przedpolach chroniły ją trzęsawiska, a dla przedostania się na wyspy musiałby teraz mieć Otton flotę równą weneckiej. Mógł zająć posiadłości Wenecjan na lądzie. Samej Wenecji nie mógł zrobić nic. Ale miał pomysł. Podsunęli mu go ludzie z rodu weneckich patrycjuszy, Caloprinich, zbiegli doń po przegranej rywalizacji z Morosinimi: doradzili zablokować laguny. Żeby nie mogła dotrzeć do Wenecji żywność z lądu.

Nikołaj Sokołow w swych „Narodzinach weneckiego imperium kolonialnego", skąd mam tę wiadomość, napisał, że Wenecji zaczęło brakować pożywienia i nie wiadomo, jaki by sprawa przyjęła obrót, gdyby wojna potrwała dłużej. Nie wziął pod uwagę, że kryzys taki mógł być co najwyżej chwilowy: Wenecja swymi statkami potrafiłaby zaopatrzyć w żywność populację parokrotnie większą.

Najlepszy dowód, że i ta wojna skończyła się niczym. Bardzo prędko, bo tej samej jesieni 983 r., w Weronie, Otton wydał posłom doży kończący wojnę dyplom; gwarantował Wenecjanom spokój ich posiadania na terenie królestwa Italii,

„budynków, statków, pól, lasów, winnic, moczarów, salin, łowisk ryb i innych posiadłości", jak podaje Sokołow (tłum. Zdz. Dobrzyniecki). Wszystko zostało po staremu.

Sam Otton wszelako nie wiedział, gdzie teraz najpierw skierować swe kroki: z północy nadeszły wiadomości o niszczącej wojnie, jaką przeciw zdobyczom Ottona i misjom chrześcijańskim na swoich ziemiach podjęli Słowianie połabscy, a w Rzymie – w Rzymie zmarł był akurat 10 lipca Benedykt VII.

Słowianie zdobyli Brandenburg, czyli Brennę, zdobyli Hawelberg, czyli dawny swój Hobolin, dwie siedziby nowych biskupstw, dotarli aż do Hamburga i zniszczyli go. Oparł się im tylko Magdeburg, broniony przez bojowego arcybiskupa Gizylera. Wycofali się potem na prawy brzeg Łaby, ale stan posiadania cesarstwa wrócił do punktu wyjścia.

Na dalszej zaś północy też wszystko wróciło do punktu wyjścia. Dysponując sprzecznymi czasem ze sobą wersjami wydarzeń, nie potrafię dokładnie zrekonstruować ich przebiegu; Swen Widłobrody, syn Haralda Dobrego, zwanego Sinozębym, dopuszczony do współwładzy, jak się stało to rzeczą prawie powszechną, za życia ojca, zbuntował się przeciw niemu i – podobno – przeciw chrześcijaństwu.

Harald nie bez racji nosił przydomek „Dobry". Najwyraźniej, tak jak i Mieszko, potraktował chrześcijaństwo poważnie – skoro, co już wiemy z dziejów Anglii, w 955 r. ustały najazdy duńskie na Anglię. Wikingowie duńscy, żyjący w Anglii na terenie prawa duńskiego, *Danelag*, zachowywali się lojalnie wobec saskich władców Anglii i ten okres odnotowano w historii Anglii jako czasy błogiego spokoju. Łatwo dedukować, że bunt Swena w Danii był przede wszystkim buntem wikingów, a nie pogan; dorosło widać nowe pokolenie zdobywców; dowód – Swen od nowa ruszy w roku 979 z łupieżczymi wyprawami na Anglię. Jak się przekonamy, także duńska reakcja pogańska w wersji duńskiej nie będzie mordowała niemieckich misjonarzy ani nawet buntowała się przeciw chrześcijańskim porządkom. Oni tu nie chcą tylko kapłanów od arcybiskupa Bremy... Z tym, że do Ottona wiadomości napływały być może z Bremy w wariancie najbardziej niepokojącym – zabijania biskupów i misjonarzy, i to jego rodaków, Sasów...

Otton uznał za ważniejsze – Wieczne Miasto i papiestwo. Pierwszy pomysł obsady papieskiego tronu był najlepszy i oczywisty, znów ten sam: Majol, opat Cluny, zwierzchnik stu kilkudziesięciu już klasztorów, które, poddawszy się władzy opata Cluny, przyjęły kluniackie zasady. Jego świątobliwość zrobiłaby wrażenie i na Rzymianach. Ale Majol po raz kolejny – odmówił. Być może przez skromność. W niczym jednak nie ujmując poczuciu misji i prawości Majola, możemy uważać za pewne, że pozycja głowy jego niezwykłej kongregacji była pozycją znacznie wyższą od pozycji biskupa rzymskiego i dawała realną, znacznie szerszą władzę. Cluny to nie był tylko duch; to była fizyczna potęga. Nie dziwmy się więc czcigodnemu Majolowi.

Otton uzgodnił wobec tego ze szlachtą i duchowieństwem Rzymu, nie bez trudu, jak sądzę, że papieżem zostanie jego włoski kanclerz, ów biskup Pawii. Czy nie uzmysławiał sobie, że popełnia znów ten sam błąd – znów desygnując biskupa, a więc wbrew utartym poglądom Rzymu, znów z perspektywą oporu i buntu? Wiedział o zastrzeżeniach Rzymu. Nie mógł nie wiedzieć. A jednak dał tiarę papieską „swojemu człowiekowi".

Niestety, zły los wtrącił się znowuż w dzieje Ottonów – ten drugi już Otton, w pełni sił i energii życiowej, nie doczekał mimo swego młodego wieku nawet samej elekcji swego papieża. Nabawił się jakiejś gorączki, którą historia nazywa malarią, zapewne jednej z epidemii, roznoszonych od stuleci przez komary z Bagien Pontyjskich, i niespodziewanie – zmarł 7 grudnia 983 r. Historia znowu się wykoleiła.

Rzym jednak dotrzymał słowa: w trzy dni później wybrano papieżem – pamiętajmy, ku irytacji reszty Rzymian, a już na pewno Krescencjuszy – owego Piotra Canepanovę, którego z takim oburzeniem atakował Gerbert, opat Bobbio. Canepanova przybrał imię Jana XIV.

W dziewiętnaście dni od śmierci Ottona II nastąpi w odległości ponad tysiąca kilometrów drogi inne wielkie i ważne wydarzenie. Przy okazji uświadomi nam ono, jak szybko cyrkulowały ówcześnie tajne wiadomości najwyższej wagi, których znaczenia zdradzić nie mógł nawet pośpiech kurierów.

Otóż w dzień po Bożym Narodzeniu, 26 grudnia, natychmiast, jak możemy się dorozumiewać, kiedy tylko wieść o śmierci Ottona dotarła do Akwizgranu, a zanim jeszcze rozeszła się po ziemiach Niemiec, arcybiskup moguncki Willigis, przyjaciel i towarzysz lat dziecinnych Ottona II, razem z arcybiskupem Rawenny, Janem, ukoronowali tam królem Niemiec malutkiego, trzyletniego Ottona III.

Trudno byłoby tę koronację uznać za operację mało pospieszną. Obaj arcybiskupi zastosowali politykę faktów dokonanych. Postanowili zablokować zły obrót historii.

Kurierski komunik, pomykający z Rzymu do Moguncji i Akwizgranu, przebywał średnio około 60 km dziennie, a biorąc pod uwagę przeprawę przez zimowe Alpy musiał na bardziej płaskich terenach robić i 80 km na dobę. Na podziw zasługują i jeźdźcy, i konie: oni po dziesięć, dwanaście godzin w siodle, konie, choć je na pewno zmieniano po drodze, a nawet wymieniano na nowe, musiały wytrzymać po kilkaset kilometrów maratonu...

Zgon Ottona II otworzył nowe szanse jego stryjecznemu bratu i rywalowi, blisko siedemdziesięcioletniemu już, byłemu księciu Bawarii, Henrykowi Kłótnikowi, którego od paru lat trzymał pod strażą kanclerz państwa, ówczesny biskup Utrechtu, Poppon. Henryk był najbliższym męskim krewnym koronowanego brzdąca i na mocy ówczesnego frankijskiego prawa jemu powinna przypaść opieka nad malcem. Jeszcze zimą Poppon przyjechał z Henrykiem do Kolonii i tu jej arcybiskup, Warin, oddał dziecko w ręce Henryka.

Zimno się robi na myśl, co przeżywała wtedy przy swym bizantyńskim doświadczeniu Teofano, co czuła babka, wdowa po Ottonie Wielkim, Adelajda... Trudno domniemywać dobrą wiarę Warina; tym bardziej że jawnie wsparł potem ambicje Henryka, Henryk zaś jawnie montował stronnictwo, które by go doprowadziło do tronu.

Przez wiele nerwowych miesięcy ciągnęły się intrygi, przetasowania i walki zbrojne, ale koniec końców wzięła górę – Teofano i zwolennicy Ottona. Zwyciężył też duch prawości i chrześcijaństwa: stary Henryk Kłótnik ani malca nie kazał otruć, ani udusić, ani zasztyletować, co w tamtych bezwzględnych czasach należy poczytać mu za wielką zasługę (parę lat wcześniej w Anglii dążący do władzy Ethelred kazał swoim ludziom zamordować przychodzącego doń z wizytą przyrodniego brata, króla Edwarda, z którym się wychowywali razem przez całe dzieciństwo i młodość).

W Rara, dziś Rohr koło Meiningen w Turyngii, Henryk spotkał się 29 czerwca 984 r. z Teofano i Adelajdą, przekazał im dziecko, uznał jego zwierzchnictwo i tytuł królewski, sam zaś zadowolił się odzyskaniem swego księstwa, czyli Bawarii. W moich oczach Henryk zwany Kłótnikiem zmazał tym aktem wspaniałomyślności wszystkie swoje grzechy intryg i buntów.

XIII

Filozof i tajne rozgrywki

Dwudziestoparoletnia Teofano musiała być postacią niezwykłą. Wykazywała zręczność doświadczonego polityka. Dzieciństwo, spędzone w Bizancjum wśród intryg dworu i spisków, przygotowało ją prawdopodobnie na wszelkie niespodzianki, jakie nieść może rola żony władcy barbarzyńców. Ci barbarzyńcy jednak okazali się znacznie mniej barbarzyńscy, niżby w podobnej sytuacji okazali się jej rodacy. W Bizancjum czteroletni Otton nie wyszedłby żywy z rąk ewentualnego pretendenta do tronu. Sądzę, że umiała to ocenić.

Pisze się o niej, że próbowała zaszczepić w tym „swoim" cesarstwie obyczaje cesarstwa wschodniego. Nie wydaje mi się to możliwe. Musiała zabiegać o poparcie, kokietować raczej, łagodzić niechęci. Narzucając bizantyjski styl, niczego by nie osiągnęła; wszystko można było narzucić frankijskim wielmożom, tylko nie akceptację dla hieratyczności wybranego przez nich samych władcy. I trudno byłoby wtedy wytłumaczyć, dlaczego panowie niemieccy z Saksonii, Szwabii i Bawarii wsparli nie tylko samego króla-dziecko, ale i jej regencję.

Do roli regenta aspirował obok starego Henryka, Ludolfinga w końcu, inny jeszcze kandydat – znany już nam dobrze zachodnio-frankijski władca z rodu Karolingów, Lotar III, król Francji, jako brat cioteczny Ottona II. Być może Teofano była w rozumieniu panów niemieckich wyborem pośrednim. Ale za

Popiersie Sylwestra II

Teofano, przeciw Lotarowi, opowiedział się nie tylko arcybiskup Moguncji, Willigis, dawny przyjaciel Ottona II. Także – „własny" arcybiskup Reims, czyli Adalberon. Opowiedział się, jak sądzę, za Teofano nie z przyjaźni dla rodziny Ottonów, lecz jako przyjaciel... Hugona Kapeta, który przed śmiercią Ottona II odzyskał przyjaźń cesarskiego domu.

Nasz bohater stracił szanse na pomoc w sprawach Bobbio ze strony cesarza, a nie mógł uzyskać jej ze strony nowego papieża. Zwracał się do niego dwukrotnie. Jan XIV nie odpowiedział. Gerbert skarżył się i cesarzowej babce, ale ta niewiele mogła mu pomóc. Dogadał się z owym Petroaldem, przeorem klasztoru, swoim prepozytem, czyli zastępcą; ale nawet razem nie potrafili stawić czoła ani przekonać „tyranów", jak ich nazwał Gerbert, takich jak rodzina markiza Ligurii, Oberta II (też longobardzkiego, jak widać, pochodzenia), która zawładnęła – co wiemy znów dzięki Richému – sporą częścią *patrimonium* opactwa.

Listy Gerberta, pisane z Bobbio, odsłaniają natomiast bliskie jego związki z Hugonem Kapetem, nieco odeń starszym. To jemu nasz bohater poskarży się na los opata bezradnego wobec tych „wiarołomców", „okrutników" i „tyranów", z jakimi tu ma do czynienia; Hugon dowie się od niego, że samego cesarza „te łajdaki" przyrównują do osła!

Przebijają w tym liście, wydaje mi się, sympatie i samego Adalberona. Nie było więc żadnej „podwójnej gry". Adalberon i Gerbert po prostu sprzyjali Kapetowi. Późniejsza korespondencja ujawni to jednoznacznie.

Owe listy swoją retoryką pozwalają rekonstruować wyobraźnię polityczną tudzież zapewne ideały Gerberta. Bo retoryka jest na wskroś staro-rzymska. Cesarstwo jest „rzeczą pospolitą", to *res publica*. Używa się pojęcia *patria*, „ojczyzna", pojęcia ze słownika starożytnych. Kiedy mówi się o państwie, znajdującym się w niebezpieczeństwie, mówi się – *civitas*. Używa się zaś tego pojęcia w odniesieniu do cesarstwa rzymskiego, nie do państwa Franków zachodnich, nie do Francji. I to w liście właśnie do mistrza Rajmunda, do przyjaciela, do Aurillac, a nie w liście do którejś z postaci oficjalnych.

Gerbert i jego krąg przyjaciół nie operują kategoriami właściwymi swemu czasowi, temu średniowieczu, w którym ich pomieścił kalendarz. Posługują się kategoriami właściwymi Cyceronowi i Boecjuszowi; w listach Gerberta pojawi się... Apollo, i to w zwrotach dotyczących współczesności. To przyczynek do późniejszej polityki i marzeń papieża Sylwestra II: dla nich punktem odniesienia, już wtedy, nie dopiero za czasów Ottona III, było – cesarstwo rzymskie. Nie cesarstwo niemieckie. Ani – tym bardziej – królestwo niemieckie, państwo wschodnich Franków czy dynastia saska. Oni nie są wyznawcami Ludolfingów, żadnymi, broń Boże, ludźmi dworu któregokolwiek z Ottonów. Chcą być ludźmi – cesarza Rzymu. To jest dla nich wartość najwyższa. Z czym nie kłóci się wcale „patriotyzm" państwa Franków zachodnich, *Francji*, skierowany, kiedy zachodzi konieczność, przeciw królestwu niemieckiemu, a nawet przeciw dynastii saskiej.

Losy Jana XIV, owego Pietra Canepanovy, byłego biskupa Pawii, co to nie raczył odpowiedzieć jako papież opatowi z Bobbio, potoczą się tragicznie. Tragicznie, ale – niestety – typowo.

Pierwsze miesiące pontyfikatu upłynęły spokojnie. Już jednak w kwietniu 984 r. synowie Krescencjusza I, Jan i Krescencjusz II znowu podnieśli bunt; nie omieszkali wykorzystać szansy, jaką otworzyła śmierć „tego osła", cesarza zza Alp. Pochwycili Jana XIV i zamknęli w więzieniu. Przywołali z Bizancjum „swojego papieża", owego Bonifacego, a ten, wróciwszy do Lateranu – kazał pozbawić jeńca pożywienia. Jan XIV przez kilka miesięcy umierał z głodu, aż 20 sierpnia 984 r. życie uciekło z bezsilnego szkieletu na zawsze.

Ani Teofano, ani Henryk Kłótnik nie mogli udzielić mu żadnej pomocy. Teofano nie wiedziała, czy w ogóle będzie mogła myśleć o udzieleniu komukolwiek jakiejkolwiek pomocy.

Nie było pisane klasztorowi w Bobbio pod władzą Gerberta z Aurillac odegrać jakiejkolwiek roli w historii tego czasu. Historycy przypuszczali pierwotnie, że mnisi z Bobbio, skoro nie stała już za opatem powaga cesarska, ośmieleni przy tym niełaską ze strony papieża, wygnali narzuconego im opata. Tak się chyba jednak nie stało. Wprawdzie, jak wiemy z jego późniejszych listów, nie bardzo chcieli pogodzić się z jego reformami, a teraz nie musieli się z niczym liczyć, jednakże pozostali z nim w przyjaznych wręcz stosunkach i później. Gdyby było inaczej, miałby Gerbert szczęście, że go nie otruli, ani też nie zadźgali po kryjomu sztyletami, że więc opuścił Bobbio cały i zdrowy.

Pierre Riché przedstawił dowody, które świadczą, że trzydziestokilkoletni uczony mnich, nie mając, jak pisał, predylekcji do „oporu siłą", „prokurowania sobie klienteli", „fortyfikowania obozów", „grabieży, podpaleń i zabójstw", sam przełożył „pewność powrotu do studiów" nad „niepewność zajęć wojownika", walczącego o włości klasztoru. To on sam opuścił Bobbio.

Przed wyjazdem z Pawii pisze do Aurillac, do Rajmunda z Lavaur, dając wyraz swemu smutkowi i rozczarowaniu. Pisze mu, że wraca do swych studiów, mimo przerwy zawsze wierny ich wspólnemu duchowi. Zaprasza swego mistrza do Reims, do współpracy.

Formalnie pozostaje dalej opatem Bobbio. Jednakże wiosną 984 r., jak wyliczył Pierre Riché, Gerbert z Aurillac jest już w Reims.

Na korzyść krytykowanej kroniki Richera świadczy, mówiąc nawiasem, fakt, że właśnie milczy ona o losach Gerberta aż po rok 991 – mimo że Richer, uczeń mistrza, doskonale wiedział, co się z nim działo. Ale obaj widać uznali, że to, co się z nim działo, nie dorosło do miejsca w „Historii Francji".

W królestwie Francji trafił Gerbert na sezon pełni rozgrywek politycznych. Trzeba się wnikliwie i głęboko wgryźć w informacje współczesne, by rozpoznać te chwilowe sojusze, zmienne fronty, zwodnicze deklaracje; gdyby istniała wówczas prasa, nie przyszłoby jej łatwo nadążyć za obrotami spraw tego niby stabilnego, mało ruchliwego świata. Każdy z możnych prowadzi swoją własną politykę i własne gry w imię własnych interesów. Niechęci rosną i gasną, lub zamieniają się we własne przeciwieństwo, a co więcej, czasem zmieniają się nawet ich przyczyny, tak że w ciągu paru miesięcy atakuje się kogoś i wnosi doń pretensje z zupełnie innych powodów...

Gerbert nie zaniedba ani na chwilę swych kontaktów intelektualnych i osobistych; będzie korespondował z rozmaitymi swoimi przyjaciółmi i partnerami życia umysłowego. Ale historia zapamięta go jako pisarza listów – cudzych. Będzie Cyranem de Bergerac ówczesnej polityki. Będzie pisał listy w imieniu przyjaciół, ale także – w imieniu ludzi, których nie akceptuje, którym wszelako nie może, bo mu jakby nie wypada, odmówić usługi swego talentu. Będzie przekazywał intryganckie koncepty graczy politycznych – i gorycz opuszczonej kobiety; będzie pisał listy spiskowe i będzie pisał listy kłamliwe, które zaraz, niemal równocześnie zdementuje inną epistołą. Sytuacja zaiste powieściowa: uczony, filozof, technik, mnich, przy tym człek z charakteru łagodny, pośredniczy w tajemnych rozgrywkach, których uczestnicy, chcąc nie chcąc, powierzają mu swe sekrety – bo trudno przypuścić, by mieli go za naiwnego, który nie rozumie, co pisze. Mieli go raczej za kogoś inteligentniejszego od wszystkich, ale tak bezinteresownego, że aż przez to naiwnego do szpiku kości. To może mało zrozumiałe. Ale jest jedno wytłumaczenie, którego nie bierze się pod uwagę: Gerbert z Aurillac był naprawdę mnichem, człowiekiem oddanym Bogu i nauce, przez to bezinteresownym, i oni kogoś takiego w nim widzieli...

Adalberon z Reims sprzeciwiał się powierzeniu opieki nad małym Ottonem III swemu królowi, Lotarowi III; w jakiś czas później, objąwszy znowu kanclerstwo królestwa, zdołał Lotara przekonać do regencji Teofano. Jak pisał Gerbert do swego znajomego wielmoży z jej otoczenia, królowie Francji (królowie, bo w roku 979, wzorem Ottonów, ukoronowano *vivente rege*, za życia panującego króla, i Lotarowego syna, Ludwika, wtedy dwunastoletniego) sprzyjają jej synowi i nie chcieliby oddania władzy Henrykowi.

Adalberon tym bardziej nie chce oddania Henrykowi Kłótnikowi władzy nad Lotaryngią. Gerbert pisze więc w jego imieniu list do Egberta, arcybiskupa Trewiru. Żeby umocnić Egberta w wierności dla sprawy Ottona III.

Lotar ma wszakże swoje interesy, interesy Karolingów. Nie zrezygnuje z połączenia pod ich władzą obu Lotaryngii. Karol, jego brat, ma już w rękach Dolną Lotaryngię, a los im obu sprzyja, bo akurat 17 czerwca 983 r. zmarł był książę Górnej Lotaryngii, Ferri. Wszelako żoną Ferriego, a teraz wdową po nim, która przejęła władzę, była Beatrice, czyli w naszej włoskiej transkrypcji fonetycznej, Beatrycze, siostra Hugona Kapeta. Obaj Karolingowie jakby nie orientowali się w sympatiach Adalberona, arcybiskupa, i jego współpracownika: Karol, zamyśliwszy teraz wziąć stronę Henryka Kłótnika, prosi Gerberta, znając jego pióro, by napisał mu o tym list do Thierry'ego z Metzu, biskupa-sufragana przy owym Egbercie, arcybiskupie Trewiru!

Z zamysłów obu Karolingów rodzi się konspiracja wysokiego szczebla. Lotar, jak pisze Riché, „z przyjemnością" wita u siebie wysłanników Henryka Kłótnika, i to jeszcze za życia Ottona II, przebywającego we Włoszech; w rezultacie obaj z synem – Ludwik jest już dorosły, liczy sobie prawie osiemnaście lat – umawiają się z Henrykiem na potajemne spotkanie. W Brisach (niem. Breisach), nad górnym Renem, i to zimą, pierwszego lutego 984 roku. Henryk widocznie ma zamiar dać drapaka spod oka biskupa Poppona.

Wedle Riché'go, Gerbert dowiedział się o tym, ponieważ naonczas „rozmnożyli się szpiedzy". Ja sądzę, że na dworze Lotara nie ukrywano zamiarów przed arcybiskupem-kanclerzem – stąd zresztą późniejsza wściekłość i oskarżenia o zdradę... I sądzę zarazem, że podział musiał już wyraźnie się uformować, ludzie zaś bliscy wszystkim Adalberonom, arcybiskupowi i jego obu bratankom, dobrze wiedzieli o ich sympatii do Hugona Kapeta. Charakterystyczne tylko – na marginesie – że w liście do Notkera, tego w Liège, Gerbert, starając się pozyskać go dla sprawy Ottona III, pisze o Renie jako rzece „germańskiej"; czyli że takie rozróżnienia – przy całym zmitologizowaniu cesarstwa rzymskiego – funkcjonują wtedy obiegowo; „germańskości" Renu tym bardziej zaś można było nie podkreślać, że Brisach leżało ówcześnie po prostu w Górnej Lotaryngii, tyle że za rzeką...

W liście do jeszcze innego Adalberona, owego Gotfrydowego syna, biskupa Verdun, Gerbert sformułuje wtedy opinię, że „na czele Franków fortuna postawiła mocą czynu i pracy" (*actu et opere*, więc nie faktów i działania, jak chce Riché) – Hugona Kapeta. Już na przełomie lat 984/985.

Lotar III udał się do Brisach na umówione spotkanie, ale niepotrzebnie: Henryk nie przyjechał. Wiemy dlaczego: w tym czasie przejmował opiekę nad małym, trzyletnim Ottonem III. Lotara nie powiadomił. I zawiódł go.

Lotar, wróciwszy z Lotaryngii przez Wogezy, łączy się teraz z hrabiami Vermandois, owymi tradycyjnymi wrogami panów z Verdun i arcybiskupstwa Reims. Jeden z nich to wspominany tu już Eudes z Chartres, żonaty z bratanicą Lotara, córką Karola; co nie przeszkadza, że obaj panowie Vermandois, on i Herbert z Troyes, są, przypomnijmy, wasalami księcia Francji, Hugona Kapeta!

Ruszają razem – na Verdun. Obległszy je, zajmują miasto, ale gdy tylko odejdą ze swymi wojskami, opanuje Verdun z powrotem Gotfryd, hrabia Ardenów i Verdun, brat arcybiskupa Adalberona, wraz z Thierrym, synem Ferriego (i Beatrycze, teraz – księżnej-wdowy Górnej Lotaryngii, a siostry Hugona Kapeta). Lotar zawraca, jeszcze raz oblega Verdun. Verdun pada i Gotfryd z synem biskupem, oraz panowie lotaryńscy, którzy przy nich stanęli, dostają się do niewoli. Lotar oddaje ich w ręce hrabiów Vermandois, ci w marcu 985 r. zamykają ich w jednym ze swych zamków nad Marną.

To wszystko, zwróćmy uwagę, dzieje się w czasie niewiele dłuższym niż miesiąc!

Ten miesiąc oznacza otwarty już konflikt Lotara III ze swym dawnym nominatem i kanclerzem, arcybiskupem Reims, najbliższym krewnym uwięzionych... Jaką rolę w nim odgrywa nasz bohater?

Cesarzowa Teofano życzyłaby sobie akurat widzieć go u siebie. Z listu Gerberta do niej dowiadujemy się, dlaczego nie mógł przybyć na dwór cesarski: 31 marca panowie Vermandois dopuścili go do jeńców i mógł rodziny uwięzionych powiadomić o ich stanie. I czytamy, że Lotar III zdaje sobie sprawę z wierności Adalberona wobec cesarzowej, a więc z Adalberona wrogości wobec niego samego – tym bardziej że Lotar przecie zaatakował Adalberonowego brata... Wedle Gerberta arcybiskup będzie musiał szukać ucieczki przed prześladowaniem u niej właśnie, w cesarstwie.

Lotar zażądał od arcybiskupa, by arcybiskupów Trewiru, Moguncji i Kolonii poinformował pisemnie o swej wierności wobec – Karolingów. Adalberon znalazł się w pułapce: odmowa byłaby wyrokiem na całą rodzinę. Napisał. Oczywiście, Gerbertowym piórem. Ale Gerbert ze swej strony równocześnie natychmiast zdementował listownie wartość tej deklaracji, czyniąc ją dowodem tyranii, której ofiarą padł arcybiskup. Adalberon powtórzy to potem Egbertowi z Trewiru sam, bezpośrednio.

Lotar zażądał z kolei, by Adalberon kazał bratankowi, swemu imiennikowi, zniszczyć umocnienia wokół klasztoru św. Pawła w Verdun. Arcybiskup odmówił. Lotar postanowił więc wezwać swego kanclerza przed sąd seniorów i prałatów królestwa. Pod zarzutem – zdrady.

Zarzut sam był wart niewiele. Odsłaniał, jak dalece nie liczono się z królem Francji. To on miał wszak prawo mianować biskupów w zasięgu swej władzy, a przynajmniej wskazać kandydata, podczas gdy arcybiskup Reims wyraził zgodę na objęcie biskupstwa Verdun przez swego bratanka, nie zapytawszy nawet króla o zdanie!

Książęta, hrabiowie, biskupi i opaci, naturalnie ci z krain na północ od Loary, zjechali się dość szybko, w maju 985 roku, do Compiègne, jak wzywał ich Lotar. Król przedstawił swoje oskarżenie. Do rozprawy nie doszło: zgromadzenie obiegła wieść, że przybywa z paruset zbrojnymi Hugon Kapet, którego arcybiskup wezwał na pomoc. I zgromadzenie 11 maja po prostu rozjechało się do domów. Książę Francji był widocznie zbyt potężny, by ktoś chciał z nim zaczynać.

Lotar III musiał sam, jak niepyszny, wejść z nim w układy i szukać porozumienia. Więźniów hrabiowie Vermandois zwolnili; tylko Gotfryd, brat Adalberona, nie opuścił zamku, ponieważ nie chciał spełnić królewskiego warunku – zrezygnować z hrabstwa Ardenów i Verdun, jak też jego syn nie zamierzał ustąpić z biskupstwa w Verdun. Stary Adalberon uratował głowę i pozycję; wszystko zostało w stanie partii nierozegranej. Tyle że teraz konflikt między arcybiskupem a Karolingami przybrał formę otwartą. Doprowadzi do tego, co historia nazwie „rewolucją 987 roku". Poczekajmy. To już niedługo.

Przenieśmy się teraz tam, gdzie zachodzące zmiany będą miały niemniejszą wagę dla historii Europy.

Władca Polan, nowych chrześcijan, mieszkających za krainami złowrogich dla cesarstwa Słowian połabskich, Mieszko, po śmierci Ottona II podobno wspierał nadal Henryka, który trzymał teraz w ręku dziecko namaszczone królem. Udzielił mu rzekomo jakiejś pomocy, ale nie bardzo znajduję, z jakiej okazji; jeśli komuś pomagał, to raczej swemu teściowi, Teodorykowi, magrabiemu Marchii Północnej, w walce ze Słowianami połabskimi, którzy cofnęli historię do stanu sprzed roku 950. Wiemy natomiast, że po ułożeniu spraw cesarstwa, po rezygnacji Henryka, Mieszko został lojalnym sojusznikiem młodej cesarzowej. Więc nie w roku 985, ale już w 984.

Nasz wielki historyk, Roman Grodecki, napisał kilkadziesiąt lat temu w swojej części „Dziejów Polski średniowiecznej", że w roku 986 „Otto III z olbrzymim wojskiem stanął w Saksonii"; najście tych wojsk miało grozić państwu Mieszka. Ale mały król kończył dopiero sześć lat i mógł tych zbrojnych co najwyżej oglądać; Mieszko do Kwedlinburga wybrał się wtedy z darami, rozmawiać, rzecz jasna, z Teofano, cesarzową-babką i ich doradcami; ów słynny wielbłąd wśród tych darów był gestem dla zrobienia przyjemności małemu chłopczykowi. Mieszko nie przybył składać hołdu, żadnego aktu inwestytury lennej nie odprawiono; przybył – ze swymi posiłkami na wyprawę przeciwko Wieletom. O tyle jedynie „poddał się władzy" małego króla czy też „oddał się" mu, jak chcą ówczesne roczniki i późniejszy Thietmar. Z czego wniosek, że Teofano porozumienie z Mieszkiem zawarła już wcześniej. Domyślałbym się, że przypieczętowano je ożenkiem syna Mieszkowego, Bolesława, z córką margrabiego Marchii Miśnieńskiej, Rykdaga. Wtedy, w roku 984.

W późniejszym konflikcie Mieszka z Bolesławem Pobożnym, królem Czechów, około roku 990, Teofano nie tylko poprze Mieszka, ale wyśle mu w pomoc kilkuset wojów, na ich czele zaś same znakomitości, bukiet wielkich panów saskich, nie mówiąc już o Gizylerze, bitnym arcybiskupie Magdeburga. Trudno nie dostrzec ostentacyjnego charakteru tej operacji. Mieszko jest najwyraźniej sojusznikiem cenionym i zaufanym.

Sojusznikiem przeciw Bolesławowi Pobożnemu w roku 986? Nie sądzę. Sądzę, że Swen Widłobrody wznowił nie tylko najazdy na Anglię – wbrew swemu ojcu. Duńczycy Swena zaczęli być groźni dla ziem królestwa Niemiec. I nie tylko dla nich.

Nie wiemy, kiedy rozwinął się do swej pozycji wielkiego emporium handlowego – Wolin. Wiadomości Adama z Bremy, późniejszego historyka Kościoła hamburskiego, o „największym z miast, jakie są w Europie", zamieszkanym przez „Słowian, razem z innymi narodami, Grekami i barbarzyńcami", gdzie i sascy przybysze otrzymują prawo zamieszkania, byle nie manifestowali się ze swym chrześcijaństwem, otóż te wiadomości pochodzą z okresu blisko sto lat późniejszego; czcigodny kanonik z Bremy zapisał je w roku 1074. Co więcej, przedtem, w IX stuleciu, kiedy montowano tam wały – odkopane przez Władysława Filipowiaka – z plecionkowych skrzyń, wypełnionych gliną, nikt w Europie, żaden z jej geografów o Wolinie pod żadną jego nazwą nie słyszał... Nie wiemy też, kiedy Wolin sobie najął lub kiedy się w nim zagnieździli słynni „zbóje z Jomsborga", skąd ruszały wyprawy łupieżcze tych wikingów i na Ruś, i na zachód, na Anglię.

Adam z Bremy nazywał to miasto *Jumne*; sagi skandynawskie mówią o *Jomsborgu*. Nasz wielki historyk Gerard Labuda pierwszy rozwiązał zagadkę tej nazwy, której źródłosłowu nie sposób było dokopać się ani w słowiańskich, ani w germańskich zasobach leksykalnych – *jom, jum* to słowo pochodzenia... bałtyjskiego! Oznacza po fińsku mieliznę, po estońsku ławicę piaskową, po łotewsku zatokę lub mierzeję. Wynikałoby z tego, że Bałtowie zasiedlali pierwotnie ogromną część wybrzeży Bałtyku, aż po zachodnie Pomorze. W tym czasie już ich jednak tu nie było; Pyrzyczanie i Wolinianie (*Vuloini* kroniki Widukinda) mieli tu wedle „Geografa bawarskiego" siedemdziesiąt grodów, co archeologia potwierdza. W samej stanicy Jomsborga przeważali wikingowie duńscy, choć sagi widzą w jednym z ich wczesnych wodzów, *jarlu* Styrbioernie – królewicza szwedzkiego, którego pozbawił schedy po ojcu i należnej mu władzy stryj, imieniem Eryk.

Wedle jednych sag to Styrbioern zdobył dla siebie wielkie miasto Jom, wedle innych skaldów, czyli sagamadrów, opowiadaczy sag, Styrbioern dostał władzę nad Jomsborgiem od Haralda, wedle zaś *Jomsvikingsagi*, w której ponura sława zbójów jomskich rosła do infernalnych wymiarów, pierwszy ufortyfikował *Jom* i zbudował mu wielki port, a zbójom jomskim narzucił surowe reguły, z dożywotnim celibatem włącznie – Palnatoki, przedtem jarl Fionii. Ten sławny wiking, który żonę podobno przywiózł sobie aż z Walii, Fionię opuścił być może wtedy, gdy powstało na niej biskupstwo w Odense. Podobno to on wychowywał Swena, rzekomo – nieślubnego Haraldowego syna, nastawiając go przeciw Haraldowi; dlatego Swen Widłobrody nie tylko ruszy znowu na Anglię, ale będzie pustoszył i ziemie królestwa ojca.

Powiążmy teraz daty. W 983 r. Słowianie połabscy, w tym przede wszystkim Wieleci z Redarami na czele, runęli na ziemie już saskie. Tegoż roku, być może równocześnie lub nieco później, Swen uderzył na gród strażniczy Ottona II w Hedeby i zdobył go; wiemy o tym z napisów runicznych ku czci poległych w tym boju wojowników duńskich. Swen coraz większej nabiera pewności siebie; aż w końcu dochodzi w roku 985 lub 986 do bezpośredniego starcia między nim a ojcem, w jednej wersji – na lądzie, w drugiej – na morzu, koło Bornholmu. W tej drugiej – Haralda, odpoczywającego po bitwie na wyspie, ugodził podstępnie strzałą czy też nożem – Palnatoki. Co ciekawe, w jednej i drugiej wersji ciężko ranny Harald popłynął do – „miasta Słowian, które nazywa się Jumne", gdzie go ci poganie ludzko przyjęli. Tam zmarł – co by potwierdzało duńskie związki „zbójów jomskich". A także to, że miał ich po swojej stronie, albo też mógł przynajmniej liczyć na ich lojalność. Jego ciało odwieziono potem do ojczyzny i pochowano w kościele, który sam postawił w Roskilde; Swen, jak widać, temu nie przeciwdziałał. Co więcej, wszystko wskazuje na to, że stare ojcowe związki z Obodrytami podtrzymał.

Przypuszczam, że w Kwedlinburgu Mieszko z doradcami Teofano dyskutowali nad sytuacją po śmierci Haralda, kiedy to władzę nad Danią objął Swen Widłobrody. Jego wiek w tym momencie szacowałbym na 24–25 lat. Był więc w pełni sił. I był doprawdy bardzo groźny. Ale nie tylko on.

Historycy zgadzają się na historyczność postaci Styrbioerna. Otóż Styrbioern ze skompletowaną w Jomsborgu drużyną, z posiłkami od Haralda, wyruszył na Uppsalę odebrać władzę stryjowi. *Knytlingasaga* mówi, że Styrbioern po wylądowaniu spalił swe łodzie, by nikomu nie przyszło do głowy uciekać. Eryk jednakże okazał się silniejszy. Zmasakrował napastników. „Padł Styrbioern i padła cała jego drużyna", mówi saga (tłum. G. Labuda). Uszli z życiem tylko nieliczni. Polski historyk, Leon Koczy, datował klęskę Styrbioerna na rok 987. Mój nieżyjący przyjaciel, który pasjonował się dziejami Wolina, Kazimierz Błahij, logicznie wywodził w swej książce „Ostatnia tajemnica zatopionych bogów", że musiało to stać się jeszcze za życia Haralda. Podzielam jego zdanie.

Przypuszczam, że Mieszko swoją córkę wydał był za władcę Szwecji, tegoż Eryka, właśnie po klęsce Styrbioerna, i że już wtedy Eryk zarobił na przydomek „Zawsze Zwycięskiego", *Segersaell*. Musiał być Eryk władcą na tyle potężnym, by warto było się z nim kumać i – wiązać przeciw Swenowi.

Mieszkowy Bolesław oddalił wtedy, w 986 r., swą żonę. Czy dlatego, że właśnie zmarł jej ojciec, margrabia Miśni? Myślę, że małżeństwa po prostu nie dopełniono, że panienka była zbyt młoda, by urodzić potomka, a teraz nie była już i politycznie potrzebna. Teraz dostał Bolesław – Węgierkę. Musiała być córką Gejzy, brać inną nic by nie znaczyło. Czy mogła być córką Białej Knegini? Długo żyła ta żona Gejzy, skoro ją mógł opisać jak swą współczesną Thietmar, urodzony w roku 975. Ale siostra cioteczna to zbyt bliskie pokrewieństwo i miałbym jednak ową żonę Bolesława za córkę po wcześniejszej żonie Gejzy, opuszczonej, bo nie dała mu syna.

Tak czy inaczej, konstelacje władców buduje się teraz w całej Europie. Z Północą włącznie. Bo i Eryk musiał przecież sam nabrać ochoty, by włączyć się w ten znamienny proces.

XIV

Co mogą pieniądze, co mogą arcybiskupi

Tak czy inaczej, Mieszko to nie tuzinkowy gracz. To partner wielkiej gry. I już wtedy jest pierwszym sojusznikiem cesarstwa w tej części Europy.

Zgoda, przeciw potędze Czechów. Ale przede wszystkim chyba – przeciw Duńczykom Swena Widłobrodego i jeszcze groźniejszym od niego Słowianom połabskim, głównie Obodrytom, spośród których wywodzi się matka lub macocha Swena. Ze strony Mieszka to nie rzecz męskiej sympatii dla Teofano, młodej, pięknej i dzielnej kobiety. To polityka. Polityka wielkiej gry, a także – jeśli to można tak określić – wysoka już fachowość w prowadzeniu ówczesnego państwa.

Zwróćmy uwagę: córkę dał za żonę Erykowi szwedzkiemu, który, choć na krótko, przyjmie – chyba wtedy? – chrześcijaństwo. Ta córka urodzi Erykowi (koło 989 r.) syna Olafa, a ten Olaf zarobi wśród swoich poddanych na przydomek *Skoetkonunga,* „księcia podatków". Niezwyczajne było dla Normanów już samo nakładanie podatków jako sposób na pozyskiwanie pieniędzy, miast wypraw łupieskich, stąd zaskakujący przydomek, a któż mógł Olafa lepiej tego nauczyć, niż matka z rodu władcy, który ściągał już podatki?

Nikt inny nie mógł młodego Szweda tego nauczyć; wbrew opinii brytyjskiego mediewisty, Rogera Collinsa, nikt tam z Europy nie jeździł. Jeśli już, to prędzej kupcy arabscy. Znaleziska pochodzenia europejskiego, czyli z Anglii, Francji czy Hiszpanii, docierały tu jako zdobycze. A ta Europa opowiadała sobie wówczas o Szwecji zupełne brednie. Około roku tysięcznego działał wprawdzie angielski biskup, imieniem Godebald, w Skonii, ale pamiętajmy, że Skonia była wówczas i przez długie wieki będzie – duńska, a nie szwedzka. Co ciekawe, Olaf będzie bił monety podobnie jak jego wuj, Bolesław polski, oznaczając swe państwo nazwą swojej stolicy – *Sigtun*...

Nie mamy, swoją drogą, pewności, jak się ta dziewczyna, dana Erykowi, naprawdę nazywała; ani nasza wersja, czyli *Świętosława*, ani wersja skandynawska, z sag, *Sygryda* czy *Storrada* (Dumna) nie są pewne. Nowsza literatura skandynawska, angielska i francuska w ślad za źródłami mianują tę Polankę – *Gunhildą*, czyli – Waleczną Bohaterką, ale w tamtym czasie na terenie Skandynawii to niekoniecznie nawet musiało być imieniem, mogło być mianem, nadanym z przesadą właściwą kulturze literackiej wikingów (a być może myli się ją z siostrą Swena o tym imieniu). Niektórzy uczeni w ogóle powątpiewają o jej słowiańskim pochodzeniu; bezzasadnie – poza Thietmarem zaświadczyła o nim ponad wszelką wątpliwość jej własna późniejsza synowa, która też w naszej opowieści wystąpi. Thietmar mówi o niej wprost jako o córce Mieszka, a siostrze Bolesława. Ja zaś dorzucę ten sam argument, co w przypadku żony Gejzy – gdzie miał wtedy szukać sobie żony książęcego rodu władca aż tak odległej Północy, o której nikt niczego w Europie nie wiedział?

Jedno tylko pewne: Świętosława-Sygryda-Storrada była osobowością bardzo mocną. Dowiemy się tu o niej rzeczy, które ścinają krew w żyłach...

Mówiąc nawiasem, kuzyn, syn jej ciotki, owej Bela-Knegini, węgierski Stefan, wyniesiony przez Kościół na ołtarze święty, też będzie pionierem podatków w swoim kraju. Podobno organizację swojej administracji, swoje *komitaty*, na czele których stanęli mianowani przezeń *żupani*, wojewodowie, stworzył za wzorem miejscowych Słowian, ale ja to mam za iluzję: tamtejsi Słowianie, jak wszyscy im współcześni, rządzili się w niewielkich państewkach plemiennych ze swoimi wodzami lub książątkami, co z podziałem administracyjnym państwa doprawdy nie miało nic wspólnego. A zresztą po co brałby Gejza żonę z dalekiego, zakarpackiego kraju, miast z Czech, skąd przecie nadciągnęli jego pierwsi księża i mnisi?

Ten Mieszko naprawdę był nietuzinkową postacią. Nie tylko dla nas. Przede wszystkim dla swoich współczesnych. Tym bardziej że po epoce Mieszka nawet w Polsce te podatki płacone w pieniądzu zanikły – wróciły normalne wówczas daniny w naturze, głównie w bydle (o ile mi wiadomo, nikt się nie zajął bliżej kwestią owych Mieszkowych podatków, jako że późniejsze zniszczenia i załamania w obrocie handlowym na długo wyeliminowały płatności w monecie; daninę opolną, najłatwiej ściągalną, długi czas nasi dawni historycy datowali na czasy późniejsze – nie uwzględniwszy ani wymowy źródeł, ani kontekstu historycznego).

Do dziś historycy toczą zaciekłe spory o interpretację dokumentu zwanego od jego pierwszych słów *Dagome iudex*. Już zresztą te właśnie pierwsze jego słowa, które miałyby świadczyć, że Mieszko, czego nie ma żadnego innego śladu, przyjął na chrzcie imię Dago, tj. Dagoberta, budziły dość szerokie wątpliwości. Po pierwsze, mogła zajść nie tyle tak zwana fachowo „emendacja", czyli poprawka ze strony późniejszego kopisty, ile prosty błąd w odczytaniu niewyraźnie zapisanego bądź przepisanego tekstu, mogło więc być – *Ego Mesico dux*. Ja zaś przypomnę, że zapis „tachygraficzny", który poprzedził stenografię, znany w Rzymie tego czasu, opierał się na zapisie głównie pierwszych sylab, i być może to nie żaden *Da-go-me iu-dex*, ale zniekształcone przez następnych kopistów *Dei gratia Mesico, dux...*

Jedno pewne, że w roku 990 lub 991 Mieszko wraz ze swą aktualną żoną Odą i nieletnimi synami, których z nią miał, oddał tym dokumentem pod opiekę papieża „państwo gnieźnieńskie". Nie państwo Polan, lecz państwo „gnieźnieńskie" – tak je zresztą będzie nazywał potem na swoich monetach i Bolesław Chrobry: *Gnezdun civitas*.

Nadinterpretacje mnożą się od dziesiątków lat; zaszły tak daleko, że czasem już nie kojarzy się nieobecności w dokumencie imienia najstarszego syna, Bolesława, z faktem, że poza granicami państwa „gnieźnieńskiego" pozostała ziemia krakowska. Miałaby ona znajdować się przedtem w rękach Czechów i Mieszko miałby ją przejąć właśnie teraz – choć wiadomo, że wojnę z Bolesławem Pobożnym Mieszko, wsparty przez Teofano, prowadzi wcale nie tutaj, lecz na terytorium Dolnych Łużyc!

Cóż, jedynym logicznym wnioskiem, bez mnożenia bytów ponad potrzebę, wydaje się domysł, że Mieszko swoje państwo już wtedy – jak wówczas wszyscy – podzielił, oddawszy ziemię krakowską Bolesławowi. Ale przeciw komu zabezpieczał Odę i jej synów oparciem w Rzymie – jeśli w ogóle naprawdę zabezpieczał?

Czy miałby chronić swe ziemie przeciw ewentualnym zobowiązaniom lennym wobec cesarza? Akurat cesarstwo wtedy niczym takim nie groziło; przeciwnie, to cesarstwo potrzebowało i wspierało Mieszka.

Zabezpieczanie się w ten sposób przeciw Bolesławowi Pobożnemu nie miałoby sensu. Bo niby po co?

A przeciwko własnemu synowi? To, powiedzmy szczerze, wydawałoby się najprawdopodobniejsze, choć było to zabezpieczenie, przy znajomości charakteru Bolesława, dosyć iluzoryczne. Przynajmniej Mieszko musiał o tym wiedzieć; złudzenia w tej kwestii mogła mieć co najwyżej sama Oda.

Jedno mnie w sprawie tego dokumentu zastanawia: czy Mieszko naprawdę nie wiedział, co się dzieje w Rzymie i kto jest papieżem? Bo jeśli wiedział, charakter tego dokumentu był zgoła inny, wcale nie związany w bieżącymi rachubami politycznymi. A trudno sobie wyobrazić, by go w Kwedlinburgu nie informowano o stanie rzeczy w Rzymie.

Ten papież nie był cesarskim papieżem. W lipcu 985 r., w rok po zgonie zagłodzonego papieża, kolejna rewolucja miejska uśmierciła także jego mordercę, Bonifacego VII, uzurpatora, o którym jak najgorsze świadectwo zostawił nasz bohater, Gerbert z Aurillac. Następcę, mieszkańca Rzymu, wybrał wtedy sam Rzym. Rzym, czyli panoszący się w nim ci sami dwaj synowie Krescencjusza I, zaciekli wrogowie cesarstwa.

Ich nowy papież, jeden z kardynałów prezbiterów, człowiek wykształcony, syn księdza, przybrał, wręcz demonstracyjnie, imię Jana XV. Jedyne, czym zasłynął, to nepotyzm. Ale nie rządził Miastem. Miastem rządził Krescencjusz II. Bez żadnych tytułów, oficjalnie bowiem to jego brat, Jan, został *patrycjuszem Rzymu*, czyli głową Miasta. Rządzili obaj także Janem XV; dopiero z czasem popadną z nim w konflikt, ale bez względu na rzymskie perturbacje w latach *Dagome iudex* opieka papieska nie znaczyła wtedy nic.

Tak więc był to raczej – gest. Ale gest bardzo ważny, symboliczny: realizował już pewne nowe wyobrażenia o świecie chrześcijańskim, którego jedność miałaby rodzić się z poddania wszystkich duchowemu władztwu papieża – czyli dokładnie to, co miał na myśli Gerbert z Aurillac w roku 999, przybierając, znów demonstracyjnie!, znamienne imię Sylwestra. Jeśli tak – kto Mieszkowi to zasugerował? Kto mógł reprezentować taką opcję, skoro Otton III był wtedy nadal małym chłopcem? Czy nie Teofano? Bo przecie nie Adalberon, do którego było jednak trochę za daleko?

Sama danina nie była nowym pomysłem. Denar św. Piotra, jeden denar od głowy, roczną daninę na rzecz Kościoła, wymyślili biskupi niemieccy, a na synodzie w Erfurcie w roku 932 poparł ich Henryk I saski, zwany później Ptasznikiem, ojciec Ottona I. Ustanowienie takiej opłaty z ziem państwa, podległych w 990 r. Mieszkowi, oznaczało jedynie formalne potwierdzenie wejścia jego państwa w krąg rodziny państw chrześcijańskich (miejmy nadzieję, że podobny dokument odnajdzie się może i dla dzielnicy Bolesława).

Politycznie liczyłaby się wtedy opieka papieska pod warunkiem, że byłaby w ogóle możliwa.

Teofano wyrasta w tej historii na jedną z postaci ważnych dla rozwoju ottoniańskiego, a raczej – sylwestriańskiego uniwersalizmu. Jeśli przyjmiemy, że wielki mędrzec-mnich cieszył się uznaniem Teofano, jeśli go słuchano, jeśli miał potem taki wpływ na Ottona III, to ani chybi dzięki niej i dzięki babce Adelajdzie. Nikt inny nie pasuje do tej zagadkowej układanki, do tego puzzle'a.

Są oczywiście pytania, na które może nigdy nie uzyskamy pełnej odpowiedzi. Dlatego trudno odżałować, że Teodor Parnicki odszedł z tego świata i nie podejmie literackich przynajmniej dopowiedzeń w jakimś jeszcze jednym wariancie „Srebrnych orłów"...

Mamy za to pewność, na podstawie listów samego Gerberta, że w roku 987 Teofano wraz z babką Adelajdą, Burgundką, znającą sprawy galijskie z autopsji, opowiedziały się za Hugonem Kapetem jako kandydatem na tron francuski. Za tym nieukiem, który nie mówił nawet po łacinie i musiał rozmawiać z zagranicznymi biskupami przez tłumaczy!

Chodziło o tron nieznaczący, bez potęgi i wpływów, ale jednak – tron królewski. Tron – dla kuzyna ich małego króla, dla aktualnego i potencjalnego sojusznika. Musiały mieć obie na uwadze, że ów tron obsadzony przez Karolinga, Karola z Lotaryngii, przysporzyłby im kłopotów, odżyłyby może wtedy pretensje zachodnich Karolingów do korony cesarskiej. Ale najistotniejsze jest to, że właśnie ona, Teofano, przy współpracy drugiej wybitnej kobiety w ówczesnej polityce, budowała podstawę polityczną dla wizji swego syna i jego nauczyciela.

Jan Baszkiewicz odrzuca, i słusznie, dawne opinie historyków, sugerujące, że to poparcie Ottona III wpłynęło na wybór Hugona Kapeta po śmierci Ludwika Gnuśnego. Przyznaje natomiast, że „fantazje Ottona III uwodziły wyobraźnię niektórych książąt Kościoła Francji". Tylko że – przepraszam – Otton III miał w owej chwili wszystkiego lat siedem. Sam jeszcze na nic wpłynąć nie mógł.

Przyjrzyjmy się wydarzeniom. Czterdziestoczteroletni Lotar III zachorował nagle w Laon i zmarł 2 marca 986 r. Tron króla Francji obejmuje po nim dziewiętnastoletni Ludwik V, ukoronowany jeszcze w roku 979. Ludwik zarobi w historii na przydomek Gnuśnego. Nie był w rzeczywistości tak znowuż gnuśny. Raczej, powiedziałbym, głupi, a i – podły, jak się zaraz okaże. Kiedy miał piętnaście lat, posłano go na południe, za Loarę, i ożeniono z akwitańską księżniczką, Adelajdą, o kilkanaście lat od niego starszą. Nie wiemy nawet, czy okazał się mężczyzną w takiej konfrontacji – może stąd wzięła się opinia o jego gnuśności...? Tym słabszy był wobec swojej matki. W praktyce więc rządziła teraz ona – Emma, wdowa po Lotarze III, pasierbica Ottona Wielkiego, córka jego żony, Adelajdy, dziś cesarzowej-babki, z jej pierwszego małżeństwa.

To ciekawe – i pierwszy zwrócił uwagę na to właśnie Pierre Riché, przytaczając wpółironiczne na ów temat słowa Gerberta – jaką rolę w ówczesnej polityce odgrywają mocne kobiety. Nie tylko Świętosława-Sygryda na dalekiej Północy, Bela-Knegini na Węgrzech czy dobierające sobie mężczyzn kobiety władzy w Bizancjum; także tu, w Europie chrześcijan zachodnich, Teofano i Adelajda decydują na dworze małego króla Niemiec; Beatrycze, siostra Hugona Kapeta – w Górnej Lotaryngii, a na dworze młodego króla Francji Emma, córka tejże Adelajdy, na tyle pewna siebie, że mieszkająca w... Laon, stolicy biskupiej swego ukochanego Ascelina.

Emma, znowu piórem niezastąpionego Gerberta, pisze list do matki, powiadamia ją, że możni zaprzysięgli wierność jej i jej synowi. Umawiają się oboje z Ludwikiem na spotkanie z matką, niemiecką cesarzową-babką, w zamku Remiremont 18 maja.

Emma popycha syna do zgody z Adalberonem. Wypuszcza dalszych Lotaryńczyków z niewoli u hrabiów Vermandois. Nie opuszcza tylko tej niewoli, ze znanych już nam powodów, Gotfryd, bo warunki zwolnienia wobec niego podtrzymano.

Jednakże Emma – przegra. Przegra z wpływami szwagra, owego Karola, który ją był oskarżał o zdradę małżeńską.

Teraz – rzecz niepojęta! – podniesie to oskarżenie przeciw niej własny syn. Jest wstrząśnięta i trudno się temu dziwić; Gerbert zna jej stan ducha i sytuację, to jego piórem Emma pisze rozpaczliwy list do matki. Ludwik V, jak widać, wcale nie jest Gnuśny. Jest podły. Nawet hrabiowie Vermandois staną po stronie jego matki!

Ludwik nie okazuje też gnuśności wobec arcybiskupa Reims. I przeciw niemu podtrzyma ojcowskie oskarżenie o zdradę stanu. Więcej: rusza na Reims i oblega Adalberona w jego stolicy arcybiskupiej!

Adalberon nie chce przedłużać uciążliwości działań wojennych – dostarczy Ludwikowi swoich zakładników, podpisując jednocześnie zobowiązanie, że wiosną 987 roku stawi się, by odpowiedzieć na zarzuty króla, przed zgromadzeniem seniorów i prałatów królestwa Francji, zwołanym, jak poprzednio, do Compiègne. Na 27 marca 987 r. Sam pojedzie na dwór cesarzowej Teofano.

Ludwik ani myśli o tym, by pomóc swojemu lennikowi z Katalonii, którego najechał al-Mansour, Almanzor, ów żądny wojen pogromca giaurów, wezyr rządzący Kordową. Zajmuje go to, co na miejscu i obok.

Zimą Adalberon wrócił z dworu cesarzowej. Odbył w Reims mnóstwo rozmów. Te rozmowy, jak się możemy domyślać, przygotowały nowy los Francji.

Zgromadzenie opóźniło się; zjechało się dopiero w maju, dopiero 18 maja. 25 maja, co wiemy od Richégo, mieli spotkać się cesarzowa Adelajda, więc babka Ludwika, Karol Lotaryński, czyli jego stryj, sam Ludwik i... Hugon Kapet. Tym razem wyszło jednak, że sama historia najwyraźniej ma już dosyć Karolingów: Ludwik pojechał na polowanie w lasy koło Compiègne i spadłszy z konia, tak się nieszczęśliwie poturbował, że 22 maja zmarł od wewnętrznych obrażeń.

Tym sposobem sąd nad Adalberonem zamienił się – w elekcję nowego króla. Elekcję pod przewodnictwem – Adalberona. Ale już nie w Compiègne.

Historia wkroczyła z tą elekcją do odległego o dwadzieścia parę kilometrów Noyon, miasta tamtejszego biskupa (a nie do Senlis, jak napisał Witold Dzięcioł). I historia mówi, że tym, kto 1 czerwca 987 r. przesądził w Noyon o wyborze Hugona Kapeta, nie był ani prymas Francji, arcybiskup Sens, ani żaden inny z możnowładców, lecz właśnie on, arcybiskup Reims, Adalberon z Ardenów. Być może – przesądził słowami obmyślonymi przez naszego bohatera...

Adalberon użył argumentu, który nie miał nic z domniemanego ottońskiego uniwersalizmu, mało, był niemal demagogicznie anty-ottoński: kandydat do tronu z linii karolińskiej, Karol, książę Lotaryngii, był lennikiem władcy Niemiec i, wedle słów Adalberona, „bez wstydu służył obcemu monarsze".

Żeby sprawę zaś jeszcze bardziej skomplikować, dodam, że ta opcja Adalberona była w rzeczywistości całkowicie zgodna z takim późniejszym uniwersalizmem Ottona III i Gerberta z Aurillac, jaki oni naprawdę reprezentowali.

Wedle „Historii Francji" Richera, współczesnego wypadkom, Adalberon tak przemawiał za Hugonem Kapetem: „Karol z Lotaryngii ma swoich zwolenników, którzy zdają się wierzyć, że to jemu na zasadzie dziedziczności należy się tron. Ale my jesteśmy zdania, że władzy królewskiej nie nabywa się prawem dziedzictwa, należy więc podnieść do tej godności kogoś, kto wyróżnia się nie tylko szlachetnością pochodzenia, lecz także mądrością, wiarą i wspaniałomyślnością".

Gerbert był przy tym. Tradycja chce w nim widzieć głównego architekta „rewolucji 987 roku". Dla kandydatury Hugona Kapeta (ten przydomek narodził się później, pochodził, jak wiemy, od „kapy", księżowskiego ornatu, był bowiem Hugo tytularnym opatem kilku klasztorów) pozyskały go rzekomo Teofano z Adelajdą. To nieporozumienie. Wiemy, że przyjaźnił się z Hugonem na długo przedtem i na długo przedtem uważał go za rzeczywistą głowę Franków.

Po drugie, scholastyk z Reims, żeby najinteligentniejszy i najuczeńszy, przy najszerszych kontaktach i swojej opinii mędrca, nie mógł mieć w gronie feudałów królestwa Francji wpływu na nikogo poza znanym sobie, swoim własnym pryncypałem. Nie mógł nikomu niczego obiecać, ani łask, ani majątków. My zaś wiemy, że Adalberon dość dawno postawił na Hugona Kapeta. I to nie z wdzięczności, lecz w imię interesu swojej *Francji*. Potwierdza to późniejsza właśnie opinia Gerberta – że ci ostatni Karolingowie byli królami tylko z imienia, a dopiero Hugon był królem naprawdę.

Adalberon ukoronował Hugona w Reims 3 lipca 987 r. Ten dzień zakończył epokę Karolingów we Francji. Przez następne osiemset lat francuski tron będzie należał do potomków Roberta Mocnego, zwanych od Hugonowej przezwy Kapetyngami, choć powinni byli zwać się Robertynami. Z tym że dla nas w tej opowieści liczy się fakt zaakceptowania mocnego króla Francji, króla „naprawdę", właśnie przez matkę Ottona III – z inicjatywy, jak należy sądzić, Adalberona i jego młodszego współpracownika. To nie Teofano pozyskała ich dla Hugona, lecz odwrotnie, oni ją przekonali do Hugona.

W naszą opowieść wkroczy teraz przyszły święty – Wojciech z Libic. Był w 983 r. w Weronie; jeśli posłał go tam czeski Bolesław II Pobożny, znaczyłoby, że spróbował jakoś ułożyć się z panami Libic, rodziną Wojciecha. W Weronie poznał Wojciecha Otton II i zaakceptował jego kandydaturę na biskupstwo, które wreszcie zgodził się erygować w Pradze.

Ale Wojciech to postać jakby z innej trochę sztuki. Bez wątpienia intelektualista; ów najwcześniejszy z jego „Żywotów" podkreśli, że uczeń Otryka z Magdeburga wyróżniał się podczas pobytu we Włoszech biegłością w „filozofii świeckiej", że wszyscy mnisi w rzymskim, benedyktyńskim klasztorze św. Bonifacego i św. Aleksego tę biegłość mu przyznawali. Ale niech nas to nie myli: wzrok Wojciecha kierował się przede wszystkim i wyłącznie ku Bogu. Nie interesowały go zaszczyty ziemskie, nawet kościelne; być może to właśnie zrobiło na Ottonie wrażenie. Wiadomo było, że będzie to biskup Pana Boga, a nie Bolesława Pobożnego.

Powiedzmy od razu, że na pewno nie takiego biskupa życzył sobie władca Czech. Uformowany przez ojca, Bolesława Srogiego, sam również tęga głowa, potrzebował w biskupie wsparcia swej władzy, wsparcia moralnego i organizacyjnego. Tymczasem Wojciech była to osobowość mocna i niepodległa; z końca X wieku pochodzi stempel do tłoczenia monet z wyjątkowym, a znamiennym napisem – *hic denarius est episcopi*, ten denar jest denarem biskupa, i prof. Ryszard Kiersnowski na pewno nie myli się, sądząc, że oznaczało to jakieś przeciwstawienie denarowi księcia, pochodzącemu widocznie z nienajczystszych źródeł (co się zresztą zaraz potwierdzi). Wojciech nie zakładał szkół, lecz – klasztory. Jego punktem odniesienia był erem, nie dwór. Oddać chciał siebie nie ludziom, a Bogu. Mamy prawo przypuszczać, że wręcz marzył o męczeństwie.

Pod adresem Bolesława Chrobrego będzie się wysuwać podejrzenia, brzmiące jak insynuacje, że wysłał Wojciecha do Prus na męczeństwo. Ale ci ludzie – mam na myśli Wojciecha i krąg jemu podobnych – żyli w takim bodaj napięciu wiary, że znowu, jak za czasów Eulogiusza, sami byli gotowi szukać okazji do złożenia Bogu swego życia w ofierze – przy pełnej zarazem świadomości, jak bardzo w epoce zepsucia trzeba wzoru, wyzwania, heroicznego sygnału wymagań Boskich.

Wojciech szedł taką drogą od swych wczesnych lat; Bruno z Kwerfurtu doznał impulsu świętości w określonej chwili i sytuacji, którą wręcz opowiedział, impulsu, który do złudzenia przypomina takież akty nawrócenia czy poświęcenia wśród muzułmanów tej epoki. Więcej, Bruno sam tak ukochał polskiego Bolesława w roli krzewiciela chrześcijaństwa, że – mamy podstawy sądzić – chciał umrzeć dla jego dzieła, przysporzyć mu jeszcze jednego męczennika. Tak też prawdopodobnie było i wcześniej z Wojciechem. Bolesław wiedział, że jego przyjaciel idzie po śmierć, a Wojciech z rozmysłem jej szukał. Być może – jak tu ukażemy – sprowokował ją nawet...

Bolesław tutaj wychodzi na cynika. Może i był cynikiem. Ale strzeżmy się transponowania naszych pojęć na czas tak odległy i tak – odmienny. Romualda, twórcę reguły kamedułów, eremitę, którego świętość była oczywista dla każdego, kogo spotkał na drodze swoich wędrówek, omal nie zamordowano – jedynie po to, by relikwie po nim, relikwie z ciała świętego, nie dostały się w obce, niepowołane ręce! Jest zgoła prawdopodobne, że Wojciech chciał dać świętego z jego relikwiami swemu ukochanemu, dzielnemu przyjacielowi, siewcy chrześcijaństwa, Bolesławowi.

O tym, dlaczego Wojciech opuścił swoje biskupstwo w Pradze, dowiedziałem się przed laty najpierw z... Adama Meza „Renesansu islamu". Otóż Wojciech opuścił swój stolec biskupi w roku 989, ponieważ nie mógł wykupić z niewoli chrześcijańskich niewolników pędzonych przez Pragę czy też w Pradze sprzedawanych!

Nie wykluczałbym, że konflikt Mieszka z czeskim szwagrem mógł mieć związek z tym odejściem Wojciecha, a zwłaszcza z przyczynami tego odejścia. Mieszko podobno zabrał przedtem szwagrowi jakiś kawałek jego władztwa, ale chyba sensowniej będzie się domyślać, że był to, wnioskując z czeskiej nazwy Wrocławia, Wratisława, Dolny Śląsk – ten Śląsk, którego plemiona odgradzały się były od zagonów czeskich specjalnymi wałami.

Potężne państwo czeskie, zdolne opierać się atakom Ottona Wielkiego, mogło zapewne łatwiej poradzić sobie z gorzej uzbrojonymi plemionami Śląska i stamtąd brać niewolnika do sprzedaży na targu w Pradze. Ci chrześcijanie, których nie mógł uwolnić Wojciech, wyglądają mi na ludzi ze Śląska...

Wojna jednak w 990 roku nie toczy się na Śląsku ani o Śląsk, czyli że ten Śląsk Mieszko zagarnął wcześniej (wedle moich domysłów – znacznie wcześniej). I Bolesława Pobożnego wesprą teraz – pogańscy Lutycy, czyli Wieleci, a więc Słowianie połabscy! Czy to przypadek? Jeśli jeszcze nie tak dawno władca Czech potrafił skutecznie prowadzić wojnę na dwa fronty?

Mam niejasne wrażenie, że Bolesław, nazwany później Pobożnym, w tym momencie nie bardzo wiedział, czy w ogóle chce być chrześcijańskim pobożnym...

Państwo zachodnich Franków też dalekie jest od stabilizacji. Hugon Kapet najlepiej wie, jak kruche są życie i władza w jego czasach, z góry więc, wzorem Ottonów i Karolingów, postanawia zapewnić swemu rodowi ciągłość panowania. Przekonuje Adalberona, by za życia ojca koronował też królem jako współwładcę państwa – syna, czyli Roberta, Gerbertowego wychowanka ze szkoły Reims.

Sędziwy już arcybiskup Reims opiera się temu pomysłowi. Ulegnie w końcu. Ale tu znowu dostrzeżemy rękę naszego bohatera – Adalberon postawi swemu wybrańcowi warunek: owszem, namaści Roberta, ale pod warunkiem, że Hugon wyśle posiłki odpierającemu kolejną inwazję Almanzora – hrabiemu Barcelony, Borelowi, niegdyś – dobroczyńcy młodego Gerberta.

Pierre Riché podaje datę pożaru Barcelony podczas tego oblężenia, 6 lipca 985 r., ale wszelkie daty są tu niepewne, nawet dzienne; wedle jednych źródeł Philipa Hitti'ego, autora „Dziejów Arabów", skierowała się przeciw Barcelonie trzynasta kampania wojowniczego wezyra kalifatu Kordowy właśnie w roku 985, wedle innych – dwudziesta trzecia, a w 988 r. Almanzor uderzył na królestwo Leonu; niewykluczone, że Almanzor zaczął swą kampanię od Barcelony, a stamtąd, omijając Nawarrę i przeszedłszy Aragonię, od wschodu zaatakował królestwo Leonu. Korespondencja Gerberta, jak i warunek, stawiany przez Adalberona, uprawdopodobniają obie daty – i rok 985, i rok 987, a więc po prostu kolejne ataki Almanzora.

Hugon złożył obietnicę. W dzień Nowego Roku 988 stary arcybiskup koronował i namaścił świętymi olejami drugiego króla Francji.

Hugon mimo to nie wysłał posiłków Borelowi – sam będzie potrzebował swego wojska. Adalberon mu wybaczy: te wojska jemu samemu będą musiały przyjść z pomocą.

XV

Tenże Gerbert, który był naszym scholastykiem

Czy to Gerbert po koronacji Roberta podsunął Hugonowi pomysł, by zwrócić się do dwóch młodych cesarzy bizantyjskich o rękę którejś z *porfirogenetek* dla jego syna?

Wątpliwe. Hugon ożenił Roberta, kiedy ten miał lat piętnaście, ze znacznie odeń starszą wdową po potężnym hrabim Flandrii, Arnulfie II, Zuzanną, a małżeństwo nie zostało rozwiązane, ani unieważnione, choć – teoretycznie – mogło być, dla zbyt bliskiego stopnia pokrewieństwa... Więc raczej nie wymyślił tego nikt z duchownych.

Gerbert pisał jednak list Hugona. Hugon w nim deklarował, że bez jego zgody i woli nigdy żaden *Gall* ani *Germanin* nie zagrozi terytorium „cesarstwa rzymskiego". Niektórzy historycy uznali to za mieszanie się w wewnętrzne sprawy cesarstwa zachodniego. Zdaniem Richégo, przesadzali. Moim zdaniem, przesadzał i sam Hugon. Nie mógł był niczego nikomu gwarantować. Nie dysponował liczącą się powagą wojskową. Na terenie swojej własnej *Galii* nie mógłby podjąć wojny z takim choćby hrabią Anjou, Fulkiem Nerrą, osiemnastolatkiem, który zyska sławę „drugiego Cezara", czy z Odonem II, hrabią Blois, który sięgał i po Szampanię, ani, tym bardziej, z księciem Akwitanii, „księciem całej monarchii Akwitańczyków", Wilhelmem IV, zwanym Samochwałą, który pompą swego dworu w Poitiers zaćmiewał dwór królewski. Nie mówiąc już o sfrankizowanych wprawdzie, ale jednak ciągle Normanach, potomkach Rollona, czyli Rolfra Gangra, Piechura, książętach Normandii...

Hugon zna ich, sam chował się w młodości na dworze Ryszarda I, syna Wilhelma Długiego Miecza, ojcowego sojusznika. Ci Normanowie rządzą się zupełnie samodzielnie, tyle że jako lennicy zwykli zachowywać się wobec swoich francuskich suwerenów bardzo lojalnie. Ryszard I Stary, książę Normandii, ma swoje arcybiskupstwo, w Rouen; nie liczy się z niczym i z nikim – da to arcybiskupstwo swojemu synowi, Robertowi, ojcu trzech synów, a Robert będzie nim rządził przez pięćdziesiąt lat. Ryszard, jak wszyscy o nim wiedzą, rozmawia z demonami; chrześcijanin to niby, „ojciec mnichów", dobroczyńca klasztorów, ale różne kobiety zostają jego żonami *more Danico*, czyli że na dworze normandzkim panuje po prostu – poligamia. A jeśli kogoś Normandia się obawia, to nie księcia Franków, lecz zadzierzystej, nieugiętej Bretanii, od której odgradza się sama wałem ochronnym. Z drugiej strony zaś – rosnącego w siłę hrabiego Flandrii, gdzie Brugia staje się wielkim, międzynarodowym ośrodkiem handlu.

Z żadnym z nich Hugon nie mógłby wszcząć zwady. Żadnemu z nich nie dałby rady.

List Hugona mówi, że jego syn jest również królem. Więc to na pewno już rok 988. Pytanie, czy dotarła wcześniej na ziemie Francji do zakonnych przyjaciół Gerberta przez Italię, poprzez kontakty benedyktyńskie, wiadomość, że cesarz Bazyli swoją własną siostrę, Annę, więc *porfirogenetkę*, daje za żonę mającemu przyjąć chrzest poganinowi ze scytyjskiej północy? Wzbudzi to w Bizancjum najwyższy niesmak we wszystkich warstwach – ale Bazyli nie miał innego wyjścia: bez Waregów Włodzimierza nie poradziłby sobie z rebeliantami i rywalami wewnątrz cesarstwa, a przy tym chrzest Rusi oznaczał naprawdę historyczny przełom.

Propozycja jakiegoś królika z dalekiego Zachodu mogła wywołać tylko szyderstwa urażonej potęgi (skorygujmy tu, przepraszam, Richégo: za współcesarza Bazyli miał nie syna, lecz swego brata Konstantyna, młodszego o dwa lata). Historycy Bizancjum nic o żadnych kontaktach nie wspominają, nie wiemy też nic o jakimś pośle Hugona, który by dotarł nad Bosfor. Skończyło się raczej na liście. A nie mamy żadnych dowodów, że adresaci kiedykolwiek mogli go przeczytać...

Te awanse ze strony Hugona były naprawdę przedwczesne. Zabezpieczyć należało wpierw jego własny tron, bo Karol Lotaryński bynajmniej nie zrezygnował z korony króla Francji. I nie Hugon z nim, lecz to on wywołał wojnę z namaszczonym świętymi olejami królem Francji.

Gerbert – jako sekretarz Adalberona i zarazem Hugona, a nieustanny mediator – długo pertraktował z Karolem na dworze niemieckim w starym pałacu Karola Wielkiego w Ingelheim. Widać nie zdołał go przekonać.

Karol z synami, Ludwikiem, Ottonem i Karolem, byli formalnie ostatnimi z Karolingów. Ale był jeszcze jeden, nieformalny. W katedrze w Laon, w biskupstwie Ascelina, bratanka arcybiskupa (skomplikujmy jeszcze ten obraz, dodając, że w tym czasie innego Adalberona, stryjecznego brata Ascelina, nie chciało właśnie wpuścić do siebie miasto Verdun, stolica jego diecezji, miasto jego ojca!) był sobie dwudziestoparoletni kleryk, imieniem Arnulf – bratanek Karola, nieślubny syn Lotara III. I właśnie tenże Arnulf maczał palce w zdradzie, która w maju 988 r. wydała w ręce Karola obwarowane, trudne do zdobycia, leżące na wzgórzu Laon.

Karol zajął Laon. W jego ręce dostał się i sam Ascelin, i królowa-wdowa, Emma, która tu rezydowała (nie zważała, jak widzimy, na to, że jej pobyt u boku Ascelina potwierdza tylko dawne podejrzenia).

Hugon, rozwścieczony, chciał, by zgromadzenie biskupów królestwa rzuciło klątwę na obu, na Karola i na Arnulfa; Gerbert wybrał się jednak do Laon – mediować. Znowu.

Wpuszczono go do Laon. Już z tego, że go wpuszczono, można wnioskować o dosyć szczególnej pozycji, jaką urobił sobie przez te lata uczony scholastyk z Reims. Bo nie tylko wszedł za mury, ale pozwolono mu na bezpośrednie, wyraźnie bez świadków rozmowy z uwięzionymi – dowód mamy w liście od Emmy, jaki napisał potem Gerbert do Teofano z prośbą, żeby zechciała wobec Karola jako swego lennika, księcia Dolnej Lotaryngii, skorzystać ze swych praw suwerena. Nie wiemy, czy Emma dała pisarzowi swego listu jakiś swój pierścień bądź też bullę, by jej znak poświadczył autentyczność listu, czy samo imię i pióro Gerberta starczały jako rękojmia; w każdym razie nikt owego listu nie kwestionował.

Gerbertowi udało się przekonać Karola, by nie zrobił swoim więźniom żadnej krzywdy. Uważam to za jeszcze jeden dowód pozycji Gerberta. Bo Karol nie musiał go się bać, ani też nie mógł liczyć na żaden z nim interes. Działała więc sama tylko mądrość Gerberta, dobra wola i zdolność przekonywania.

Dla Hugona nie mógł nasz bohater załatwić niczego. Hugon, rozczarowany, rusza wobec tego na Laon i przystępuje do oblężenia – które nie dawało wielu szans.

Gerbert w tym gorączkowym okresie posłuje i pisze listy. Dzieje się wiele rzeczy, które tylko szczegółowa analiza toku wydarzeń mogłaby wyjaśnić, bo na przykład Teofano prosi Hugona, by... zwinął oblężenie i wymienił z Karolem zakładników. Skutkuje wszakże list, napisany przez Gerberta w imieniu starego Adalberona do cesarzowej Adelajdy, utytułowanej teraz „matką królestw". Skutkuje – bo Karol po interwencji Adelajdy uwalnia przynajmniej Emmę. Emma wraca do matczynej Burgundii. Ascelin zostaje w niewoli.

W październiku Hugon odchodzi spod Laon; jak się łatwo domyślić – bez rezultatu. Dalszą wojnę zastępują negocjacje, w których znowu Hugo Kapet użytkuje zdolności dyplomatyczne i talenty epistolograficzne Gerberta.

Hugon zawiera teraz cenne sojusze, stabilizuje władzę i atmosferę w królestwie. A jego zwolennik, Ascelin – siedzi.

Ascelin poradzi sobie jednak. Inaczej. Po pół roku uwięzienia odegra skruchę i zmianę poglądów, poczem niby dobrowolnie przyrzeknie wierność pretendentowi. Wydostawszy się dzięki temu z Laon, odnajdzie Hugona Kapeta i pod koniec 988 r., odzyskawszy jego poparcie, rzuci interdykt na swoją diecezję.

Nie znaczy to, że wojna wygasa. Sam Adalberon obawia się ataku Karola na Reims!

Tego ataku już nie doczeka. Riché faktami z Richera koryguje informacje, jakie miałem z prac polskich historyków: Adalberon nie rozchorował się pod murami Laon, w trakcie oblężenia, a jeśli nawet już tam zaniemógł, to chorował potem u siebie, w Reims. Kiedy Gerbert porządkował w jego imieniu sprawy biskupstwa Noyon po śmierci tamtejszego biskupa (nie bez nadziei, jak sugeruje Riché, na to biskupstwo), Adalberon zmarł w Reims 23 stycznia 989 r.

Reims gorąco żałowało swego arcybiskupa; Gerbert zapisze – „płakano tak, jakby świat miał obrócić się w chaos". Być może za „swoim ojcem", z którym był wedle własnych słów „jednym ciałem i jedną duszą", płakał i on sam. Uczeni też płaczą.

W życiu Gerberta z Aurillac, czterdziestojedno- lub czterdziestodwuletniego (jeśli dobrze obliczyliśmy jego wiek) scholastyka szkoły katedralnej w Reims, formalnie – nadal opata Bobbio, a sekretarza i najbliższego współpracownika arcybiskupa Reims, zakończył się pewien bardzo ważny okres.

Swoim następcą Adalberon desygnował – Gerberta. Kler arcybiskupstwa i wielu spośród rycerstwa byli za tą kandydaturą.

Gerbert wiedział o tym. Zdawał sobie sprawę, że taki jak on chudopachołek na stolcu arcybiskupim wywoła niechęć wielmożów, jednakże, jak słusznie zauważa Riché, podobne awanse, choć rzadkie, zdarzały się. Tyle że były zawsze, na co Riché nie zwraca uwagi, kwestią woli i sympatii władców, a nie zasług czy talentów kandydata. Tymczasem Gerbert nie jest kandydatem Hugona – choć Hugon był kandydatem Gerberta. Bo Hugon musi nadal prowadzić grę o utrzymanie tronu.

Niektórzy wasale wręcz wtedy pokpiwają z króla, a nie brakuje wśród nich zdeklarowanych zwolenników Karola. Hugon postanawia niektórych przeciągnąć na swoją stronę – i po to w roku 989 na stolcu arcybiskupa Reims osadzi nie Gerberta, lecz jednego z Karolingów. Wprawdzie bastarda, owego dwudziestoczteroletniego nieślubnego Lotarowego syna, kleryka Arnulfa, ale zawsze – Karolinga. Co więcej, taką decyzję poprze – Ascelin, osobisty przyjaciel Gerberta. Bo to decyzja nawskroś polityczna, nie ma ona nic wspólnego z dziełem odrodzenia Kościoła.

Jak wyniknie z późniejszych enuncjacji Gerberta, Hugon jeszcze na niej zarobił, każąc się Arnulfowi opłacić; słowem, nie ukrywajmy, sprzedał młodemu Karolingowi swoją nominację. Bo nikogo innego Arnulf nie miałby po co kupować. Decyzja należała do króla i do nikogo innego.

Podobno Hugon nie ufał Gerbertowi. Nie sądzę. Nic o tym nie świadczy. Mianowaniem Gerberta niczego po prostu nie zyskiwał, a w swoim mniemaniu miał tego dobrodusznego człowieka i tak po swojej stronie. Chyba dlatego właśnie arcybiskupem Reims został nie Gerbert, lecz smarkacz Arnulf.

Sekretarzem pozostał przy nim, jak przy starym arcybiskupie, Gerbert z Aurillac. Gerbert mógł opuścić Reims i udać się do kogoś z krewnych Adalberona, ale został ze swoją szkołą, biblioteką i pracami. Jeśli był o coś w życiu swoim zazdrosny, to o nie, o swoje książki; zachowały się jego upomnienia adresowane do przetrzymujących jego kodeksy czytelników – *libros nostros festinantius remittite,* księgi nasze co rychlej zwróćcie, aż po niecierpliwą parafrazę Cyceronowskiej „Katylinarki" – *quousque tandem abutemini patientia nostra...*

Nie sekretarzował Arnulfowi dla pozorów, wywierał wręcz na niego pozytywny wpływ: przypuszczam, że nie bez jego udziału, a dzięki poparciu Cluny, tegoż roku 989 synod w Charroux, a potem następny, w 990 roku w Puy, oba, zwróćmy uwagę, na południu, więc akwitańskie, podjęły pierwsze próby ograniczenia wojen prywatnych, tego przekleństwa epoki. Zaczęło się, co warto podkreślić, od ochrony duchownych i – chłopów! Trudno tę inicjatywę przecenić – i aż dziw, że cała szeroka aktywność średniowiecznego Kościoła na tym polu tak mało interesuje historyków.

W grze z Karolingami niewiele Hugonowi jego chytrość pomogła. Karolingowie okazali się solidarni. I nie oglądali się na nic: przez kilka dni tego roku kaziła niebo kometa Halleya, krwawa gwiazda z pawim ogonem, która zawsze ostrzegała i zapowiadała jakieś nieszczęścia, wojny, głody i pomory, a oni grali swoje. Hugon mógł uwierzyć w złe wróżby, które niosła kometa, bo to jego Arnulf wystrychnął na dudka: pozyskawszy akcept Jana XV, czyli Krescencjuszów, wrogów cesarstwa, a więc wrogów przyjaciół cesarza, przeszedł Arnulf po konsekracji na stronę swego stryja. Jeden zaś z jego ludzi, dzięki kluczom do bram miasta wziętym z pomieszczeń nowego metropolity, jedną z nich we wrześniu 989 r. cichcem otworzył i wpuścił do Reims oddziały Karola.

Szturm oddał miasto w jego ręce, katedrę sprofanowano, miasto splądrowano. Arnulf odegrał komedię oporu, zamknąwszy się w wieży razem ze swymi kuzynami i Gerbertem – chorym, trzęsącym się akurat w gorączce.

Więźniów przewieziono do Laon. Tam Arnulf nie udawał już dłużej i złożył Karolowi przysięgę wierności, poczem, jak gdyby nigdy nic, wrócił do Reims. Wrócił też i Gerbert; uwiarygodni się wobec Karolingów, którzy mu nie ufają, listem do Ascelina, pisanym najwyraźniej pod okiem panów tej sytuacji, deklarując akces do ich obozu („zdaniem wielu, rywale [rodziny Karolingów] rozporządzają władzą królewską [tylko] przejściowo"), jednocześnie uprzedzając Ascelina o sądzie, który go czeka. Sędziowie, pisze, są już dobrani; jeżeli się Ascelin przed nimi nie stawi, nie da mu to nic; jeżeli się pojawi, będzie musiał wyrzec się biskupstwa. Na szczęście cenzorzy nie byli dość inteligentni – i tylko historycy podejrzewali później, że Gerbert przeszedł na stronę Karola; inne listy zdradzają rzeczywiste poglądy i stan ducha naszego bohatera. Uczony nie mógł się wyrzec i opuścić swego Reims, swej szkoły i biblioteki; jego dziełu pod władzą tej „zmowy kryminalistów we wspólnocie kościelnej", jak ich nazwie w późniejszym, już niekontrolowanym liście do Ascelina, groziła ruina.

Przez osiem miesięcy Gerbert towarzyszył swemu formalnemu zwierzchnikowi. Nie ma co go podejrzewać o rzeczywisty akces do obozu Karola; trudno byłoby mu potem o zaufanie Hugona, a przecie Hugon zawierzy mu w pełni. Gerbert wypowie w końcu służby Arnulfowi, kiedy opieka nad miastem i dobrami Kościoła w Reims straci sens, kiedy niewiele albo i nic nie będzie mógł zaradzić.

Pisze się, że Gerbert, który zaakceptował Karolingów, był już człowiekiem bogatym, który nie chciał wyrzec się swoich beneficjów. Ale, po pierwsze, na cóż samotnemu uczonemu, uprawiającemu skromny, prosty tryb życia, beneficja, jeśli nie na dalsze zakupy rękopisów? Po drugie zaś, w kilka miesięcy później bez wahania jakoś narazi się na te straty...

Gerbert sekretarzuje więc znowu Hugonowi. Pisze list do papieża – przeciw zdradzie Arnulfa. Papież Krescencjuszów nie poprze jednak sojusznika znienawidzonego przez nich cesarstwa, mimo obecności cesarzowej Teofano, która zimą 989–990 przybędzie do Rzymu. Jan XV nie przyjmie nawet posła Hugona Kapeta. Na list nie odpowie. Tezę, że Teofano mogła opowiedzieć się za interesami Karola i jego bratanka, włóżmy pomiędzy bajki nadinterpretacji; nic na to nie wskazuje.

Trwał pat wyniszczających kraj, bezskutecznych walk. Biskupi archidiecezji Reims – z inicjatywy Gerberta, jak się można domyślać – wyklęli mnicha, który otworzył bramy Reims Karolowi, i tych, którzy splądrowali miasto. W ślad za klątwą ruszy na Laon, zajęte przez Karola, król Hugon ze swym rycerstwem. Na co liczy? Siły Hugona były zbyt skromne jak na oblężenie tego nie do zdobycia miasta; już mu się raz nie udało. Nie pokonał też nigdy Karola w otwartej walce; żadne bezpośrednie starcia nie przynosiły rozstrzygnięcia.

Historycy przypisują Gerbertowi pomysł operacji, która to rozstrzygnięcie przyniosła. Jak było naprawdę, nie wiemy. Wiemy tyle, że Gerbertowi będzie się przypisywać wszelką chytrość tej epoki – jak i magię, konszachty z diabłem oraz latanie nad Pirenejami. Tymczasem chytrość należała do podstawowych środków gry w tamtej epoce.

Richer ze znawstwem i szczegółami opisuje całą kombinację. Główną w niej rolę odegrał – Ascelin. Ascelin, ten „stary zdrajca", który już raz nabrał Karola...

„Odegranie roli" rozumiejmy dosłownie: Ascelin raz jeszcze nabrał Karola i Arnulfa. Udał się do Laon, tam zaprzysiągł im wierność, świadcząc się relikwiami świętych, czyli jeszcze raz udał zmianę poglądów i – nocą przed Niedzielą Palmową, 28 marca 991 r., jego ludzie wdarli się do komnat Karola, jego żony i dzieci oraz Arnulfa, ujęli ich wszystkich, poczem Ascelin oddał ich w ręce Hugona, wraz z kluczami do bram Laon. Tak definitywnie rozstrzygnięto spór o koronę Francji.

Oskarżano potem Ascelina o wiarołomstwo i zdradę. Niemniej Ascelin formalnie pozostał wierny królowi Francji, nie uważał się za zobowiązanego czymkolwiek wobec tych dwóch

Karolingów... Współcześni i potomni, jak to przytacza w swym dziele Benedykt Zientara, oskarżali go, że złożył przysięgę Karolowi i złamał ją; jednakże stare, galijskie Laon należało do domeny królewskiej i nigdy Karol lotaryński nie miał nad nim zwierzchności, a przyrzeczeniu wierności ze strony biskupa, który nie miał prawa go złożyć, nie można było przyznać mocy zobowiązującej. Myślę, że uczeń Gerberta, biegły w rozumowaniach logicznych, z góry przygotował teoretycznie swoją niewinność; przyszłe zainteresowanie Ascelina jako biskupa Laon rozwojem studiów teologicznych miało zapewne u swego źródła poszukiwanie argumentów, usprawiedliwiających owo złamanie słowa.

Karol Lotaryński trafił do więzienia w Orleanie. Problemem pozostał – Arnulf.

Hugon zwołał synod do St. Basle koło Reims na 17 czerwca 991 r., chciał, by sami biskupi zadecydowali o „depozycji" arcybiskupa jako zdrajcy. Nie mógł być pewny większości. Jego racje prezentował biskup Orleanu, znany już nam, inny Arnulf, przyjaciel Hugona i towarzysz jego podróży do Italii. Mnich, który otworzył bramy Reims Karolowi, zeznał, kto mu dał klucze, i oświadczył, że jest gotów na znak, że nie kłamie, poddać się próbie ognia, wody lub rozpalonego żelaza...

Wedle niektórych historyków, których nazwiska pominę, to Gerbert miał wyperswadować obwinionemu, żeby wobec synodu zrzekł się swej godności. Tymczasem wiemy – a Riché opisuje to szczegółowo – kto z Arnulfem rozmawiał, przed kim się młody człowiek popłakał i prosił o uwolnienie od swoich funkcji. Byli to akurat ludzie przyjaźnie doń nastawieni i nic nam nie wiadomo, by Gerbert go przedtem straszył, przekonywał lub też preparował.

Czy Gerbert rzeczywiście był duszą tego synodu? Bardzo możliwe, że przygotowywał wystąpienia swego przyjaciela, biskupa Arnulfa z Orleanu. Jest prawdopodobne, że z wieloma biskupami i opatami rozmawiał – a jak się dowiemy, cenili go bardzo wysoko. Teza jednak, że ów synod „przeciwstawił się dążności papiestwa do prymatu i zwierzchności nad całym Kościołem, opowiadając się za przyznaniem najwyższej władzy w Kościele synodom i soborom", sformułowana za powszechnie obowiązującymi poglądami w naszym „Słowniku biograficznym historii powszechnej do XVII stulecia", wynika z całkowitego nieporozumienia.

Papiestwo nie miało w tym momencie nawet szans na taką dążność. Walczyło, jak widzieliśmy, raczej o przetrwanie. A już na pewno walczyli o przetrwanie sami kolejni papieże. Arnulf z Orleanu w swoim przemówieniu opisuje, co działo się w Rzymie w ciągu ostatnich czterdziestu lat, ów stan rozkładu papiestwa, owych przypadkowych ludzi na tronie św. Piotra, kompromitujących Kościół i chrześcijaństwo. Nie miało to nic wspólnego z *gallikanizmem*. Na *gallikanizm* było jeszcze za wcześnie, nie było przeciw komu, ani po co; nikt zresztą nie miał wówczas najmniejszych nadal wątpliwości, że biskupów powołuje król, a papież co najwyżej tylko zatwierdza, przy czym Arnulf wyraził opinię, że na tronie Piotrowym zasiada aktualnie raczej Antychryst niż ktoś, kogo by w ogóle przyjęto w krąg duchowieństwa.

Jeden z baronów królestwa, Bouchard Czcigodny, wystąpił z wnioskiem, by arcybiskup wyznał swe zbrodnie przed całym zgromadzeniem; obronił go przed takim upokorzeniem sam Arnulf z Orleanu. „Zdeponowanego" arcybiskupa odesłano do tego samego więzienia, co Karola, do Orleanu.

Synod był wszakże naprawdę rewolucją. Tyle że pod zupełnie innym względem. Podważył tradycyjne uprawnienia – ale nie papieża. Króla! Ponieważ nowego arcybiskupa wybrali sami biskupi archidiecezji Reims.

Wybierali go ze słowami uznania dla łaskawego przyzwolenia ze strony „swych książąt", ale wybrali – sami. I to oni powołali na stolicę arcybiskupią w Reims – Gerberta z Aurillac. Jak napisali w dokumencie swej elekcji, opat Gerbert, w przeciwieństwie do „awanturniczej młodości" i „chełpliwej ambicji, która wszystko bierze lekko", jakiej zaznali, jest „człowiekiem w wieku dojrzałym, z przyrodzenia skromnym, łagodnym, życzliwym, miłosiernym", którego życie i obyczaje znają od czasów jego dzieciństwa.

Ów dokument najlepiej świadczy, kim nasz bohater był i jak postrzegali go jego współcześni. Swoimi podpisami zaświadczyli „dowody jego żarliwości w sprawach boskich i ludzkich", deklarując, że chcieliby korzystać z jego rad i autorytetu.

Czy można więcej? Ze strony grona, którego większości nie był pewny Hugo Kapet? I czy doprawdy świadectwo to nie obala wszystkich idiotycznych podejrzeń tudzież insynuacji? Czy wystawionoby taką opinię intrygantowi, przebiegłemu graczowi politycznemu, lizusowi, zmieniającemu poglądy z kolejnymi obrotami fortuny? W sytuacji, gdy nie był to ani syn wielkiego rodu, ani potężny wielmoża, tylko „tenże Gerbert, który był naszym scholastykiem"?

Pytanie, czy to król swoich biskupów do takiego wyboru zachęcił... I drugie pytanie: czy to on ich zachęcał do takich „wolnych wyborów"?

Nie byłbym tego pewny. Te wolne wybory, odwołujące się w protokole do maksymy *vox populi, vox Dei,* oznaczały wszak właśnie rewolucję, zakłócały przyjęty od paru wieków porządek. Czy Kościół wtedy wchodził na drogę emancypacji spod władzy świeckiej, zgodnie z „duchem Reims", z dziedzictwem Hinkmara? Na to wygląda. To był sygnał nowych ambicji, choć w bardzo jeszcze niesprzyjających warunkach... Ale – zaznaczmy – ambicji, które będzie reprezentował potem Sylwester II, papież.

Tak więc w czerwcu 991 roku Gerbert z Aurillac, liczący sobie około 44 lat, zostaje arcybiskupem Reims na miejsce Arnulfa.

Tym razem to zupełnie nowa gra, z całkowicie niejasną przyszłością: właśnie 15 czerwca tegoż roku 991 umiera niespodziewanie, w wieku lat około 31, cesarzowa Teofano. O małym zaś, jedenastoletnim Ottonie III niczego jeszcze nie da się powiedzieć. Ideały Boecjusza zawisają nadal we mgle niepewnego jutra.

Wspominam tu o tych ideałach nie bez kozery. Opinie poniektórych historyków, którzy widzieli w Gerbercie, wbrew cytowanym tu opiniom jego współczesnych, „przebiegłego i elastycznego dyplomatę", ilustrują raczej przyjemność deprecjonowania postaci wybitnej i ciekawej niż satysfakcje badawcze, tym bardziej, że poglądy, jak też ideały Gerberta pozwalają się odgadywać i rozszyfrować. Gerbert z Aurillac nie był kimś, kto osadzał na tronach i usuwał z nich władców. Nikogo zresztą, jak widzieliśmy, nie osadził i nikogo nie zdjął.

Hugon Kapet wiele zawdzięczał Adalberonowi i Gerbertowi. Pomogli mu z pewnością. Pozyskali mu niejednego zwolennika. Ale nie im zawdzięczał koronę. Zawdzięczał ją sobie, swojej ambicji, rozmachowi, zdecydowaniu i talentom. Nie oni go wynieśli na tron Francji. Tak jak to nie Hugon zrobił Gerberta arcybiskupem Reims.

XVI

Kto zrobił Wolin twierdzą

Wojciech, wykląwszy wszystkich w Pradze i opuściwszy swoje biskupstwo, do Rzymu dotarł w roku 990. Z tegoż roku zapamiętał go tam zakonnik benedyktyńskiego klasztoru św. Bonifacego i św. Aleksego na wzgórzu Awentynu w Rzymie, późniejszy opat tego klasztoru, Jan Canaparius (napisze zapewne ów najstarszy „Żywot" świętego, na życzenie naszego bohatera lub pod jego wręcz redakcją).

Wojciech zyskał tam renomę nie tylko swoją biegłością w filozofii świeckiej, o czym już wiemy; opat klasztoru, Leon, tak bardzo go wyróżniał, że powierzał mu zastępstwo na czas swojej nieobecności w klasztorze, czyli pozycję prepozyta, przeora. Nic w tym dziwnego: w końcu trafił tam Wojciech jako człek wybitny, biskup Pragi. Ale też Leon nie był niczym do wyróżniania go zobowiązany, w klasztorze wszyscy byli równi i żadne tytuły formalnie się nie liczyły. Pamiętajmy o szczytnych nakazach Benedykta: opat „niechaj żadnego (z braci) nie otacza większą miłością niż innych, chyba że natknie się na szczególnie wyróżniającego się dobrymi uczynkami i posłuszeństwem. Wolno urodzonego nie można stawiać wyżej od tego, który z klasy niewolników pochodzi (...), albowiem czy to niewolnik, czy wolny, w Chrystusie jesteśmy wszyscy jednacy" (cyt. za „Źródłami do dziejów wychowania...").

Wtrąćmy jednak, że biskup Pragi udał się najpierw do papieża Jana XV i to Jan XV, wedle owego pierwszego „Żywota", skierował go „między tych, którzy spokojne życie na studiach słodkich i zbawiennych pędzą". Znak, że i ten klasztor należał do klasztorów nauki, nie samych modłów; inaczej zresztą nie mieliby mnisi podstaw, by wyrazić uznanie dla owej biegłości Wojciecha w filozofii świeckiej.

Wcale to się nie kłóci z umartwieniami, które sobie Wojciech aplikował jeszcze jako biskup w Pradze, sypiając na gołej ziemi, z kamieniem pod głową, i kładąc się spać na głodno. Przypuszczam, że i nasz bohater, Gerbert z Aurillac, nie wygadzał sobie w życiu doczesnym; trudno byłoby mu inaczej wymagać skromności od innych. Ujmijmy wszakże trochę nimbu tym umartwieniom – umysły wyższe, intensywnie pracujące, skupione na przedmiocie swych dociekań, także i poza światem zakonnym prowadzą podobny, dość skromny tryb życia, ponieważ codzienna doczesność nie tyle kusi takich ludzi, co im przeszkadza i zajmuje swymi koniecznościami cenny czas; o sensie więc upodobań Gerberta czy Wojciecha decydują raczej ich motywacje, niż sam rodzaj przykrości.

Wojciech udał się z Rzymu do najsłynniejszego klasztoru benedyktynów, czyli na Monte Cassino, ale i tam reguła najwyraźniej wydawała mu się zbyt łagodna, bowiem powędrował dalej. Powędrował do opata rządzącego podległym Monte Cassino klasztorem św. Michała Archanioła koło Gaety niedaleko Bari, w skalistej grocie Monte Gargano, czyli do sędziwego ojca Nila, przyszłego świętego. Wszyscy zresztą pobożni chrześcijanie z Półwyspu Apenińskiego pielgrzymowali dla pokuty do miejsca, gdzie ongiś ukazał się podobno św. Michał Archanioł, do jego sanktuarium. Wojciech szukał tu swej przyszłości. Prawdopodobnie odpowiadała mu surowość wymagań Nila, „Greka" z pochodzenia, bliższego zatem wschodniej tradycji pustelniczej, ale chyba sam Nil uznał, że szkoda tego młodego entuzjasty Bożego o wielkim umyśle na milczące życie w odosobnieniu. Odesłał go do Rzymu.

Wojciech zetknął się najprawdopodobniej z naszym bohaterem jako opatem Bobbio – w Weronie, w roku 983. Myślę, że ten kontakt z człowiekiem, przybyłym ze „scytyjskiego" świata, podtrzymał wówczas w Gerbercie jego idee i jego... optymizm. Z opatem Leonem zetkniemy się natomiast za chwilę – w zupełnie innej jego roli. W roli dowodzącej niezwykłej pozycji owego z pozoru zwykłego zgromadzenia.

Papież nie odpowiadał na listy z Reims. Nie potwierdzał wyboru, ani też go nie dyskwalifikował – przez długie kilkanaście miesięcy, podczas których arcybiskup Gerbert pełnił swe obowiązki, zaś przyjaciele Arnulfa, zamkniętego w orleańskim zamku, nie ustawali w intrygach i oskarżeniach.

Koniec końców, papież wysłał z misją badawczą – właśnie owego opata Leona z klasztoru św. Bonifacego i Aleksego. Leon znał Gerberta jeszcze z Włoch (co by potwierdzało moje przypuszczenie w kwestii, gdzie wtedy, w początku lat siedemdziesiątych, Gerbert w Rzymie stacjonował). Ale czcigodny opat nie udał się do Reims. Wybrał się najpierw do Akwizgranu, dokąd zwołał synod prowincjonalny na Wielkanoc 27 marca 992 r.

Francuscy biskupi nie wzięli w nim udziału. I to nie ze względu na swe niejasne stosunki z papieżem. Powstała sytuacja, z którą zetknęliśmy się już w czasach Hinkmara: synod w Akwizgranie oznaczał synod biskupów i opatów Lotaryngii, a nie królestwa Francji. Leon nie mógł o tym nie wiedzieć; wezwanie biskupów i opatów Francji stawiało ich w dwuznacznej sytuacji, ponieważ – jeśli za starym Adalberonem i swoim arcybiskupem sprzyjali Ottonowi III – sprawiliby swą nieobecnością przykrość dworowi króla Niemiec, ale za to, pojechawszy, zaprzeczyliby sobie samym jako wyborcom swego króla i naraziliby się swemu królestwu...

Gerbert wysłał do Leona do Akwizgranu uprzejmy list z pozdrowieniami; Janowi XV, który miał już sposobność wyrazić się publicznie o „zajeździe" na Kościół archidiecezji Reims, przekazał wyrazy ubolewania, zaznaczając, że nie był tym, kto ujawniał winy Arnulfa, i że odsunął się od Arnulfa nie dla sukcesji po nim, lecz po to, by nie uczestniczyć w cudzych grzechach. Hugon zaś wyprawił do Rzymu specjalnego wysłannika, archidiakona katedry w Reims, wraz z listem – zapraszał papieża do spotkania z królem Francji w Grenoble, na terenie Burgundii, „na pograniczu Italii i Galii", by Jan XV, jeśli nie ma pełnego zaufania do nieobecnych, zechciał poznać prawdę dzięki obecności ludzi Hugona.

Zdaniem Pierre'a Richégo, mogło to papieża wręcz zaszokować, skoro przyjęte było – jak napisze później opat Leon – że to biskupi i królowie przybywają do Rzymu. Ale ów list świadczy, jak ci dwaj, Hugon Kapet i Gerbert, wysoko sobie cenili powagę swego królestwa. List przypominał, że biskupi Rzymu spotykali się z królami Francji daleko poza Rzymem – bo też i rzeczywiście, papież Stefan II pofatygował się aż do St.Denis, opactwa św. Dionizego pod Paryżem, by tam ukoronować w 754 r. królem Pepina Małego, syna Karola Młota, pogromcy Arabów.

Jeden tylko, dość istotny szczegół różnił pozycję Hugona od pozycji Pepina: *Francja* oznaczała wtedy całe państwo Franków, od granic z Saksonią aż po Pireneje, a nie słabiutką na razie monarchię z północy *Galii*.

Prawda, Hugon Kapet nie czuł się słaby. Trzymał obu, Karola Lotaryńskiego i Arnulfa, w zamku Orleanu i nie miał zamiaru wypuścić ich ze swoich rąk.

Karol niedługo później, w roku 993, umrze w tej niewoli...

Czy jakiś zaufany człowiek Hugona „pomógł" mu przenieść się na tamten świat? Niewykluczone, ale chyba tak się nie stało. Gdyby Karola otruto, byłoby się rozniosło. Ci zaś ostatni Karolingowie umierali dość wcześnie, nawet, jeśli we własnych łożach; toż Lotar III, starszy brat Karola, miał w chwili śmierci lat czterdzieści parę, zaś w owych czasach mógł być już nawet człowiekiem steranym przez wiek.

Opat Leon z kolejnym poruczeniem Jana XV kolejny raz wyruszył za Alpy; miał zwołać wspólny synod biskupów królestw Niemiec i Francji. I właśnie z tej okazji w tymże 993 roku, jeszcze przed śmiercią Karola, doszło wedle Richera do zagadkowego spisku, który miał obalić zarówno władzę Hugona Kapeta, jak i arcybiskupa Reims.

Pomysł urodził się ponoć w głowie Ascelina, który wciągnął rzekomo do zmowy jednego z hrabiów Vermandois, znanego już nam Eudesa z Chartres. Przy okazji owego planowanego spotkania Ottona III w Metz z królami Francji i biskupami spiskowcy mieli uwięzić Hugona z synem, przeprowadzić elekcję Ludwika, syna Karola, Eudesowi przekazać Hugonowe księstwo Francji, natomiast samego Ascelina zrobić arcybiskupem Reims.

Cała ta historia wygląda jednak na zwykłą plotkę historyczną, przejaw niechęci czy też urazy samego Richera wobec biskupa Laon, dawnego Gerbertowego przyjaciela. Po pierwsze, hrabiowie Vermandois nie znosili hrabiów Verdun, rodziny Ascelina. Po drugie, kiedy spisek wyszedł na jaw, kiedy go rzekomo udaremniono, Ascelin nie stracił swego biskupstwa, które by zdrajcy na pewno odebrano. Po trzecie, cały ten zamysł nie wygląda poważnie – biskupi na synody przybywali ze swymi zbrojnymi świtami, nie mówiąc już o potężnych eskortach dworu Ottona III i samego Hugona. Nie było wówczas broni palnej, pozwalającej sterroryzować setki bezbronnych ludzi, nie było nawet kusz i szybkostrzelnych kuszników; spisek musiałby pociągnąć za sobą większość uczestników. Jedyne fakty, które by go mogły uprawdopodobnić, to odesłanie Karolowego syna, Ludwika, z Laon do tegoż więzienia w Orleanie, gdzie siedział jego ojciec z Arnulfem, i oddalenie się Ascelina z dworu. Tyle że Ascelin mógł udać się do Laon właśnie po to, by odesłać Ludwika do Orleanu, zaś akurat on miał osobistych powodów nienawiści do Karola więcej niż ktokolwiek w królestwie Francji...

Nic nie wiem bliższego o samym spotkaniu w Metz. Hugon nie wycofał się ze swej decyzji. Gerbert zaś stał przy nim – jako arcybiskup Reims i jako kanclerz królestwa.

Nie prowadził Hugonowi polityki – choć trudno znaczenie Gerberta w Hugonowym kręgu przecenić. Hugon wszakże sam był po naukach ojca politykiem doświadczonym i zręcznym. Pozycja rodu wzmacniała się: księstwo Burgundii objął po śmierci Konrada III Spokojnego w roku 993 brat Hugona, Henryk. Hugon ma jednak niekończące się kłopoty ze swą dość iluzoryczną władzą królewską. Przysparza mu ich nie tylko Odon z Blois, nie tylko książę Akwitanii, następny Wilhelm po Samochwale, Wilhelm V Wspaniały, który będzie sam wymieniał posłów z dworem w Akwizgranie, czy potężny Baldwin, hrabia zamożnej i ludnej Flandrii, z której części jest lennikiem Hugona jako króla Francji, z drugiej zaś – małego Ottona III. Przyczyniają Hugonowi zgryzoty pomniejsi nawet wasale, sąsiedzi jego domeny, hrabiowie Soissons, Corbeil czy też owi Vermandois, mocno zakotwiczeni w swych niedostępnych siłom Hugona zamkach; nie mogli mu niby nic zrobić, ale i on też nie mógł im nic zrobić.

Pytanie, dlaczego w ogóle Gerbert z Aurillac służy temu królowi, którego sam już tytuł bywa lekceważony przez panów seniorów królestwa? Pochodzi przecie Gerbert z południa; na dworze błyskotliwego, wykształconego Wilhelma V Wspaniałego byłby u siebie, północ to ciągle trochę dzicz,

Richer opisuje nieledwie z abominacją swoją podróż do Chartres, kiedy na nielicznych mostach trzeba czasem dziury w nich przykrywać tarczami, żeby konie nóg nie połamały, gdzie w tej Francji Hugona „gościńcami" są dwumetrowej szerokości dróżki polne i przecinki leśne, a w borach grasują rozbójnicy... A jednak ta północ się liczy. Przypomnijmy, że w rzeczywistości to biskupi francuscy swoim *rojalizmem* budują podstawy przyszłego państwa Francji, to mnisi uczą przyszłych poddanych jej króla szacunku do niego i wiary w jego nadprzyrodzoną misję. Dlaczego?

To oni znają literaturę łacińską i to oni żyją mitem *Galii;* oni jedyni widzą terytorium przyszłej Francji jako całość. Richer, uczeń i wielbiciel Gerberta, piszący właśnie w latach 991 – 995 w Reims swoją „Historię Francji", wzoruje się przede wszystkim na Salustiuszu; będzie zarówno Karolingów, jak Hugona Kapeta i jego syna, zwał *władcami Galii.*

I to nie kwestia tradycji Adalberona czy wpływów Gerberta. Wręcz wyznawcą *Galii* był inny doradca Hugona, rówieśnik Gerberta, a bardzo Gerbertowi niechętny, Abbon, uznany później świętym, od 988 roku opat niezwykle żywego intelektualnie i artystycznie klasztoru we Fleury nad Loarą (tu, jak pamiętamy, zakonnicy grali pierwsze przedstawienia teatralne, inscenizując sytuacje z Ewangelii i posługując się zaczerpniętymi z Nich dialogami). Jego opactwo to był istny ośrodek propagandy, jeśli można tu użyć tego brzydkiego słowa, na rzecz *Galii.* Oni wszyscy zatem patrzyli dalej i to nie dlatego, że brali swe biskupstwa z ręki króla; ci, którzy wspierali Hugona, zawdzięczali akurat swe pozycje karolińskim jego poprzednikom. Oczywiście, wielu z dostojników Kościoła, zaangażowanych w idee Cluny, liczyło na udział pobożnego króla w naprawie Kościoła; ale nie z tych rachub rodziły się ich wizje jutra.

Działalność więc Gerberta na dworze Hugona nie ma nic wspólnego z łakomstwem władzy. Gerbert służy ich wspólnemu mitowi, mitowi dawnej Galii. Dawnej Galii, czyli przyszłej Francji.

11, 12 lub 25 maja 992 r. na obrzeżach chrześcijańskiej Europy umiera pierwszy chrześcijański władca Polan, Mieszko. Umiera chyba w pełni sił, skoro nie tak znowu dawno, poślubiwszy tę swoją młodą żonę, płodził z nią jedno dziecko za drugim. Wedle naszych historyków liczył sobie w chwili śmierci lat około siedemdziesięciu; ja byłbym skłonny przypuścić, że miał mniej, ot, nieco ponad sześćdziesiątkę.

Thietmar usprawiedliwiał to małżeństwo względami politycznymi, bo w praktyce innych wtedy małżeństw między ludźmi warstwy rządzącej nie zawierano; tymczasem było to, jak już sugerowałem, małżeństwo dość mało „polityczne". Wywołało wszak skandal, i to niemały. Oda trafiła do klasztoru w Kalbe, na terenie samej Marchii, urodziwszy się widać nadprogramowo, bądź też hodowano ją dla kariery przyszłej opatki, co się rodzinie mogło przydać. Wyrwanie mniszki z klasztoru, powrót do życia świeckiego, wszystko to, powtórzę, miało posmak awantury miłosnej, a nie operacji politycznej. Gdyby się zresztą Mieszko żenił ze względów politycznych, nie musiałby starać się o tyle dzieci; podejrzewam, że Oda była piękną, atrakcyjną kobietą i stary, ale dziarski władca dzięki jej urodzie odczuł przypływ sił męskich.

Nowe dzieci stawiały pod znakiem zapytania spójność państwa i – mówmy szczerze – Mieszko, reklamowany tu przeze mnie jako budowniczy państwa, nie zrobił nic, by jego spójność utrzymać. Gall-Anonim milczy o wydarzeniach po śmierci Mieszka, ale jasne jest, że drużyna Mieszkowa, podstawa potęgi tego państwa, znajdowała się w rękach Bolesława, syna Dąbrówki, a nie pod władzą Ody czy jej zwolenników – na co mamy prosty dowód w tym, że po śmierci ojca to Bolesław słał posiłki wojskowe cesarstwu.

Państwo Mieszka miał dotknąć wówczas – kryzys. Ale teza, że „osłabienie władzy centralnej (...) prawdopodobnie odpowiadało tendencjom pewnej części ówczesnego polskiego możnowładztwa", wyraża nasz współczesny zmysł anachronizmu, taki, jak w przypadku owego francuskiego „koncyliaryzmu" w X wieku; kłóci się to po prostu z realiami tamtego czasu. To nie było żadne możnowładztwo *polskie*; do *Polski* było jeszcze daleko. To państwo nie powstało z dobrowolnego związku plemion, lecz z podboju; miało w swym obrębie, wcześniej i później, ziemie, nie poczuwające się do żadnej z nim wspólnoty, ziemie, które w zależności utrzymywał jedynie podbój i siła, tak samo, jak to było z państwem wielkomorawskim czy – później – czeskim.

Poczucie wspólnoty, jak to łatwo prześledzić w swoistej dokumentacji, jakiej dostarczył nam Gall-Anonim, wykazywali w ciągu następnych dziesięcioleci tylko mieszkańcy Wielkopolski, Śląska i ziemi krakowskiej – tam, gdzie ustanowiono biskupstwa. Mazowsze skorzystało potem z pierwszej lepszej okazji, by się usamodzielnić, i Kazimierz Odnowiciel musiał je do swego państwa przyłączać z powrotem – siłą. Pomorze, zwłaszcza zachodnie i środkowe, zdobywano ciągle na nowo; za chwilę zapoznamy się z argumentami, które udowodnią, że to dopiero Bolesław Chrobry podporządkował sobie Wolin. Przez następne dwa wieki Słowianie pomorscy będą nękali swoimi bandyckimi napadami osady byłych wikingów na brzegach Skandynawii, dając im poznać, jak smakuje to, co wikingowie robili z chrześcijańską Europą; i ciż Słowianie pomorscy ponad sto lat później będą bardzo dzielnie bronili swej niezawisłości przed Bolesławem Krzywoustym. Co więcej, tę obronę samodzielności traktowano w owych czasach jako zjawisko najzupełniej normalne, naturalne i godne szacunku – Gall-Anonim będzie wyrażał się z niemałym uznaniem o dzielności Pomorzan, broniących swej „ojczyzny".

Ziemie przyszłej Polski i tak wykazały wręcz zaskakującą skłonność integracyjną, znacznie większą, niż ziemie któregokolwiek poza Czechami ówczesnego państwa. Brało się to prawdopodobnie z daleko posuniętej wspólnoty językowej, którą zachowali zresztą przez następne kilkanaście stuleci na nowych pieleszach także i wywodzący się z ziem polskich Serbowie i Chorwaci; niedostępne, słabo zaludnione tereny opanowywał widać powoli jeden tylko szczep, który nie zdążył rozdrobnić się na grupy terytorialne z odrębnymi dialektami, inaczej, niż mieszkańcy ziem dzisiejszych Niemiec czy Francji. Tamtejsze królestwa były, jak wspominaliśmy, istnymi mozaikami ambitnych większych i mniejszych władztw, które wcale nie kwapiły się do podporządkowania się jakiejkolwiek „władzy centralnej", mozaikami plemion, traktujących się wzajem niekiedy prawie z nienawiścią.

W istnieniu i sile „władzy centralnej" zainteresowany był jedynie Kościół, nie tylko jako oparcie dla niej, ale też w imię ochrony swojej własnej misji i dzieła. Zainteresowany – co nie znaczy, że się na tę „władzę centralną" bezwolnie zdawał. Wiedział, że nie może na nią liczyć. Jeśli druga połowa wieku X jest, przynajmniej we Francji, a jak sądzę, wszędzie, epoką budowy zamków, które dźwigają się w górę jak grzyby po deszczu, to nie zapominajmy, że twierdzami obronnymi były wszędzie, i to wcześniej, przede wszystkim – klasztory. Dlatego zresztą powierzano zakonom swoje pieniądze i kosztowności; w klasztorach były bezpieczne. Państwo feudalne Zachodu nie jest w ogóle jeszcze państwem sensu stricto – nie potrafi spełnić podstawowego zadania organizacji państwowej, jaką jest bezpieczeństwo i pokój wewnętrzny.

To wiara i kultura chrześcijaństwa integrowały przyszłe społeczeństwo, nie sama władza centralna. Istnienie wspólnoty wyższej ponad lokalne interesy, dostępność jednakowej cywilizacji benedyktyńskiej w Aurillac i w Tyńcu, w Odense i Vich, nauka lojalności i poczucia zobowiązania wobec swego władcy, wszystko to uczyło też zapewne i zdolności rozumienia samej wspólnoty państwowej jako takiej. Myślę, że nie docenia się tej roli chrześcijaństwa w przemianach Europy. Bez niego byłaby ona niczym więcej, niż konglomeratem skłóconych i rywalizujących ze sobą, małych, lokalnych państewek, walczących wszystkie przeciwko wszystkim w prywatnych wojnach lokalnych królików, książątek, hrabiów, banów, kniaziów i biskupów.

Cóż więc stało się po śmierci Mieszka?

Thietmar, o dziewięć lat młodszy od naszego Bolesława, zapisał, że Bolesław to państwo „z lisią chytrością (*vulpina calliditate*) zebrał w jedno", depcząc „prawo i wszelką słuszność". Ale bo też macochę ze swoimi braćmi przyrodnimi Bolesław po prostu wygnał (nie udusił jednak, nie zagłodził, nie kazał uśmiercić na jakimś odludziu). Dwóch bliskich sobie ludzi, najwyraźniej – dowódców ze swej drużyny, Odylena, o wyraźnie normańskim imieniu, i Przybywoja, oślepił. Nie obyło się więc bez dramatycznych napięć, ani też nie przebiegło po cichu, w dyskrecji, skoro Thietmar, rozumiejący język Słowian, znał takie szczegóły, jak imiona oślepionych zaufanych. Co więcej, Odylen i Przybywój musieli być bardzo ważnymi figurami, jeśli ich imiona dotarły aż za Łabę. Ale cała rozgrywka nie ciągnęła się latami: pod rokiem 992 rocznikarz w Hildesheimie zapisał po prostu, że *Misacho obiit, successitque ei filius illius Bolizlavo*, „zmarł Mieszko, a nastąpił po nim jego syn takiż Bolesław". Czyli – zaraz.

O żadnych więc zaburzeniach w państwie, przejętym przez Bolesława, nie wiemy. Zaburzenia są tylko domysłami. Opiera się owe domysły na tym, że w roku 993 Bolesław wymówił się od osobistego udziału w ekspedycji wspomagającej cesarstwo w wojnie z Połabianami. Ale Bolesław podał przyczynę – był zajęty wojną z Rusami na wschodzie... Na marginesie: kiedy kronika Nestora notuje, że w roku 981 Włodzimierz poszedł na Lachy i zabrał im Grody Czerwieńskie, wcale to nie musi znaczyć, że zabrał je państwu Mieszka; nic nie wiemy o tym, czy Mieszko podporządkował sobie, czy nie, wszystkie ziemie Lędzian, Lęchów, owych *Liachów* właśnie. Gdybyśmy tam znaleźli datowane na X wiek, typowe dla Polan w budowie grodów konstrukcje hakowe, moglibyśmy nawet mieć pewność, ale – o ile mi wiadomo – na razie nikt ich tam nie spotkał.

Szczeciński archeolog, uparty badacz przeszłości Wolina, Władysław Filipowiak, dokopał się tych konstrukcji hakowych – w Wolinie. „Największe miasto Europy" otoczyły wały oparte na tych polańskich konstrukcjach, wały kilkunastometrowej grubości u podstawy, równie potężne jak te wokół Poznania. Władysław Filipowiak datował je na rok, mniej więcej, 970, wedle mego skromnego osądu – zbyt wczesny. Państwo Piastów objęło Wolin dopiero chyba za Bolesława Chrobrego: gdyby Wolin wchodził już w skład państwa Mieszka, byłby znalazł się w dokumencie *Dagome iudex*, wyznaczającym granice „państwa gnieźnieńskiego", tak, jak znalazł się Szczecin, najdalszy punkt na północnym zachodzie. I zgadza to się z wiadomościami sag, jak je rekapituluje ich znawca, Marian Adamus: sagi nic nie wiedzą o Mieszku, żadne w nich podobnie brzmiące imię się nie pojawia, natomiast władca *Wendów* (Słowian), *Burislafr*, zaprosił Palnatokiego na swój dwór i zawarł z nim przyjaźń, by mu zaoferować jako lenno ziemię *Jom* w zamian za ochronę przeciwko wszelkiego rodzaju rabusiom.

Czy Palnatoki budował te wały jako człowiek Bolesława, stawiając katapulty na potężnych wieżach z belek, czy wzmacniał tak wały samego Wolina wcześniej jako głowa „zakonu" zbójów jomskich, nie sposób przesądzić. Sagi wiedzą o Palnatokim, o jego przygodach i wyczynach, bardzo wiele; dla nas tu ważne jest to, co mówią o jego stosunkach z Burislafrem – Bolesławem.

Otóż, jak podaje nieoceniony Marian Adamus, później, kiedy Palnatoki spoczywał na łożu śmierci, wysłano kogoś do Burislafra z pytaniem o przyszłość Jomsborga. Burislafr przybył na miejsce i oświadczył wikingom, że „mogą pozostać w twierdzy, jeśli wybiorą nowego wodza. Gdy Palnatoki wskazał na Sigvalda, król miał rzec: często korzystaliśmy z twojej rady, przeto i z tej skorzystamy". Burislafr wedle sag zaakceptował kandydaturę Sigvalda, mimo że Sigvald był szpetny i sagi wcale nie darzyły go sympatią (za jego władzy wkradło się w zakon zbójów jomskich rozprzężenie, zaczęli nawet wałęsać się po okolicy i plądrować ziemie, które mieli chronić).

Kiedy to było, nie wiemy. W każdym razie, jeśli to się zdarzyło naprawdę – a nic nie przemawia za fikcją tych relacji – zdarzyło się przed rokiem 994 – 995 albo też w tych właśnie latach. Zginął wtedy Eryk Zawsze Zwycięski i wdowa po nim, Sygryda, stanęła przed wyborem następnego męża, a wedle sag o zbójach jomskich Sigvald odegra istotną rolę w jej nowym zamęściu. Nawet jeśli przypisana mu intryga jest rzeczą inwencji skaldów, to Palnatoki musiał zejść ze świata wcześniej. Czyli że od objęcia Wolina władztwem Bolesława wszystko rozegrało się w ciągu ledwie trzech lat. W ciągu lat, podczas których Bolesław zdążył jeszcze wojować na wschodzie z Rusami. Przynajmniej wedle jego własnych informacji.

XVII

Mały Sas, który mówi po grecku

Arcybiskup Moguncji, Willigis, któremu podlegało biskupstwo praskie, prosił papieża – być może po jakiejś interwencji Bolesława Pobożnego – o powrót Wojciecha do Pragi. Być może stało się to po roku 990, po owej wojnie Mieszka z tymże Bolesławem, kiedy Mieszka wsparł tak potężny i zaszczytny oddział możnych Saksonii. Wiązałbym tę wojnę z dziejami Wojciecha o tyle, że w przyszłości, w roku 995, Bolesław syn Mieszka, przyszły Chrobry, powita z ogromną serdecznością Wojciechowego brata, Sobiesława czy też Sobiebora – w imię „miłości", jaką żywi „do jego świętego brata". Sądzę, że musiał Bolesław zetknąć się z Wojciechem już wcześniej, właśnie po tym, jak Wojciech opuścił Pragę, lub też wówczas, kiedy na swą biskupią stolicę wracał. Gdyby się nie poznali i nie zaprzyjaźnili, mowa byłaby raczej o „głębokiej czci" dla świętego męża, nie o „miłości".

Wojciech wraca do Pragi w roku 991 lub 992, z paroma benedyktynami. Zakłada klasztor na Brzewnowie. Jest tam i klasztor żeński, którego ksienią jako Maria zostanie Mlada, siostra naszej Dąbrówki, siostra samego Bolesława Pobożnego. Wojciech nie zamierza obniżyć swoich wysokich wymagań; nie dysponuję żadnymi danymi na poparcie swego przypuszczenia, pozwolę sobie jednak wyrazić domniemanie, że obroty handlu niewolnikami w Pradze spadły (miernikiem byłyby znaleziska monet arabskich bitych po roku 990). Ale następny konflikt wybuchnie dla bardzo konkretnych powodów. Najstarszy „Żywot" świętego Wojciecha, spisany, jak się zakłada, przez owego Jana Canapariusa, a „podany" do wiadomości publicznej przez naszego bohatera, opowiada ową historię ze szczegółami; zasłyszeć je musiał potem w Rzymie, najwyraźniej od swego przyjaciela, czyli samego Wojciecha, właśnie Canaparius.

Żonę jakiegoś wielmoży oskarżono publicznie o cudzołóstwo z klerykiem. Rodzice znieważonego małżonka chcieli ją *more barbarico*, jak powiada „Żywot", ściąć, ale kobieta uciekła się pod opiekę biskupa. Ten odesłał ją do refugium klasztoru, za którego mocnymi murami była bezpieczna. Rozwścieczeni krewni ruszyli więc do biskupa; ten wyszedł do nich i powiedział spokojnie – „jeśli do mnie macie pretensje, oto jestem". Nie podnieśli na niego ręki; jeden z nich nawet oświadczył, że „próżna jest twoja nadzieja męczeństwa"; jeśli jednak, powiedzieli, szybko tej „nierządnicy" nie dostaną, to, powiedzieli biskupowi, „mamy twoich braci, na których żonach, dzieciach i majątku to zło pomścimy".

Nie wiemy dokładnie, w którym to było roku; najprawdopodobniej w 994. I „Żywot" nie podaje, kim była krwiożercza rodzina owego rogacza; być może chodziło o kogoś z rodu Wrszowców, bo to oni będą knuli przeciwko Wojciechowi; źródła jednak sugerują kogoś raczej z Przemyślidów, kogoś z krewnych Bolesława Pobożnego, powiada się bowiem, że to jego stronnicy złamali azyl kościelny; a i Wojciech nie skąpiłby Canapariusowi tak istotnego szczegółu, gdyby rzecz nie dotyczyła rodziny władcy. Dalszy ciąg był taki, że Wojciech, rzuciwszy klątwę na Bolesława, nazwanego przez potomność Pobożnym, z końcem roku 994 opuścił swą ojczyznę po raz drugi, by znowu udać się do Rzymu.

Wiemy z innych źródeł, że w jakiś czas później, akurat w dzień św. Wacława, 29 września 995 roku Bolesław najechał i obległ Libice. Czterem przebywającym w nich członkom rodu Sławnika, ojca Wojciecha, dał parol; ci zawierzyli – i siepacze Bolesława, zwanego potem Pobożnym, wymordowali ich do nogi, wraz z żonami i dziećmi, dokładnie tak, jak groził ów napastnik przed dworem biskupa. Nie wymordowano wszystkich; Sobiesław (Sobiebór) był z Ottonem III i polskim Bolesławem na wyprawie przeciw Połabianom; uchował się też i przyrodni brat Wojciecha, Radzim, z chrześcijańskiego chrztu – Gaudenty. No i sam Wojciech.

Jego druga podróż do Rzymu to podróż bardzo ważna dla naszej tu historii. Spotka się dzięki niej paru naszych bohaterów.

A cóż Gerbert z Aurillac? Królewski kanclerz i arcybiskup Reims doprowadzi w maju 994 r. do kolejnego synodu, w Chelles niedaleko opactwa St. Denis, ale synodu już tylko biskupów królestwa Francji. Nie jest to żaden synod buntu przeciw papiestwu. To synod konsolidacji episkopatu królestwa: biskupi umawiają się, że nikt nikogo sam nie wyklnie, a w każdym przypadku anatemę rzucą tylko biskupi razem – co zresztą doda jej powagi. I tylko oni będą mogli ją – razem – z kogoś zdjąć. Richer w swej relacji podaje, że jeszcze raz potwierdzili swe stanowisko z St. Basle w sprawie usunięcia Arnulfa i wyniesienia Gerberta, stwierdzili bowiem, że postanowienia synodów prowincji kościelnej nie powinny być anulowane bez powodu.

Czy to uzasadnia cytowaną tu już, powtarzającą się w różnych opracowaniach tezę, że biskupi francuscy odmówili uznania papieskiej zwierzchności, proklamując „wyższość synodów i soborów nad papieżem"? Sam język tej tezy jest czystym anachronizmem. Na koncyliaryzm, powtórzę, było za wcześnie, taki problem w ogóle nie istniał, skoro sama władza papieża wypływała z dość wątpliwych źródeł, spoza Kościoła. Nastąpił tylko zwrot w stosunku do opcji Hinkmara, który w Rzymie upatrywał ochrony biskupów przeciw miejscowym naciskom.

Nie ma również w tej sprawie, powtórzmy, zaczynu dla przyszłego sporu o inwestyturę, sporu o to, kto jest władny powoływać biskupów. Nie Hugon wyznaczył tego arcybiskupa, ale też i papież nie kwestionował królewskich w tej mierze praw Hugona; nie chciał tylko uznać argumentu „zdrady" wobec króla jako racji dla depozycji Arnulfa, opierał się zaś temu nie dla motywów doktrynalnych, lecz politycznych – Arnulf był Karolingiem z nieprawego łoża, ale zawsze Karolingiem, co dla Krescencjuszy stanowiło atut w grze przeciw dynastii saskiej. Pomińmy więc te przekłamania, próbujące zakorzenić we wcześniejszych wiekach idee o stulecia późniejsze.

W roku 994 Otton III wchodzi sam do gry. Skończył 14 lat, czyli osiągnął pełnoletniość, co się we wrześniu, na sejmie prałatów i baronów królestwa Niemiec w Solingen, publicznie obwieszcza. W Rzymie zaś Janowi XV zaczyna doskwierać dominacja Krescencjuszów i radby zbudować dla nich przeciwwagę – koronując Ottona III cesarzem. Koronując go w Rzymie, oczywiście.

Wiosną do Akwizgranu przybywa znowu nasz znajomy, opat Leon. Ma przygotować podróż Ottona do Italii. Ma też, raz jeszcze, podjąć próbę rozstrzygnięcia problemu Arnulfa i Gerberta. Zwołuje na 2 czerwca 995 r. kolejny synod – już dla prowincji Reims, wyłącznie dla tej archidiecezji, ale znowu z tą samą wyzywającą dwuznacznością: synod ma się zebrać nie w Reims, jak podaje nasz Witold Dzięcioł, lecz w opactwie Mouzon nad Mozą – wprawdzie w obrębie archidiecezji Reims, za to poza terytorium królestwa Francji, na ziemiach Lotaryngii, wasalnej wobec króla Niemiec.

Opat Leon osiąga wynik, którego musiał chyba oczekiwać: Hugon zakaże biskupom swego królestwa udziału w synodzie.

Do Mouzon uda się jedynie sam Gerbert, arcybiskup Reims. Nie ma nic do ukrywania, nie boi się żadnych zarzutów, chce sam stawić czoła pretensjom i oskarżeniom.

Podobno teraz, przy regencji babki Adelajdy po śmierci Teofano, doszedł do głosu na dworze króla Niemiec jego wiekowy stryj, bawarski Henryk Kłótnik. Coś tu się nie zgadza. Tak się składa, że w roku 991 Wenecja, nadal związana z Bizancjum, obala swego dożę, Pietra Candiano IV, w obawie przed dynastycznymi zakusami rodziny Candianów. Władzę obejmuje kolejna wybitna postać tych czasów, doża Pietro Orseolo II, jeden z przyszłego kręgu przyjaciół Gerberta i Ottona III. Następnego roku, więc już po śmierci Teofano, przy władzy babki Adelajdy, dwór Ottona III udziela Wenecji dyplomu, którym rozszerza prawa, a właściwie przywileje kupców weneckich na obszar całego państwa Ottona. Gdyby zaś dwór Ottona poddał się naprawdę wpływom Henryka, do wydania takiego dyplomu raczej by nie doszło.

Pamiętajmy, że Wenecja przy całej swej potędze morskiej, Wenecja handlująca z Bizancjum i arabskimi kalifatami, produkująca szkło, ten rarytas ówczesnej techniki, importująca i przerabiająca drogocenny, luksusowy jedwab, to kulturowo – Bizancjum, pełna tradycja rzymska. Bo nawet prawo obowiązuje tu rzymskie, w wersji Kodeksu Justyniana, po kilkuset latach to samo, czyste, doskonałe. Teofano wiedziała o tym i wiedział na pewno od niej mały Otton. Już zresztą w 983 r. jego ojciec, Otton II, uwolnił statki weneckie od podległości *ius naufragii*, prawu brzegowemu, które oddawało zawartość rozbitego statku mieszkańcom wybrzeża, gdzie statek się rozbił. Teofano z pewnością nie zaniedbywała kontaktów z Wenecją, budując tym samym podstawę przyszłych dobrych stosunków między Ottonem III a najzdolniejszym z dożów Wenecji tej epoki.

Po drugie, Kłótnik sam już stoi nad grobem; zbliżająca się osiemdziesiątka to na owe czasy bardzo, bardzo dużo. Pytanie, o jakich w ogóle jego wpływach można by mówić?

Babka Adelajda pamiętała na pewno, że Henryk mógł jej wnuka zgładzić, a nie zrobił tego; czy jednak stąd miałaby się zrodzić głębsza komitywa? Może co najwyżej Adelajda starała się zbliżyć sobie wzajem swojego wnuka i jego stryja, by odwrócić groźbę przyszłej rywalizacji z tego stryja synem? A może to mały Otton polubił dziarskiego starca? Bo wpływ intelektualny i duchowy wywierały na Ottona III postacie zupełnie inne.

Przyjrzyjmy się teraz kandydatowi na drugiego, głównego bohatera tej opowieści. Pora najwyższa.

Teofano niewątpliwie kształtowała jego dziecinną wyobraźnię, uczyła poczucia cesarskiej wyższości nad resztą gatunku ludzkiego. Czy w sensie dosłownym? Czy nie uczyła go raczej – ambicji, godności jego pozycji, traktowanej przecie dość lekko przez wielmożów niemieckiej części cesarstwa?

Dzieciństwo do jedenastego roku życia, kiedy odumarła małego Ottona ta niezwykła matka, formuje decydujące rysy osobowości, tymczasem w zachowaniu Ottona nigdy nie zarejestrujemy śladów pychy. Otton będzie szukał przyjaciół, i to przyjaciół osobistych, a nie politycznych; będzie przywabiał do siebie ciekawych ludzi, co najlepiej charakteryzuje osobowość otwartą, bezpośrednią. Myślę, że i owa Bizantynka była postacią nieco innego kroju, niż się ją ogólnie w sposób dość schematyczny przykrawa...

Ci chłopcy, szykowani do tronów, do ról władców, dojrzewali zupełnie inaczej niż ich rówieśnicy. Przede wszystkim – dojrzewali wcześniej. Traktowani poważnie, sami siebie traktowali poważnie. Na chłopięce reakcje nakładały się pancerze rozsądku, opanowania i obowiązku. Byli nad wiek serio.

Musieli. Tego od nich wymagał los. Intensywnie kształceni, przygotowywani do swych zadań, ćwiczyli swe młode mózgi w sprawności umysłowej na poziomie starych wygów polityki. Jeżeli byli dostatecznie inteligentni, w młodym wieku bywali często znakomitymi rządcami kraju i zadziwiali swych współczesnych. To tylko my, powtarzając smakowite anegdoty o beztrosce rozwydrzonych synalków późniejszych feudałów, widzimy w nich dzieci takie same, jak nasze – mniej lub bardziej rozpuszczane przez kochających rodziców. Tymczasem to nie były dzieci. Chłopca takiego, jak mały Otton III, wychowywała czekająca go przyszłość – z dziedzictwem, które nadomiar nie było ani dane, ani zagwarantowane, a wymagało najwyższego napięcia umysłu i woli, jeśli miał je utrzymać.

Ten chłopiec, zaryzykuję taką opinię, był już w wieku lat piętnastu dorosłym, przedwcześnie dojrzałym mentalnie mężczyzną. Co nie przeszkadza, że późniejsze np. kryzysy religijne Ottona III miały charakter naturalnych *weltschmerzów*, „bólów świata", właściwych młodości, i bynajmniej nie dowodziły jakiegoś psychicznego niezrównoważenia młodego cesarza.

Gerard Labuda, nasz świetny mediewista, podkreślał lojalnie, że dopiero w naszych czasach niemieccy historycy, Percy Ernst Schramm (który, mówiąc między nami, w czasach hitlerowskich pracowicie dokumentował sukcesy... Wehrmachtu) i Matylda Uhlirz docenili talenty polityczne Ottona III, którego nowożytna historia miała za uroczego, naiwnego fantastę. To oni pierwsi przyznali mu zmysł realizmu politycznego. Zgadza się. Ale i oni, nie ukrywajmy, patrzyli na tamtą epokę przez pryzmat współczesności. Tym bardziej – nasza historiografia, mająca w kościach nieustanną agresję historiografii niemieckiej na polską przeszłość. Dlatego dzisiaj pisać o Ottonie III, jaki był, jest nieporównywalnie łatwiej.

Kim byli jego nauczyciele?

Uczy go Jan Filagatos, mnich z Rossano w Kalabrii, znad brzegów zatoki tarenckiej, z Kalabrii dawno zbizantynizowanej, Grek, jak świadczy sam przydomek.

Edukuje też chłopca Bernward, uczony Sas spod ręki Otryka z Magdeburga, kapelan małego Ottona. Jest zapamiętałym saskim patriotą. Historycy uczynią zeń opozycjonistę wobec planów odbudowy Cesarstwa Rzymskiego, ale nie bardzo to do Bernwarda pasuje – bo jego właśnie wyśle Otton do Bizancjum, by negocjował dlań bizantyjską żonę, a taka misja oznaczała przecież w kategoriach politycznych zupełnie fantastyczne, zgoła nie ciasno-saskie perspektywy. Bernward nie mógłby dobrze służyć ideom, w które nie wierzył.

Sam był umysłem wszechstronnym i niezwykłym, obok naszego bohatera najciekawszym chyba w tym stuleciu – jego piękny portret odmalował Enrico Castelnuovo w tomie „Człowiek średniowiecza" (tyle że Bernward nie był biskupem dopiero „z początku XI wieku", lecz znacznie wcześniej). Cudowna osobowość – może i nie myśliciel, ale za to malarz, kowal, odlewnik, jubiler, budowniczy, architekt i pisarz w jednej osobie, czyli wielki technik i artysta zarazem; to bez wątpienia on wpoi Ottonowi wrażliwość na malarstwo. Historia zapamięta go jako biskupa Hildesheim, który mecenasował sztukom pięknym, patronując malarstwu i rzeźbie, na jego ziemiach nowym i nieznanym; to jego saskie Hildesheim będzie biło, co wiem z dzieł prof. Kiersnowskiego, monety Ottona III z motywami maryjnymi. Niestety, i w przypadku Bernwarda nie wiemy, jak się taki bukiet talentów akurat w Magdeburgu uformował...

W późniejszym swym liście do Gerberta Otton III napisze dwornie, że chciałby go utrzymać z dala od „saskiego prostactwa". Znając kwalifikacje i talenty Ottonowego nauczyciela, nie odczytamy z tego zwrotu, że Otton „drwi z barbarzyństwa saskiego w sposób iście Grekom właściwy" (jak to ocenił polski historyk, autor bardzo erudycyjnej i źródłowej pracy

Otton III – *Mirabilia mundi*

o zjeździe gnieźnieńskim roku tysięcznego, Piotr Bogdanowicz). To czysta minoderia po stronie „Greka" z dynastii, której saskość nie podlega doprawdy żadnej dyskusji i który sam dotychczas na północy spędził całe swe życie. Otton pisze o swej „greckiej prostocie" (raczej „prostocie", niż „delikatności" czy „subtelności") i wyraża podziw dla „zawsze żywego greckiego geniuszu", ale tego nauczył go raczej Sas-malarz, wielbiący greckie malarstwo, niż mnich z Rossano. Ten podziw również zawodzi jako potwierdzenie wygodnego, miłego nam dawniej stereotypu, który odbiera Ottona tradycji niemieckiej.

Otton III, choć nie był płowym, rosłym blondynem, a szczupłym raczej szatynem o dziewczęcej prawie urodzie, z pewnością nie wyrzekał się swoich saskich korzeni; takie przypuszczenie jest wręcz absurdem. W kręgu doradców Ottona znajdzie się, jakby nie było, pewien korespondent Gerberta, młodszy nieco od niego, ale z tego samego pokolenia, inny wielki autorytet intelektualny tej epoki, Notker Labeo, Notker z Wargą (zajęczą, naturalnie), mnich z klasztoru św. Galla, czyli St. Gallen w dzisiejszej Szwajcarii. Zgadzali się z Gerbertem w swych wspólnych uniwersalistycznych marzeniach o przyszłości chrześcijaństwa i odbudowie cesarstwa; niemniej Notkerowi potomność nada w pełni usprawiedliwiony tytuł *Theutonicus*, bo Notker wtedy, na pół tysiąca lat przed Renesansem, latami pracowicie tłumaczył literaturę łacińską na... staro-wysoko-niemiecki, *althochdeutsch*, dialekt podalpejski co do topografii, ale na pewno niemiecki; jego poczucie tożsamości było jednoznaczne i nigdy by go Otton nie przyciągnął do siebie, gdyby sam odżegnywał się od niemczyzny.

Otton, wszechstronnie wykształcony, czuje się, jeśli już, spadkobiercą cywilizacji i kultury starożytnych. Starożytnych, nie tylko ambicji karolińskich; podkreślę tu rys, moim zdaniem, znamienny – Otton III będzie miał własny egzemplarz „Institutiones" Justyniańskich, największej kodyfikacji dziejów, i będzie się tym prawem – zasadnie – pasjonował. Nic tak, jak doskonałość tego prawa, nie mogło go pouczyć o wyższości tamtego umarłego świata. Mały Otton włada łaciną, a także – co znaczące – greką; w towarzystwie dwojga ludzi zdolnych po grecku mówić w życiu codziennym, matki i nauczyciela, nietrudno mu przyszło opanować język na równi z rodowitymi Grekami.

Nie jest jednak pół-Grekiem, pół-Sasem, jak się go rysuje. Jest – cesarzem. Wie, co do niego należy i co z tego wynika. Odkąd zaś ma prawo do własnych decyzji, ten przedwcześnie dorosły młodzian szuka ciekawych i mądrych przyjaciół – zjawisko w każdej epoce, jak na polityka, wyjątkowe. Oczywiście, to dziecko średniowiecza wierzy głęboko, oddaje się przykładnie praktykom nie tylko religijnym, lecz także – ascetycznym, które powściągają ewentualną chłopięcość z jej naturalnymi kłopotami wieku dojrzewania. Jest młodocianym intelektualistą, któremu oddano w ręce władzę nad sporym kawałkiem chrześcijańskiego świata. Chce z tą władzą zrobić, co potrafi najlepszego – i również naprawdę wyjątkowa jest ta jego ideowość i bezinteresowność. Ale też i on czytywał Boecjusza...

Na owym synodzie w Mouzon, który miał osądzić Gerberta, mówili po francusku, czyli znali *langue d'oui*, biskup Verdun i jego ojciec, hrabia Verdun, czyli Gotfryd, brat arcybiskupa Adalberona. Ten pierwszy spełniał rolę tłumacza – znak, że pozostali uczestnicy nie mówili płynnie po łacinie i jej nie rozumieli. Biskupów było ledwie trzech, z Lotaryngii, w tym arcybiskup Trewiru, także – paru opatów. Żaden z nich – poza Notkerem z Liège – nie sprzyjał Gerbertowi, który wbrew zakazowi Hugona przybył stawić czoła oskarżeniom. Te wytykały Gerbertowi, mówiąc w największym skrócie, że metropolia Reims została najechana i pozbawiona swego pasterza wbrew prawu i sprawiedliwości, że on sam zdradził Arnulfa jako swego seniora, że zagarnął archidiecezję i „napadł" stolicę arcybiskupią.

Gerbert przygotował obronę, spisując swój wywód. Nie było mu trudno obalić, logicznie i precyzyjnie, wszystkie idiotyczne zarzuty. Mógł imponować swoją elokwencją i sprawnością myśli. W oczach ludzi nieuprzedzonych byłby zwycięzcą niekwestionowanym. Przekazał odczytany tekst opatowi Leonowi, który przewodniczył synodowi.

Niewiele to pomogło. Pierre Riché odnotowuje pewne rozbieżności między relacją Richera a własnymi zapiskami Gerberta; tak czy inaczej, Gerberta zobowiązano, by do synodu generalnego, który zbierze się za miesiąc w Reims, 1 lipca, nie odprawiał mszy i nie przyjmował komunii świętej. Innymi słowy, został na miesiąc ekskomunikowany.

Można sobie wyobrazić szok, jaki dotknął naszego bohatera... Pogłębił ten szok i synod w Reims, który też nie przyniósł rozstrzygnięcia, tym bardziej, że pojawił się na nim Abbon z Fleury, by wesprzeć oskarżenia. Leon je również podtrzymał, wystąpił bardzo gwałtownie przeciw zarzutom, jakie podnoszono wobec samego Jana XV. Ale panowie i prałaci Francji doskonale znali Rzym ówczesnych papieży i po prostu kwestionowali kompetencje Jana XV. Znali jego opinię nepotysty i człowieka wrażliwego na dobra doczesne, trudno przypuścić, by Leon ich przekonał.

Gerbert, dotknięty do żywego, reagował teraz gwałtownie. Jego zdaniem, odmawiając uznania decyzjom grona biskupów, podważano jedność Kościoła, jak ją Gerbert budował.

„Osąd biskupów jest osądem ze strony Boga – argumentował. – Biskupa Rzymu, który mu się nie podporządkowuje, trzeba uważać za poganina i publikanina".

Żadnej tu już dyplomacji: *publikanin* w Rzymie starożytnym to instytucja dzierżawców podatków publicznych, od starożytności symbolizująca w języku potocznym demoralizację, zdzierstwo i korupcję.

W liście do Seguina, arcybiskupa Sens, do którego odwoływał się jako do prymasa królestwa Francji, Gerbert rozwijał tę argumentację:

„Biskup Rzymu jest o tyle nieomylny, o ile bezgrzeszny; mądrość Boska objawiła się cała w Ewangelii i biskupi chrześcijańscy, obserwując literę Ewangelii, wcale nie muszą zasięgać opinii papieża co do swego prowadzenia się; mogą zaś sami w potrzebie, cytując mu Pismo Święte, potępić go ze swej strony jako poganina i publikanina".

Tak, bezgrzeszności na pewno nie można było Janowi XV przypisać... Wszelako te argumenty, które przecież docierały do Rzymu, z pewnością nie łagodziły napięcia. A Gerbert nie tail, że uważa wręcz za celowe zwołanie soboru powszechnego, by uporządkować życie Kościoła; do soboru też rad byłby odwołać się od dezaprobaty ze strony Jana XV. Tak więc do racji, którymi kierował się Jan XV jako polityk, dołączyć się musiała jego osobista uraza; sam dobrze wiedział, co o sobie myśleć.

Percy Ernst Schramm i Matylda Uhlirz mieli słuszność: Otton III nie jest żadnym dobrodusznym poczciwcem z głową w chmurach. W połowie sierpnia roku 995 rusza z Magdeburga na wielką wyprawę karną przeciw Słowianom połabskim.

Na tych nieszczęsnych ziemiach ciągnie się ten sam krwawy taniec; plemiona połabskie nie chcą pogodzić się z dominacją niemiecką, ale zarazem nie są niczym innym, jak tylko zbiorowiskami bitnych wojowników, z którymi co rusz wiążą się rozmaici niemieccy awanturnicy. Poprzednia wojna, roku 993, nie przyniosła rezultatu; niemiecki poszukiwacz przygód, Kizo, rządzący Brenną, czyli Brandenburgiem, w sojuszu z Wieletami (Lutykami), podda się wprawdzie i zginie, ale Brennę opanuje podobny mu, słowiański już kniaź, Bolelut, i wszystko zostanie po staremu.

Teraz do ekspedycji podczas marszu na północ dołączy ze swymi posiłkami niespełna trzydziestoletni, ale już doświadczony i kuty na cztery łapy władca Polan, Bolesław. A wszystko wskazuje na to, że jego szwagier, mąż Świętosławy, Sygrydy, szwedzki Eryk Segersaell, czyli Zawsze Zwycięski, w tym samym czasie zaatakuje sojusznika Obodrytów, duńskiego Swena Widłobrodego. Warto zaś tu podkreślić, że Obodryci są już na pół chrześcijanami i że Swen wcale nie zwalcza chrześcijaństwa, tylko – jak pamiętamy – zwierzchność arcybiskupa bremeńskiego nad kościołem duńskim...

Wojna tutaj, jak większość wojen z Połabianami, nie da nic; możliwe zresztą, że miała być trochę ekspedycją na postrach. Ale tutaj dojdzie do pierwszego kontaktu między dwiema wybitnymi osobowościami; starszy o kilkanaście lat Bolesław musiał zrobić bardzo korzystne wrażenie na chłopcu, jeśli tu narodzi się coś na kształt przyjaźni – związek o ogromnych, historycznych konsekwencjach.

Jeśli Gerbert udał się z synodu w Reims na dwór Ottona, to czy towarzyszył jego wyprawie i zetknął się również z Bolesławem? Raczej nie. Cytowany przez Piotra Bogdanowicza dawny francuski historyk, który widział w Gerbercie „twórcę królów", wskazywał, że Gerbert przebywał na dworze Ottona od jesieni 995 roku, a więc – rzecz logiczna – po powrocie Ottona z połabskiej ekspedycji. Możemy być natomiast pewni, że dowiedział się od Ottona wszystkiego, co istotne. I na pewno nigdy nie został przeciwnikiem Bolesława – wbrew temu, co sugerowali nasi historycy, zazdrośni z odległości blisko tysiąca lat o koronę Stefana Wielkiego; gdyby Gerbert był wrogiem Bolesława, nigdy by nie dał państwu Polan w błyskawicznym tempie arcybiskupstwa i kanonizowanego błyskawicznie świętego, Otton III zaś, konsultujący z nim każdy krok, nie wybrałby się na pielgrzymkę do Gniezna. W roku 995 powstał więc pierwszy zawiązek sieci Gerbertowych i Ottonowych przyjaciół-władców.

XVIII

Ottonie, czas na cesarstwo Rzymian

W tymże roku 995, 28 sierpnia, umiera po długim bardzo, osiemdziesięcioletnim życiu Henryk Kłótnik; oczyszcza to w jakimś stopniu sytuację na północ od Alp. Ottonowi zaś pora do Rzymu – przyzywa go wszak papież Krescencjuszy, wróg Gerberta, Jan XV, któremu widać coraz trudniej przychodzi znosić wszechwładzę Krescencjuszy. Pretekst znamy: czas koronować Ottona III na cesarza.

Dopiero teraz Otton III zdecyduje się ruszyć wreszcie na południe. Dopiero teraz, jesienią 995 roku. Nie wcześniej. Gdyby tak kochał Południe, jak to w nim odgadują współcześni nam zwolennicy wariantu Ottona-Greka, mógł, zamiast iść na Połabie, już tego lata wyprawić się do Rzymu.

W tej właśnie decyzji upatrywałbym wpływ Gerberta tudzież jego niemieckiego imiennika, Heriberta. Bo Otton nie tkwił tak długo na północy dla powstrzymania np. swoją obecnością Henryka Kłótnika przed potencjalnym buntem; nie wiemy, czy w ogóle Otton myślał już do tej pory o koronie cesarskiej. Intensywny, ciągły doping ze strony Gerberta dowodziłby raczej, że jeszcze nie.

Jeszcze owego roku 995 wysłał piętnastoletni Otton posła do Bizancjum. Pojechał – jego dawny nauczyciel, od 990 r. biskup Wuerzburga, od 993 r. biskup Hildesheimu, technik i artysta, Bernward. Otton również, jak ojciec, chciał żony z Bizancjum. Oczywiście jednak *porfirogenetki*, czyli panny z prawowitego cesarskiego rodu, a nie kuzynki uzurpatora, z jaką ożenił się jego własny ojciec. Zarysowały się teraz jakieś realne na to szanse, jedną już *porfirogenetkę*, własną siostrę, Annę, Bazyli II wydał wszak w 988 roku za barbarzyńcę, zaledwie kandydata do chrześcijaństwa, czyli Włodzimierza, władcę Rusów.

Bazyli dzieci nie miał, nie to go zajmowało; ale córek aż trzy miał jego młodszy o dwa lata brat, współcesarz Konstantyn VIII. Chodziło o jedną z nich. Co więcej, gdyby ani Bazyli, ani Konstantyn nie mieli męskiego potomstwa, Otton III jako zięć *Porfirogenetów* mógłby z czasem ubiegać się nawet o tron bizantyjski i może... może nawet połączyć w jedno tereny obu dawnych cesarstw rzymskich?!

Bazyli, kolejny doskonały wódz na tronie Bizancjum, w życiu osobistym nieledwie asceta i człowiek pobożny, w polityce był bezwzględny aż do okrucieństwa i nie znał skrupułów, pewny, że wszystko mu wolno i że wszystko, co zrobi dla dobra chrześcijańskiego cesarstwa, Pan Bóg mu wybaczy. Władcą był wybitnej inteligencji i zręczności politycznej. Pozyskał dla chrześcijaństwa wschodniego bezmierne połacie Rusi, uwalniając zarazem Bizancjum od niszczących wareskich napadów z tamtej strony. Nie zapominał o Italii – w roku 992 wydali z bratem złotą bullę na korzyść Wenecji, być może na wieść o analogicznym dyplomie ze strony dworu Ottona III. Ustalono w niej bardzo ulgowe cła przywozowe i wywozowe dla statków weneckich, zastrzegając tylko, by Wenecjanie swych przywilejów nie nadużywali dla wypierania konkurencji, a więc Żydów oraz kupców z Amalfi, Bari i miast Lombardii (stąd wiemy więcej, niż z innych źródeł, o tym, że i te ostatnie uczestniczyły w wielkim międzynarodowym handlu). Musiał zaś dwór bizantyjski zdawać sobie sprawę, że Wenecjanie od pierwszego roku władzy nowego, młodego doży, Pietra Orseolo II, znowu handlują w najlepsze i z państwami muzułmańskimi (możliwe, że jego poprzednik, Pietro Candiano IV, stracił dogat potrosze dlatego, że tego handlu zakazywał).

Bazyli nie miał, niestety, okazji wyjść naprzeciw planom Ottona: biskup Bernward nie dojechał do Bizancjum. W czasie podróży nabawił się jakiejś choroby i – jak podają niektóre opracowania – zmarł jeszcze tegoż 995 roku w Grecji, na terenie Achai; co jest nieporozumieniem, ponieważ do roku 1022, roku swego rzeczywistego zgonu, pozostawał biskupem Hildesheimu, do końca – artystą i wspaniałym mecenasem sztuki. W rzeczywistości dowiedział się, niewykluczone, że Bazylego nie ma w Bizancjum, Bazyli wojował bowiem w Syrii, broniąc przed Fatymidami swojego duksa Antiochii.

Otton III po remisowej wyprawie przeciw Słowianom połabskim zawrócił do Nadrenii, do Akwizgranu. Tu zapadła owa decyzja o wyprawie za Alpy, do *Italii*, jak ją nazywają pospołu z Gerbertem, decyzja o wyprawie po koronę cesarską.

Myślę, że właśnie ta ich wspólna wyprawa wykreowała do końca wielką wyobraźnię Ottona i skonkretyzowała wielkie plany ich obu.

Dla porządku odnotujmy, że wedle Richera Gerbert nie przybył z Francji do Ingelheim na dwór Ottona, lecz wprost do Rzymu. Chciał snadź rozmawiać z papieżem bezpośrednio. Na swój dwór zaprosił go podobno – Otton III, na wieść o przykrych dla Gerberta wynikach synodu w Mouzon. Chciał mu to jakoś wynagrodzić. Gerbert w jednym ze swych listów odnotuje, że blisko pięćdziesięcioletniemu „zubożałemu scholastykowi" Otton darował posiadłość ziemską, w Sasbach, w Alzacji, czyli na terenie Lotaryngii.

Na Północy, na zimnych, niepiśmiennych jeszcze marginesach historii, też coś się kończy – ginie mąż Sygrydy Storrady,

Eryk Segersaell, Zawsze Zwycięski. To znaczy – ginie prawdopodobnie wtedy, koło roku 995. Tak wynikałoby z zestawienia dat i biegu wydarzeń, w których już nie występuje i w których nie ma już dla niego miejsca. Jak zginął? Jak wiking. Eryk ze swymi „Jesionowymi ludźmi", *Ascomanni*, rozbijał się po Bałtyku, po wodach Danii i na Morzu Północnym, ale znalazł śmierć, popłynąwszy z nimi Wezerą w górę rzeki, gdzie ich otoczono i już nie wypuszczono. Tylko nielicznych wzięli Sasi do niewoli. Reszta padła. Eryk też. Jego trupa znaleziono podobno wśród poległych.

Pamięć o wdowie po nim, Sygrydzie Storradzie, okaże się godna wikingów – objąwszy regencję w imieniu małoletniego syna, nie zawaha się ta dwudziestoparoletnia Słowianka sięgnąć po wszelkie środki w obronie jego władzy. Sagi mówią, że zalotników, aspirujących do jej ręki, zarazem – pretendentów do władzy, zaprosiła do dworu na ucztę, spoiła ich, poczem wyszła, kazawszy swym ludziom zablokować wszelkie wyjścia i dwór podpalić. Spłonęli żywcem wszyscy. A miało to zdarzyć się w Uppsali, gdzie nieopodal w świętym gaju nadal składano ofiary z wszystkiego, co żywe, a męskie; obrządek pogański nie odchodził w przeszłość, bo ciągle bogowie dbali o sukcesy i zdobycze wikingów. Nic więc dziwnego, że nadal zdarzało się postronnym oglądać i siedemdziesiąt gnijących zwłok ofiar powieszonych na gałęziach gaju ku czci bogów.

Sagi opowiadają również, jak doszło do następnego małżeństwa Sygrydy. Zmontować je miał... Sigvald, co pozwala wiązać sam pomysł z planami Bolesława. Bolesławowi nie zagrażali wikingowie szwedzcy, kłopotem dla niego i dla państwa Ottona mogli być tylko wikingowie duńscy. Pomysłem więc było – wydać siostrę za Swena Widłobrodego. Choćby ona nie chciała ani on nie chciał.

Wedle sag Sygryda kochała się w Olafie Tryggvasonie, który w tym czasie ochrzci się podczas zbójowania na terenie Anglii; skaldowie byli przekonani, że to Olaf wzgardził jej uczuciem, za co potem Sygryda będzie szukała na nim zemsty. Ale sagi wiedzą też, jak Swen ożenił się z siostrą Bolesława. Sigvald miał dostać za żonę – córkę króla Burislafra, Astridę, która, idąc zań, poświęciła się, by w ręce ojca dostać Swena. Sigvald – pamiętajmy, wiking duński, jak większość zbójów jomskich, więc w dobrych stosunkach z władcą Danii – pojmał Swena podstępem. I wyswatał Swenowi Sygrydę – również podstępem. Na wspólnym weselu obie, kilkunastoletnia Astrida i dwudziestoparoletnia Sygryda, wystąpiły w jednakowych zasłonach na twarzach, znak, że Swen miał chrapkę raczej na córkę Burislafra niż na siostrę. Jednakże na łodzie płynące do Danii wsiadła po weselu ta, co powinna – Sygryda...

Musimy przyjąć tę opowieść w dobrej wierze, bo kombinacja cała idealnie pasuje do interesów Bolesława, jak je potrafimy dziś zrekonstruować. Nawet imię „Astridy" wróci później do historii jako „Estrid", córka Sygrydy, z którą Sygryda wróci kiedyś na dwór brata do państwa Polan. Szczegóły mogą się okazać mniej lub bardziej zmyślone bądź przesadzone, ale zasadniczy wątek trzyma się linii owych interesów politycznych Bolesława. Małżeństwo Sygrydy dało mu spokój od północy – znacznie groźniejszej od jakiegokolwiek innego przeciwnika.

Owa domniemana Świętosława-Sygryda już pierwszym swoim związkiem odegrała niemałą rolę w historii europejskiej Północy. I nie chodzi jedynie o tego jej syna, który zaprowadzi podatki w Szwecji i przyjmie chrześcijaństwo w roku 1008. Jej przygody nie zakończą się na przerażającej bezwzględnością obronie praw syna i na małżeństwie ze Swenem. Kolejny jej syn, już ze Swenem, podejmie intrygę równie paskudną, jak owo spalenie pretendentów, a Bolesław i jego cioteczny, węgierski brat, równie bezwzględny, jak on, zamkną skandynawski wątek tej opowieści optymistycznym akcentem, odwracając zamierzone skutki tej intrygi.

Wracajmy teraz do naszych bohaterów – przyjdzie teraz

dla nich czas wysokich lotów. Ba, najwyższych lotów. Godnych wielkiej historii.

Gerberta zafascynuje ten niespełna szesnastoletni dorosły, mówiący po łacinie i grecku, chłonny i ciekawy; tego chłopca wzajem zafascynuje wielki uczony.

Gerbert będzie uczył Ottona. Wszystkiego, z matematyką włącznie, co własny list Ottona potwierdzi. Będzie mu Gerbert przesyłał potem, jeśli się rozstaną, rękopisy wielkich starożytnych dzieł, będzie redagował własne teksty Ottona, ale przede wszystkim będzie budował w nim ambicje i marzenia. To on – być może, razem ze swym moguckim imiennikiem, Heribertem, późniejszym arcybiskupem Kolonii, podobno swoim także uczniem – będzie te ambicje żywił wcześniej chyba niż sam Otton.

W swoim liście z 997 roku, odpowiadając na ów list Ottona, drwiący rzekomo z Saksonii, Gerbert deklaruje się „żołnierzem w obozie Cezara", podtrzymuje i zagrzewa Ottona w ambicjach, kładąc mu do głowy, że to on, Otton, jest Cezarem, cesarzem augustem Rzymian, że jako rodem Grek, władzą Rzymianin, prawem dziedziczenia nabywa tak skarby Grecji, jak i rzymską mądrość. Gerbert jest przywiązany do Ottona – tak jak wielki uczony i technik potrafi przywiązać się do swych nadziei. Nieco wcześniej, w drugiej połowie października 996 roku, w liście do osoby postronnej napisze z dworu w Moguncji, że jest mu jedyną pociechą „pobożność, życzliwość, wielkoduszność" Cezara Ottona, który dnie i noce poświęca na swoje z nim rozmowy.

Zaznaczę tu dla porządku, że przytaczam tylko te daty, które są pewne. Bo sama nawet Matylda Uhlirz, tak zasłużona dla porządkowania wiedzy o dziejach i losach Ottonów, dedukowała historię kontaktów Gerberta z Ottonem w sposób dosyć momentami dowolny...

Historycy nader często rozumieją te ambicje i marzenia w trybie dosłownym, jako żądzę zapewnienia cesarstwu władzy nad światem. Biorą je za bezpośrednią kontynuację marzeń poprzednich Ottonów (którzy zresztą nie mogli w swojej sytuacji nawet śnić o czymś takim). Słynną miniaturę z drugiej połowy roku tysięcznego w Ewangeliarzu Monachijskim, gdzie cztery postacie, symbolizujące *Romę, Germanię, Galię* i *Sklawinię*, niosą dary cesarzowi, a także analogiczną miniaturę, być może nawet nieco wcześniejszą, intepretuje się jako ilustrację politycznego programu stworzenia uniwersalnego imperium, podporządkowanego Ottonowi.

Proszę wszakże zwrócić uwagę: cesarz, któremu te postacie niosą dary, nie jest cesarzem ani *Romy*, ani *Germanii*. Jest – cesarzem. Te ziemie niosą mu swe dary. Gerbert też wylicza jedynie w swoich wezwaniach Ottonowe tytuły do władzy; nie mówi nic o charakterze tej władzy. Aliści to, co najważniejsze, co przełomowe, i co pierwszy dostrzegł młody wtedy polski historyk emigracyjny, Witold Dzięcioł, a nikt przed nim, mieści się już w przedmowie do Gerbertowej „Książeczki o użytkowaniu rozumu": odnowione przez Ottona cesarstwo rzymskie ma obejmować narody czy też ziemie na prawach równości!

Rzecz jeszcze ważniejsza – nie słowa, lecz fakty przekonają nas, że w ogóle nie chodziło o jakieś dosłowne prawo gestii władczej wobec coraz szerszej gromady ludów. Obaj, i Gerbert, i Otton, będą w praktyce konsekwentnie budowali niezależne od cesarza władztwa państwowe – i będą budowali przyjaźń wzajemną między swoimi przyjaciółmi, którzy tę samodzielną władzę wykonują. Uniwersalizm Ottona III i Gerberta z Aurillac, czy raczej – Gerberta i Ottona, nie ma nic wspólnego z „imperializmem", ani rzymskim, ani niemieckim, ani jakimkolwiek innym. Nazywanie ich koncepcji planami „imperialnymi" jest nieładnym nadużywaniem słów. Nie chodziło o *Imperium Romanum*. Chodziło o *Imperium Romanorum*, cesarstwo Rzymian. A „Rzymianami" być mieli wszyscy, gotowi się pod tymi auspicjami połączyć jako wolne, suwerenne w naszym pojęciu, równe sobie państwa.

Zimą początku roku 996 w Bawarii Otton koncentrował swe wojska; dla towarzystwa pojawili się najznaczniejsi panowie i biskupi Niemiec, na czele ze starym przyjacielem ojca, arcybiskupem Moguncji, Willigisem, najbardziej wpływowym człowiekiem w królestwie. Podobno już w lutym ruszyli ku przełęczy Brenneru na południe, wiosną byli w Alpach.

W Weronie, w drodze do Pawii, czekała Ottona pierwsza miła niespodzianka – poselstwo weneckie z nowym dożą, Piotrem Orseolo II, na czele.

Doża przywiózł ze sobą swojego malutkiego, młodszego synka i prosił Ottona, by zechciał zostać ojcem chrzestnym malca. Młody doża, wedle historyka Wenecji „działacz polityczny pierwszej rangi", ojciec wielkomocarstwowych ambicji i potęgi Wenecji, już wtedy znany ze swego rozmachu i talentów, Ottona zgoła oczarował, podbił też zresztą i Gerberta z Aurillac, z którym później będzie nadal w bliskich związkach. Otton zgodził się; dano dziecku na chrzcie jego imię. I, jak się okaże, nie będzie przypadkiem, że za tegoż Ottona Orseolo, o tak dziwnym w Wenecji imieniu, wyda kiedyś swą córkę... Stefan Wielki, król Węgier, następny z tego grona przyjaciół; mało, Stefan swego wnuka po tym Wenecjaninie wyznaczy później swoim następcą!

W dzień Wielkanocy roku 996, czyli 12 kwietnia, Otton wkroczy w bramy Pawii, tradycyjnej stolicy Longobardów. Wcześniej dotarła tu z pewnością wieść o śmierci Jana XV, który zmarł w marcu, nie doczekawszy się przybycia Ottona. Powitali Ottona w Pawii feudałowie Lombardii, wśród nich jego dawny nauczyciel, teraz – biskup Piacenzy, Jan Filagatos; obwołali Ottona królem Italii, na jego skroniach spoczęła żelazna korona Longobardów. Charakterystyczne: nikt się nie buntował. Ten chłopiec zdobywał wszystkich.

Wszystkich i wszędzie, ale nie w Rzymie. Rzymianie wprawdzie czekali teraz na niego z wyborem papieża, nie próbowali powołać nikogo bez jego głosu, ale kandydaturę, którą Otton zaproponował, przyjęli bez zachwytu. Kuzyn Ottona, a jego kapelan, syn księcia Ottona karynckiego, wnuk córki Ottona Wielkiego, dwudziestopięcioletni (wg. Richégo dwudziestotrzyletni) Brunon, był człowiekiem Ottona, a nie człowiekiem Rzymu, tym mniej – człowiekiem Krescencjuszy. Wybrano go i konsekrowano 3 maja 996 r. – jako Grzegorza V.

Z kolei 21 maja, w święto Wniebowstąpienia Pańskiego, w bazylice św. Piotra Grzegorz V koronuje Ottona III – cesarzem. Ale to nie finał. To dopiero początek...

Powiada się, że Otton III stronił od północy, że w swoim kraju czuł się wręcz obco. Że bardziej czuł się związany z Italią. Rzekomo od pierwszej swojej, opisywanej tu wyprawy na południe przebywał prawie stale w Rzymie, a przynajmniej cztery lata z siedmiu. Ale same daty przeczą nader łatwym i dość lekkomyślnym uogólnieniom. Ruszył na południe dopiero licząc sobie lat szesnaście i w roku 996 spędził w Rzymie co najwyżej niecałe cztery miesiące, od końca kwietnia do połowy sierpnia. W połowie września był już na pewno w Ingelheim, koło Moguncji, w dawnym pałacu Karola Wielkiego. A mamy wszelkie dane, by sądzić, że wrócił na północ już wcześniej, w czerwcu.

Co robił w Rzymie?

Już następnego dnia po koronacji rozpoczął się synod – pod wspólnym przewodnictwem nowoobranego młodego papieża i jeszcze młodszego, świeżo koronowanego cesarza.

W obecności całego niemal zebranego duchowieństwa Rzymu doszło do potępienia Jana z rodu Krescencjuszy, owego faktycznego władcy Rzymu z czasów Jana XV. Grzegorz V wstawił się za nim i przebaczono mu jego zbrodnie. Wódz Krescencjuszy musiał wszystkiego iść na wygnanie; skończyło się więc i tak łagodnie.

Sprawy Gerberta nie podjęto – z braku jego oskarżycieli. Gorzej: kancelaria Grzegorza V, pod wpływem, jak można podejrzewać, opata Leona, bardzo wpływowego w Rzymie, podtrzymała w tej sprawie dotychczasowe stanowisko Jana XV, Gerbert pozostał dla niej „najeźdźcą" metropolii w Reims – co najlepiej dowodzi, że nasz bohater, tak rzekomo przebiegły i obrotny, niczego nie potrafił załatwić dla siebie, on, który teraz pisał listy samego cesarza, on, przyjaciel cesarza i jego nauczyciel! Jest oczywiste, że Gerbert z Aurillac nawet nie poprosił Ottona o interwencję, i myślę, że trudno o lepsze świadectwo jego charakteru.

W Rzymie owych dni Otton III zetknął się i z Wojciechem. Czterdziestoletni wtedy Wojciech przebywał znowuż w swym ukochanym klasztorze na Awentynie. Stał się kolejnym odkryciem szesnastoletniego Ottona; zostali serdecznymi przyjaciółmi.

Co dla nas istotne, biskup praski podzielał poglądy Gerberta, którego poznać musiał trzynaście lat wcześniej w Weronie; ta bliskość jednak nie była niczym dziwnym, w końcu Gerbert był największym autorytetem intelektualnym ówczesnego Zachodu Europy i sam kontakt z nim poczytywano sobie w kręgach mnichów czy biskupów za tytuł do chwały. Dla Ottona Wojciech stał się drugim Gerbertem; Otton „miał w nim kogoś bliskiego, chętnie słuchając, cokolwiek mu powiedział", jak zapisano w pierwszym „Żywocie" świętego. I młody cesarz będzie od tej pory stale protegował „Bożego człowieka" (takie miano zdążyło już przylgnąć do Wojciecha).

Podczas tegoż synodu arcybiskup Moguncji, znany już nam Willigis, któremu podlegała Praga, zażądał od Wojciecha, by wrócił do Pragi na swój stolec biskupi; wymagało tego prawo kanoniczne, biskupowi nie wolno było opuszczać wiernych swej diecezji, groziła za to wręcz klątwa. Ale Wojciecha przyjął na prywatnej audiencji nowy papież. I zdecydował, że gdyby władca Czech nie życzył sobie powrotu biskupa, Wojciech uda się w misji apostolskiej na ziemie niewiernych, zostając *biskupem ludów*.

Mamy wszelkie podstawy przypuszczać, że Grzegorz V spełnił w ten sposób marzenia Wojciecha. Wojciech postąpił dalszy krok ku swemu męczeństwu, tak jak nakazywał mu jego entuzjazm wiary. Czy Otton już wtedy zazdrości mu tego entuzjazmu, nie wiemy; ale na pewno wzór Wojciecha będzie miał ogromny wpływ na dalsze plany życiowe Ottona w przyszłości. Bardziej, co paradoksalne, wzór Wojciecha niż Gerberta.

Na razie Otton III rozpoczyna w Rzymie budowę swojej cesarskiej rezydencji w sąsiedztwie ruin po siedzibach starożytnych cesarzy – jej architektura ma naśladować wzory starożytne. Z inspiracji zapewne Gerberta przyjmuje tytuł, jakiego używali ci starożytni cesarze – *Romanorum Imperator Augustus;* sam *imperator* jeszcze by tyle nie znaczył, bo każdy *rex* wedle ówczesnej teorii był *imperatorem* na terenie swego królestwa; cesarz Rzymian, August, znaczyło już coś innego, nawet dla tych, którzy nie wiedzieli, jakich tytułów używali starożytni. Na pieczęci cesarskiej pojawi się wizerunek Karola Wielkiego z napisem w otoku *Renovatio Imperii Romanorum,* „Odnowa Imperium Rzymian". Rzymian, nie Rzymu. Rzymianami będą więc wszyscy jego poddani, wszyscy poddani przyszłego świętego imperium. Nie Germanie ani Włosi, nie Frankowie zachodni, czyli przyszli Francuzi, ani też *Sklawini*. Wszyscy.

Toczyć się więc muszą w tym Rzymie Ottona III wielkie dyskusje o światowym wymiarze, w których uczestniczy najpewniej i Wojciech, i Gerbert, i Heribert. Sądzę, że przegadali niejedną godzinę, dyskutując o Bogu, świętości i przyszłości ludów. Sądzę, że „nasz" Czech opuści Rzym z misją wcale nie tylko apostolską. Dowodnie to potwierdza szlak jego późniejszej podróży. Nie wyruszy od razu po męczeństwo. Będzie wysłannikiem Ottona i Gerberta; dopiero potem – kandydatem na świętego. Ale – wysłannikiem, łączącym mądrość dyplomaty ze świętością.

Do Bizancjum popłynie w tym czasie Jan Filagatos, biskup Piacenzy, dawny nauczyciel Ottona, z tą samą misją, co Bernward. Wróci niedługo; ale nie będziemy tu uprzedzali niespodzianki, jaką ta podróż przyniesie...

Wojciech, opłakiwany „wieloma łzami braci" benedyktynów z awentyńskiego klasztoru, pojedzie w towarzystwie biskupa liońskiego, Noteriusa, „męża najwyższych umartwień", do Moguncji – latem, jeszcze przed powrotem samego Ottona III na północ. Stąd uda się w pielgrzymkę po świętych grobach królestwa Francji, do sanktuarium świętego Marcina w Tours, św. Benedykta we Fleury i św. Dionizego w St. Denis.

Wróciwszy do Moguncji, gdzie przebywał już Otton III, prawdopodobnie zastał tu odpowiedź na sondaż, jakiego dokonał przez swoich posłów, wysłanych do Pragi, Bolesław polski. Bolesław II czeski oczywiście nie życzył sobie powrotu biskupa, który go wyklął. Wojciech wyruszy więc do Bolesława, ale polskiego, który przytulił już jego brata, a z utęsknieniem i wielkimi obietnicami czeka i świętego męża.

I teraz ten szlak podróży do Polski... Najprostszy i najkrótszy wiódłby przez górną Saksonię i Łużyce. Mógłby się był Wojciech zabrać tam wespół z dworem Ottona III, który w towarzystwie Gerberta z Aurillac pojedzie do Magdeburga. W Magdeburgu Gerbert, mędrzec i uczony, raz jeszcze da lekcję swych umiejętności naukowych, regulując miejscowy zegar. Jest, swoją drogą, coś niemal symbolicznego w tak rozbieżnym co do sposobu i przedmiotu manifestowaniu się obu osobowości; ale to Wojciech, jak się zaraz okaże, służy wielkim ideom Gerberta.

Tu wtręt o bardzo istotnym dla naszej historii znaczeniu. W Boże Narodzenie 996 roku, 25 grudnia, w Kolonii przyjmie chrzest – uczeń Wojciecha, węgierski książę Waik, czyli Stefan, mąż Gizeli, córki nieżyjącego już Henryka Kłótnika, siostry ciotecznej Ottona III. Sądząc po danych z opracowań, powstałych w naszej części Europy, Stefana chrzczono chyba kilka razy; raz wtedy, gdy w latach siedemdziesiątych przybyli na dwór Gejzy duchowni czescy, drugi raz w roku 985. Teraz, jak dowiedziałem się, o paradoksie, z... książki Pierre'a Richégo (!), odbył się widocznie chrzest uroczysty, w obecności młodego cesarza i dawnego nauczyciela, Wojciecha.

Mamy dzięki tej informacji pełniejszy obraz okoliczności, wśród których uformował się ów krąg przyjaciół naszego bohatera i Ottona. Otton poznał Stefana osobiście, nie tylko dzięki opowieściom Wojciecha. To dla nas ogromnie ważne – ów bezpośredni kontakt z dawnym uczniem Wojciecha, rzeczywistym późniejszym sprawcą nawrócenia Węgier. Dwudziestoparoletni Stefan nie musiał dowiadywać się wszystkiego o rzymskich dyskusjach i o ludziach z kręgu Ottona i Gerberta dopiero od Wojciecha. Teraz rozumiemy, jak mógł Stefan z taką swobodą znosić się z tymi przyjaciółmi, którzy wcale nie przez pomyłkę przekażą mu później koronę. I jak dojść mogło do związków Stefana z dożą Wenecji, którego synowi, owemu Ottonowi, chrześniakowi Ottona III, da Stefan w przyszłości córkę za żonę. Wreszcie – możemy zrozumieć, dlaczego Wojciech z kilkoma benedyktynami, wśród nich – z przyrodnim bratem, Radzimem-Gaudentym, uda się najpierw na Węgry. Do Gejzy, czyli faktycznie do swego dawnego ucznia.

Trwa do dziś spór, gdzie Wojciech założył tam klasztor. Podobno w miejscu, przez „Pasję św. Wojciecha" zwanym *Mestris;* polscy uczeni sugerują, że znana z legendy o św. Stefanie *żelazna góra,* u stóp której powstał klasztor, leżeć musiała na Węgrzech, nie w Polsce, ale ja tu wniosę korektę, przypominając, że *mons,* góra, oznaczało po prostu... kopalnię (pierwotnie bowiem rudy wszelkiego rodzaju kopano, wgryzając się w bok góry); klasztor powstał więc przy jakiejś kopalni rudy żelaza, a nie u stóp góry. I mogła to być, zaznaczmy, kopalnia rudy błotnej, równie dobrze.

XIX

Potrzebny jest wzór i wielkość wiary

Przychodzi teraz czas na młodych ludzi z tego kręgu: 24 października 996 roku, nim Gerbert zdąży wrócić do Reims, umiera we Francji Hugo Kapet, zostawiając królestwo swemu współkrólowi, przezornie wcześniej za życia ojca koronowanemu, byłemu wychowankowi Gerberta, Robertowi.

Śmierć Hugona to dla naszego bohatera kolejny cios ze strony losu. W Robercie nie będzie miał Gerbert przyjaciela. Robert pod pretekstem, który mogliśmy przewidywać, zbyt bliskiego pokrewieństwa, odsunął swoją Zuzannę, która nie mogła mu urodzić dziecka (choć doprawdy nie była „starą kobietą", jak napisał Pierre Riché), i ożenił się z inną, znowu od siebie znacznie starszą kobietą, wdową po Eudesie z Chartres, matką kilkorga dzieci, na dobitek – bliską krewną. Hugon nie życzył sobie tego małżeństwa, nie wierzył we wnuki z tego związku, ale Robert oszalał na punkcie Berty; była największą miłością jego życia. Nie udało mi się ustalić, jak bliskie łączyło go z nią pokrewieństwo, dość, że Gerbert z Aurillac, wróciwszy do Reims, perswadował Robertowi to małżeństwo, raz, dla względów kanonicznych, dwa, przez przyjaźń dla ojca. Nie zyskał tym sympatii swego ucznia. Ślub, w niedługi czas po śmierci ojca, dał Robertowi arcybiskup Tours, Archimbold.

1 lutego 997 umiera na Węgrzech ojciec Stefana, Gejza, i Węgry przejmie uczeń Wojciecha. Czy żyje Bela-Knegini,

matka Stefana, nie wiemy. Są historycy, którzy, jak pamiętamy, wątpią w ogóle o jej istnieniu. Ja nie wątpię; gdyby ją współcześni zmyślili, należałoby wskazać, w jakim interesie i po co mieliby ją zmyślić. A już najmniej powodów miałby po temu Thietmar, rówieśnik Stefana, który ją dotkliwie osmarował...

W Rzymie, oczywiście, diabeł nie śpi. Pod nieobecność Imperatora Augusta Wieczne Miasto znowu stanie się sceną małego piekła. Papież Grzegorz V niewiele miał spokoju. Raptem parę miesięcy. Krescencjusze nie spasowali, zaś do intrygi włączyło się Bizancjum, ściślej – dwór Bazylego II.

Z Bizancjum wracał na zachód Jan Filagatos, poseł Ottona III. Nie sam. W towarzystwie posła cesarstwa wschodniego, także duchownego, Leona, przyszłego metropolity Synady, który tutaj miał spełnić szczególną misję złej woli.

Bizancjum nie zamierzało dać żadnej *porfirogenetki* zachodniemu „cesarzowi" z pan-rzymskimi ambicjami. Czy na dworze Bazylego zlekceważono Ottona III? Chyba nie. Świadczy o tym sam fakt, że poseł Leon po przybyciu do Italii udał się na północ, do Akwizgranu, na dwór Ottona, wyłącznie po to, by przewlekać sprawę w nieskończoność.

Zachowało się z tego okresu dwanaście listów Leona, we fragmentach, cytowanych obszernie przez Percy Ernsta Schramma. Leon pisał: „Widziałem... Rzym, rzecz ogromną" (ogromnego znaczenia). Tłumaczył swemu korespondentowi z cesarskiego otoczenia: „Rzym potrzebuje siły jakiegoś mocnego, możnego człowieka i wielkiej głowy. Takowe posiada w najwyższym stopniu, jak wiesz, nasz wielki i wysoki [cesarz], jako i jego poprzednik – co wiesz lepiej od innych, ponieważ więcej rozmawiasz z cesarzami [tj. Bazylim i Konstantynem] i masz udział w ich tajemnicach".

I to Leon był sprężyną kolejnego spisku Krescencjuszy, w tym spisku zaś czołową rolę miał odegrać nie kto inny, jak dawny nauczyciel Ottona, Jan Filagatos, Grek, z Ottonowej decyzji biskup Piacenzy, teraz uwiedziony przez Bizancjum.

Co się z nim stało? Ten włoski Grek prawdopodobnie po raz pierwszy zobaczył na własne oczy potęgę Bizancjum, ogrom samego miasta, nieporównywalnie wyższy poziom cywilizacji i kultury. Nie mógł nie uwierzyć w możliwości wschodniego cesarstwa. Jeśli zatem dwór Bazylego II doszedł do wniosku, jak ongiś Nicefor Fokas, że Wieczne Miasto powinno wrócić pod władzę tegoż cesarstwa jako jedynego prawowitego spadkobiercy starożytnego Rzymu, że to powołaniem Bizancjum winna być odbudowa jednego, wspólnego cesarstwa i związków chrześcijańskich, nadwątlonych różnicami doktrynalnymi, ale nie rozbitych do końca, to należało tylko życzyć mu sukcesu.

Przy tym jasne było, że Otton III nie reprezentuje ani ułamka tej potęgi wojennej, jaką dysponuje cesarz Bizancjum, zarówno w polu, jak i na morzu. Jeśli Jan Filagatos mógł obejrzeć, jak działa *ogień grecki*, te ówczesne miotacze ognia, nie wątpił, że zaangażowanie Bizancjum w odzyskanie Rzymu przesądzi sprawę. Był przekonany, mało, musiał być pewny, że Bizantyjczycy potrafią pokonać każdą armię każdego z królików i książątek Zachodu. Zwłaszcza że Bazyli II miał przecież po swojej stronie Wenecję (a przynajmniej tak mogło się w Bizancjum wydawać po przywilejach, jakich jej Bazyli razem z bratem udzielili).

Tyle, że Bazylego... nie było wtedy w stolicy. Znowu prowadził wojnę na wschodzie i nie zanosiło się na jego powrót. Bazyli bowiem prowadził wojny nie sezonowo, od wiosny do jesieni, jak podówczas było w zwyczaju, lecz do skutku. Nie mogło być więc mowy o jego osobistym zaangażowaniu w Italii – mimo kurierów, kursujących między Bizancjum a jego kwaterą wojenną. Jan Filagatos co najwyżej pamiętał, że Ottona II w 982 r. rozniosły w proch i w pył drugorzędne siły muzułmańskie, posiłkowane drugorzędnymi siłami cesarstwa. Rachuby Jana Filagatosa, choć wiarołomne, miały jakieś logiczne podstawy.

Już we wrześniu 996 r. Grzegorz V musiał uciekać z Rzymu na północ; zatrzyma się aż w Rawennie, u tamtejszego arcybiskupa Jana, tego, co wraz z Willigisem koronował przed laty malutkiego Ottona III. Władzę nad Rzymem obejmą znowu Krescencjusze. Do swego przyjaciela, patriarchy Sisinniosa II, napisze wtedy Leon w triumfującym tonie:

„Rzym jest pod ręką i u stóp naszych wielkich i wysokich cesarzy. Bóg chciał i to złączył, a podobało mu się dokonać tego z moją pomocą... Bóg pokierował sercem potężnych Krescencjuszy".

Jan Filagatos pozwoli im wynieść siebie, Jana Filagatosa, na tron papieski, choć Grzegorza V nikt nie zdeponował. Jak Krescencjusze uporali się z zasadą, na którą tylekroć się powoływali, że biskup nie powinien opuszczać swej diecezji, jak biskup Piacenzy rzecz załatwił ze swoim sumieniem, historia milczy. Wiemy tylko, że jego sędziwy, osiemdziesięciosiedmioletni wówczas rodak z południa Włoch, również Grek, świątobliwy opat Nil z Monte Gargano, odradzał mu przyjęcie godności papieskiej. Niestety, bezskutecznie.

Sam Leon Filagatosa... nie trawił. Pisał, że to człowiek arogancki i pyszałkowaty, którego usta pełne są „przekleństw i gorzkości, potwarzy, podstępów i obelg". Cały katalog Leonowych określeń i opinii na temat Filagatosa, które przytacza Schramm, swą soczystością wyraża najwyższą abominację: „ojciec i worek kłamstwa", „potwarca", „pies", „awanturnik", „bezbożnik", „ucieleśniona zawiść i chytrość", „nóż kuchenny do golenia", „ten wąż, ten podstępny ozór", „to skończone g...o, to brzuszysko; był on ze wszystkiego, co poniżej brzucha Bóg umieścił", „ten heretyk, ten poganin", „ten wróg Boga i Jego świętych".

Wystarczy, prawda? Będzie chyba zasadne przypuścić, że to jednak nie Leon namówił Jana Filagatosa na przyjęcie godności papieskiej... Jeżeli już, musiał uważać to wyniesienie za obrazę Boską.

Jan Filagatos przybrał imię Jana XVI. Co by nie powiedzieć, takiemu, jak on, mogło się wydawać, że nadchodzi zasadniczy zwrot w historii: powrót do jednego cesarstwa, prawowitego, potężnego, mądrego i sprawiedliwego.

I, co więcej, zrazu wygląda na to, że te rachuby się potwierdzą. Mijają miesiące, a Otton III nie rusza się z północy i nie zakłóca w niczym spokoju posiadania rebeliantów. Ma inne zajęcia na tej swojej północy. I jakby na coś czeka.

Nie wiemy, czy Stefan węgierski, wracający z Nadrenii w towarzystwie grupy mnichów z Wojciechem na czele, dotarł do domu jeszcze przed śmiercią ojca. Tej zimy, zapewne ciepłej, na Węgrzech pewnie i bezśnieżnej, Wojciech ze swą grupą goszczą na Węgrzech u Stefana, prawdopodobnie grzebią z nim jego ojca, a Wojciech założy tam ów klasztor „u stóp góry żelaznej", czyli koło kopalni rudy żelaza.

Stamtąd puszczą się przez dzisiejszą wschodnią Słowację, być może kontrolowaną już przez węgierskich koczowników, przez Czarnych Węgrów, ku przełęczy Dukielskiej. W sumie blisko tysiąc kilometrów od dworu Stefana; nawet licząc średnią ówczesną 30 kilometrów dziennie, i to na równinach, przy suchym gruncie, bez śniegu, daje to przy jeździe konnej półtora miesiąca.

Wojciech ze swymi konfratrami wędruje szybko. Spieszy mu się i po tempie jego podróży mamy prawo sądzić, że jechali konno, a nie wędrowali, ku umartwieniu swych ciał, piechotą. Piechotą nie sposób tego szlaku przebyć tak szybko.

Dzięki temu na przedwiośniu roku 997 dotrą na dwór Bolesława.

Wojciech jest od niego blisko dziesięć lat starszy. I Bolesław to ktoś zupełnie inny; urodzony wódz i władca z temperamentu, żaden sługa Boży. Jak oni mogli przypaść sobie z Wojciechem do gustu, a niewątpliwie przypadli, pozostaje tajemnicą chemii związków, łączących ludzi. Przyjaźń Wojciecha – intelektualisty bardzo podnosi w moich oczach Bolesława: snadź był człowiekiem wielkiej inteligencji, bo nie same uczucia chrześcijańskie ich połączyły.

Za tym wszystkim krył się z pewnością wspólny wielki plan Gerberta i Wojciecha: Wojciech poszukuje męczeństwa, obaj z Gerbertem zdawali sobie sprawę, że znieprawionej ludzkości chrześcijańskiej trzeba nowych bodźców moralnych, nowego heroizmu, a co więcej, jeśli gdzieś potrzebny jest wzór i wielkość wiary, to przede wszystkim na terenach dopiero co chrystianizowanych. Czy do tego jednak konieczna była aż przyjaźń z Bolesławem? Zgoda, oni pozyskiwali zwolenników dla swych wizji przyszłości, ale trudno posądzić Wojciecha, by cokolwiek udawał, tak więc ta przyjaźń nie była jedynie grą.

Tu się wszakże ciśnie od razu pytanie: jeśli miałoby chodzić o misję apostolską, dlaczego Wojciech nie wybrał się na ziemie Słowian połabskich? Spływają one krwią, i chrześcijan, i pogan, których nawraca się mieczem i żelazem, Wojciech wie, co się tam dzieje; jeśli gdzieś potrzeba apostolstwa miłości i pokoju, to na pewno tam właśnie. Teza, że misji przeszkadzałaby toczące się wojna między Wieletami a Niemcami, jest nie do obrony, bo tam wojna trwa niemal bez przerwy, nawet chwilowe okresy pokoju są tylko raczej zawieszeniami broni. A jeśli Wojciech poszukuje męczeństwa, to nigdzie nie może być o nie łatwiej. Wniosek z powyższego, że ten wariant odrzucono z góry, jeszcze w Rzymie. Inaczej Wojciech nie wędrowałby do Stefana i potem dopiero na północ; pojechałby z Magdeburga na wschód.

Ta sama analiza wskazuje, że nie chodziło bynajmniej o nawracanie i o nauczanie religii Chrystusowej. Gdyby tak było, Wojciech ruszyłby od Bolesława na Pomorze, a nie do Prus. Nauki chrześcijańskie ledwo tknęły ową ojczyznę groźnych chąśników, którzy opłacali się Bolesławowi tym, co zrabowali po drugiej stronie Bałtyku, a wcale nie marzyli, by w zależności od Bolesława pozostawać...

Historycy snują dociekania, co też było wartego inkorporacji na ziemiach Prusów. Przyznają im wyższy, niż domniemywano, poziom rozwoju. Ale, moim zdaniem, są to próżne wysiłki. Bolesławowi na ziemiach Prusów nie zależało.

Prusowie handlowali, owszem, na znacznie szerszą skalę, niż sobie to przed odkryciami archeologów wyobrażaliśmy; ich bursztynów, jak wszelkich bursztynów znad Bałtyku, pożądał cały świat; ale mimo wszystko byli marginesem tego świata. Trudno powiedzieć nawet, że najeżdżali ziemie państwa Bolesława, bo mogli co najwyżej atakować sąsiednie Pomorze, znacznie bodaj bitniejsze od nich i zaprawniejsze w bojach; od południa, od Mazowsza, odgradzały ich niezmierzone puszcze. Nawrócenie Prusów nie przysporzyłoby nikomu żadnej chwały, ani Wojciechowi, ani Bolesławowi; nikt by tego po prostu nie zauważył. No i gdyby chodziło o apostolstwo, wkroczyłby Wojciech na ziemie Prusów od strony Wisły, po cóż było płynąć aż do Sambii, do samego jądra pogaństwa?

Wszystko więc przemawia za tezą, że od początku zamiarem było męczeństwo. Chrzcić mógł Wojciech w Gdańsku, do którego dotarł – i chrzcił, jak informują źródła. Ochrzcił tam mnóstwo ludzi! Przypuszczenie, że rozczarował się do Polski, popadłszy w konflikt i zraziwszy tu sobie duchowieństwo oraz świeckich swymi surowymi wymaganiami obyczajowymi, nie da się utrzymać – bo trudno zrazić sobie jakiekolwiek duchowieństwo w dwa miesiące, po drugie zaś, państwo Bolesława to ciągle teren misyjny, wymagający poświęcenia i samozaparcia, nie miejsce tu jeszcze na rozwydrzenie i demoralizację. Mógł Wojciech założyć klasztor benedyktynów, w Łęczycy czy gdzie indziej; ale wątpię, czy zdążył napisać, jak mówi tradycja, „Bogurodzicę", skoro jednak trzeba by najpierw opanować doskonale język Polan, nawet jeśli był on wtedy bliższy czeskiemu niż dzisiaj. Daty mówią jasno, że Wojciech ruszył ku swemu przeznaczeniu, jak tylko ruszyły lody na rzekach. I popłynął z Gdańska – do Sambii...

23 kwietnia 997 roku na którejś tamże świętej polanie Prusów Wojciech narusza jakieś ich tabu; on, a nie towarzyszący mu Radzim i benedyktyn Bogusza, najwyraźniej Polak, czy raczej – Polanin, który wedle domysłu historyków zna język Prusów. Tych dwóch Prusowie tylko zwiążą. Natomiast Wojciecha przebije włócznią pruski kapłan, imieniem Sicco, Prusowie poćwiartują zwłoki, głowę Wojciecha wbiją na pal – a Radzimowi i Boguszy nie stanie się nic!

Św. Brunon z Kwerfurtu, następca Wojciecha w dziele poświęcenia, napisze o tym Siccu, że chciał pomścić tym sposobem brata zabitego przez Polan. Ale jeśli tak, to dlaczego na jednym tylko Wojciechu, który na dobitek był Czechem? I po co by ćwiartowano jego ciało, a głowę wystawiano na widok publiczny, w trybie przyjętym dla kary demonstracyjnej?

Wszystko tu wskazuje, że stało się zadość sprawiedliwości Prusów, że nie było w tych pruskich zabójcach żadnej nienawiści, ani etnicznej, ani religijnej, ani nawet gwałtowności uczuć, chociaż w przypadku profanacji miejsc świętych byłoby naturalne spodziewać się wręcz samosądu. Tymczasem oni ujętych towarzyszy Wojciecha – puszczą wolno, nawet bez okupu, pozwolą im odpłynąć z powrotem do Gdańska!

Wiadomości oczekiwane rozchodzą się szybko. Skąd wiemy? Otton III, otrzymawszy wieść o męczeństwie Wojciecha, wyrusza do Akwizgranu, i postanawia tam ufundować klasztor pod wezwaniem nowego świętego. Bo że to ma być święty, nie ulega wątpliwości; trzeba tylko poczekać do oficjalnej kanonizacji.

To wszystko – w ciągu dwóch i pół miesiąca od śmierci Wojciecha. Latem na tak niedawną siedzibę dworu Ottona, Magdeburg, spada nawałnica Stodoran znad Hoboli (Haweli), palą go doszczętnie. W rezultacie Otton pospiesznie rusza na wschód z wyprawą odwetową, ale nie osiąga nic poza spaleniem wszystkiego, co spalić się dało.

Lutycy razem z Obodrytami (na pół już, jak pamiętamy, schrystianizowanymi!) przekroczyli w tym czasie dolną Łabę, kilkadziesiąt kilometrów od Hamburga, wtargnęli na pustać lueneburską, dawne sasko-słowiańskie pogranicze, którego od zachodu pilnowała stara, jeszcze z czasów Karola Wielkiego, kresowa twierdza Bardewiek nad Ilmenau; powstrzymała napastników dopiero odsiecz z Westfalii pod wodzą... biskupa z Minden, Ramwarda.

Nasz bohater, wróciwszy do Reims, odkrywa samotność człowieka bez przyjaciół; zdarza mu się być tak samotnym, że nie ma kto mu towarzyszyć nawet przy obiedzie. Przyjaciele są daleko, w Aurillac, w Orleanie, a nawet ci uczniowie, z którymi utrzymuje kontakty, są poza Reims. I nie może Gerbert na nikogo w swojej skromności liczyć. Pociesza go tylko list od Ottona, zaadresowany „do Gerberta, najzręczniejszego wśród nauczycieli, godnego wawrzynu w trzech częściach filozofii". Ale to niczego nie zmieni w jego sytuacji. W maju arcybiskupnie-arcybiskup pojedzie znowu nad Ren. Do Ottona. By nigdy już więcej, o czym jeszcze nie wie, do Francji nie wrócić. Ale Ottonowi, którego odnajdzie latem aż w Magdeburgu, znowu się nie poskarży.

Tu go dopadnie choroba. Sądząc po objawach, które opisał Gerbert w liście do cesarzowej Adelajdy, ścięła go z nóg malaria, przywieziona zapewne jeszcze z Rzymu, gdzie komary z Bagien Pontyjskich nikogo nie oszczędzały. Była to trzeciaczka, już wtedy zresztą tak nazywana, od trzydniowego cyklu nawrotów ostrego stanu, kiedy chorego pali gorączka, wstrząsają nim dreszcze, ciało przeszywają tysiące igieł, w uszach dzwoni, a z oczu łzy ciekną same (jak swój stan opisywał Gerbert), by po kilku godzinach zostawić wypruty z sił, zlany potem, żywy zewłok ludzki.

Gerbert z tą chorobą odjechał z Magdeburga do swojego, otrzymanego od Ottona Sasbach. Ale i tam nie obejdzie się bez jakichś uciążliwych kłopotów z jego własnością. Nawet tutaj uczony-wygnaniec nie ma spokoju... Pisze wtedy rozpaczliwy list do swego młodego przyjaciela-cesarza, przejmujący poczuciem nonsensu doznawanych krzywd. Nie jest to list filozofa, przyznajmy. To list pełen żalu i goryczy. Uczony nie rozumie losu, który nim igra. Nie znajduje przeciw niemu obrony, a bezradność go dobija.

Grzegorz V nie przestaje pełnić swoich funkcji, a świat zachodni nadal uważa go za papieża. Na luty 997 roku Grzegorz zwołuje i odbywa w Pawii synod, synod gniewny i karzący. Anatema dotyka wrogów papiestwa. A wszyscy biskupi królestwa Francji, którzy brali udział w depozycji Arnulfa, zostaną zawieszeni w swych urzędach, włącznie z Adalberonem, biskupem Laon, czyli Ascelinem, który go ujął i wydał królowi. Leon, *spiritus movens* tych decyzji, teraz opat Nonantoli (opactwo na Awentynie przejmie Jan Canaparius), ruszy znowu z misją na północ.

Po śmierci Hugona Kapeta papież, nadal pod wpływem Leona z awentyńskiego klasztoru, zwrócił się do Roberta jako króla Francji, by „naprawił krzywdę wyrządzoną Kościołowi" depozycją Arnulfa, legalnie powołanego arcybiskupa Reims. Wszelako dla Roberta Arnulf jest legalnie potępionym zdrajcą swego króla i Robert ani myślałby ustąpić, gdyby nie to, że teraz i on potrzebuje papieża: dla jego małżeństwa z Bertą trzeba kościelnej dyspensy.

Grzegorz V okaże się rygorystą. Nie udzieli zgody; przeciwnie, zażąda, by Robert oddalił Bertę, i zagrozi mu interdyktem. Nie zdarzyło się do tej pory, by któregokolwiek z panujących ekskomunikowano, więc Robert, ten sam Robert, który kiedyś przejdzie do historii z przydomkiem Pobożnego, niewiele sobie z tej groźby robi. Grzegorz jednak nie ustępuje. Tegoż roku 997 – ekskomunikuje króla Francji...

Czy zdecydowała ta ekskomunika, czy fakt, że Berta urodziła martwe dziecko (rozeszła się wręcz pogłoska, że urodziła monstrum), dość, że jesienią 997 r. Robert zmienił nagle front, ukorzył się i rozstał się z Bertą, deklarując pełną uległość wobec papieża. Konfliktu z nim w żadnym razie nie chciał; miał aż za wiele własnych kłopotów. Z tym, że Arnulfa zwolnił z więzienia dopiero w roku 998...

Miał kłopoty nawet z przyjaciółmi ojca. Szczerze nie znosili się z Ascelinem, który tak pomógł Hugonowi i który omal nie przypłacił tego swoim biskupstwem. Ascelin, który znał Roberta jeszcze ze szkoły w Reims, otwarcie wyśmiewał swego króla jako nieuka. Dojdzie nawet do tego, że Robert w roku 999 będzie oblegał go w Laon. Pogodzili się dopiero długo potem; Ascelin odgrywał później w królestwie Roberta ważką rolę nie tylko jako intelektualista i biskup; był w końcu jako biskup jednym z ważniejszych feudałów, Robert zaś potrafił rządzić razem ze swymi seniorami, a nie przeciw nim.

Ożeni się Robert w 998 r. z córką hrabiego Arles, Konstancją, Akwitanką, ściślej – Prowansalką, kobietą z innego świata; sam jej orszak swoją ekscentrycznością raził prostaków z północy przyszłej Francji. Okaże się jędzą, co się zowie, typową w swych zachowaniach żoną niezbyt kochaną; to o niej Fulbert z Chartres będzie powiadał, że można jej wierzyć tylko wtedy, gdy obiecuje coś złego. Urodziła potem Robertowi czterech synów, ale nawet ich nie potrafiła kochać jak matka, dzieląc między nich swoje uczucia. Najgorszy los spotkał tego, którego najbardziej wyróżniała – Hugona. Dzięki jej naciskom koronowano go za życia ojca w roku 1022, ale udręczała go tak, że uciekł z dworu i – choć pomazaniec Boży – został rycerzem-rozbójnikiem, czyli bandytą drogowym; umarł jeszcze przed ojcem...

Sprawa małżeństw Roberta Pobożnego, który będzie kiedyś leczył ludzi dotknięciem świętej królewskiej ręki, ilustruje rodzaj spraw, jakimi zajmował się ówcześnie urząd papieski. Bo nie zajmował się takimi sprawami, jak, dajmy na to, rozprawa księcia Normandii, Ryszarda II, zwanego Dobrym (!), z delegatami, których w 997 r. wybrali chłopi księstwa, by wynegocjować z nowym księciem po śmierci Ryszarda Starego inne zasady użytkowania wód i lasów. Nie było to żadne „powstanie", wbrew temu, jak się owo zdarzenie określa; Ryszard kazał delegatom odrąbać ręce i nogi, poczem żywe kadłuby odesłał do ich rodzinnych wsi, żeby więcej nikomu podobne pomysły do głowy nie przychodziły. Ale to nie należało do kompetencji papieża.

Choć w Rzymie Jan Filagatos siedział już dobrze ponad rok na papieskim tronie i umacniał się w swoich wszechświatowych nadziejach, coraz bardziej przekonany, że nikt mu nie zagraża, synod w Pawii udowodnił, że zwycięstwo Krescencjuszy było iluzoryczne i chwilowe.

We wrześniu 997 roku – w ponad rok od ich zamachu – Otton, wróciwszy z ekspedycji przeciw Słowianom połabskim, jest znowu w Akwizgranie. Korespondują z Gerbertem, poczem Gerbert przybywa na jego dwór. Sądzę, że tu w nim duch odżywa. Ma co robić. Do Grzegorza V, do Rawenny, Otton wysyła list, napisany przez Gerberta, deklarujący solidarność, ze zwrotem, że „obowiązkiem papieża i cesarza jest współpraca dla sprawy Bożej". Sprawiedliwość więc nadejdzie.

XX

Ich cesarstwo Rzymian

Tej jesieni Gerbert zadedykuje Ottonowi swoją rozprawę *Libellus de rationali et ratione uti*, „Książeczkę o tym, co rozumne, i o użytkowaniu rozumu". W dedykacyjnej przedmowie znajdą się słowa, które wytyczają powołanie młodego przyjaciela Gerberta:

„Nasze, nasze jest imperium rzymskie! Italia z bogactwem płodów, Gallia i Germania dostarczą wojsk obfitość, a nie zabraknie nam i potężnych królestw Scytów".

I dalej:

„Ty jesteś naszym Cezarem, cesarzem augustem Rzymian, urodzony z najlepszej greckiej krwi (co akurat nie było prawdą, no ale tak czy inaczej Teofano była w końcu kuzynką cesarza), Greków władzą przewyższasz, Rzymianami prawem dziedzictwa rządzisz, dystansując jednych i drugich duchem i słowem".

Trudno wyraźniej. Otton ma odnowić cesarstwo rzymskie.

Z przedmowy tej dowiadujemy się, przy okazji, danych o bieżących okolicznościach, w jakich powstawało to dziełko. O tym, że upalne lato powstrzymuje ich w *Germanii*, że nadchodzą *bellorum discrimina*, niebezpieczeństwa wojen, które przygotowuje się przeciw *Sarmatom*, jak mianuje Gerbert Słowian połabskich. Co pozwalałoby tę dedykację datować raczej na owe lato roku 995, kiedy Otton III poszedł z wyprawą na

Słowian połabskich, niż na 997 r. – gdyby nie wspomnienie choroby, z której właśnie się autor wydobył i która usprawiedliwia jego opóźnienie z realizacją obietnicy. Gdyby dalsze analizy pozwoliły zmienić datowanie tej pracy na lato roku 995 (jak ja bym wolał ją datować z uwagi na ową perspektywę wyprawy za Łabę), nie zdziwi mnie to: mam wrażenie, ba, jestem przekonany, że Gerbert żywił marzenia o odbudowie cesarstwa grubo wcześniej i byłby je aplikował, gdyby miał okazję, dziadowi i ojcu Ottona III. Katedrze z grobem Karola Wielkiego, dla którego Otton żywił cześć najwyższą, 12 października ofiarował młody cesarz różne dary. I domyślałbym się, że wtedy przybył do Akwizgranu zaproszony przez Ottona malarz z Włoch, Jan, który swymi malowidłami przyozdobił, jak wiemy znowu od Enrica Castelnuovo, kaplicę pałacu. Czy odkrył talenty Jana Bernward czy wykształcony przez niego sam Otton, nie wiemy; Otton chciał malarza wynagrodzić wolnym biskupstwem we Włoszech i przypuściłbym, że chodziło o Piacenzę, którą opuścił Filagatos, zwłaszcza że nowy biskup miałby się ożenić z córką księcia tamtych ziem, a ja w owym księciu dopatrywałbym się tamtejszego, niepokornego Longobarda, księcia Lombardii. Malarz jednak był mnichem i uznał, że nie może uchybić swemu obowiązkowi celibatu; wolał zostać na dworze cesarza jako jego przyjaciel (w przyszłości będzie malował także w Liège, u Gerbertowego przyjaciela, Notkera). Jego historia, myślę, w miarodajny sposób naświetla atmosferę dworu Ottona...

Sam Otton solidnie przygotowuje wtedy kolejną eskapadę do Włoch. Ustanawia na czas swojej nieobecności regencję – w sytuacji, kiedy babce Adelajdzie, starej cesarzowej, wiek, jej sześćdziesiąt lat, nie pozwala już pomagać wnukowi w rządach, Otton powierza władzę swojej nieco młodszej, ale też wiekowej na tamte czasy ciotce, Matyldzie, ksieni klasztoru w Kwedlinburgu, nadając jej tytuł – *matricia* (nie ma takiego słowa w łacinie, to neologizm językowy, oznaczający żeński odpowiednik słowa *patricius*, patrycjusz). Zanosi się więc na dłuższą nieobecność.

Otton rusza bardzo późną jesienią 997 r., z potężną i czcigodną asystą. Z Brenneru zejdą na południowy zachód, do Pawii, wcale nie wprost na południe. W Pawii dołączy do ekspedycji przybywający z Burgundii nowy opat Cluny, Odilon – będzie to nie tylko wsparcie wojskowe, ale i ogromne wsparcie moralne. W Pawii wszyscy razem świętują Boże Narodzenie – wraz z Grzegorzem V. Zatrzymają się tutaj dość długo, tu będą zasilali wojska Ottona kolejni wielmoże włoscy.

W Ferrarze pojawi się u Ottona syn Pietra Orseolo II, doży Wenecji, z pozdrowieniami od ojca. Dalej, po drodze z Ferrary, Otton zawita przed Rawenną do eremu, który założył w Pereum na wyspie w delcie Padu Romuald, przyszły święty i twórca reguły kamedułów. Romuald, pierwotnie benedyktyn z podraweńskiego klasztoru św. Apolinarego w Classe, propagował pustelniczy tryb chwalenia Boga, a podobno bliski mu był Wojciech i – choć raczej korespondencyjnie – polski Bolesław, na którego zaproszenie przybędzie w roku 1001 osiąść w Polsce pięciu braci zakonnych, pięciu benedyktynów z Pereum.

Ottona przejmowało wszelkie oddanie Bogu, czy jednak sam Romuald, uciekający od ludzi, był tak zachwycony tą wizytą, nie wiem, zwłaszcza, że Otton postanowi ufundować tu kościół pod wezwaniem św. Wojciecha. Romuald w efekcie wyszuka sobie z latami, w roku 1012, inne pustkowie, na Campo Maldoli koło Arezzo, co przejdzie w skrótowe Camaldoli, źródłosłów dla nazwy jego zakonu kamedułów, zakonu o najostrzejszej regule samoudręki.

Do Rzymu zbliża się teraz potężny już korpus. Mieszkańcy Wiecznego Miasta wolą nie ryzykować. Sami 20 lutego 998 r. otworzą bramy przed cesarzem i jego papieżem, sami też wydadzą mu w ręce Jana Filagatosa – samozwańczego Jana XVI.

Filagatos jednak wymknął się z rąk przeciwników, zaś Krescencjusze zamknęli się w murach zamku św. Anioła. A był to zamek nie do zdobycia.

Leon, ów poseł bizantyjski, inspirator całej intrygi, w swym liście do metropolity Sardu, też Leona, sarkastycznie kwitował sytuację:

„Teraz już jęczy on [Filagatos] i oczekuje, że przyjdzie nań kara Boska od ludzi, od Ottona i papieża. O tym papieżu mówi się, że jest pełen świętego zapału. Ale ja myślę, że nie będzie on znał litości, że się nie zmieni i nie da się zmiękczyć żadnymi podarkami. A on [tj. Filagatos] upokarza się, przestraszony, i lękliwie rozmyśla o Nieskończoności".

Za Filagatosem popędziła zbrojna pogoń, dognali go jeźdźcy grafa Bertolda z Bryzgowii i sami dokonali pierwszej na nim okrutnej zemsty. Bizantyjskim obyczajem – obcięli mu nos, uszy i język. Tak okaleczonego dotargali do Rzymu. Nie był to jednakże koniec kary. W Grzegorzu V, tym, który przed rokiem prosił o łaskę dla Krescencjusza, odezwały się stare plemienne obyczaje. Dyszał zemstą; zaaranżował hańbiące widowisko degradacji uzurpatora i wystawił nieszczęśnika na równie hańbiące publiczne pośmiewisko – te resztki człowieka obwożono po Wiecznym Mieście na ośle...

Przeciw kaźni swego rodaka protestował jedynie stareńki opat Nil – potępił niską zemstę i oświadczył zarówno papieżowi, jak cesarzowi, że Ojciec Niebieski nie odpuści grzechów tym, którzy nie umieli odpuścić win swoim wrogom.

Los Filagatosa zdeterminował Krescencjuszy i ich ludzi. Nie mieli wyjścia i bronili się walecznie; zamek św. Anioła uchodził zresztą za niezdobyty. 28 kwietnia szturmem czy też podstępem wziął go w końcu przyjaciel Ottona i Bolesława Chrobrego, margrabia Miśni, Ekkehard. Tłumy Rzymian oglądały w przygnębieniu, jak Krescencjusza II i dwunastu jego zwolenników, prawdopodobnie dowódców dzielnic miasta, ścinano po kolei na murach zamku, a bezgłowe ciała ofiar przyczepiano do szubienic na Monte Mario. Nie zyskało to zwycięzcom sympatii Rzymian – Rzym nadał tej górze miano Złej Góry, *Mons Malus*. Pociągnie to za sobą określone następstwa, i to niezadługo.

Otton III, zapatrzony w przyszłość, którą obmyślili z Gerbertem, prawdopodobnie nawet nie zdawał sobie sprawy ze skutków swojej zemsty; krok za krokiem postępował naprzód w swym dziele odrodzenia starożytnego cesarstwa. Sądził, że zdobędzie tym poparcie ludu Wiecznego Miasta. Zwracał się do Rzymian starożytną formułą, adresowaną do „konsulów, senatu i ludu rzymskiego", ale *senatus populusque Romanus* nie reagowali bynajmniej aplauzem. Otton zbudował swój pałac na Awentynie, *Sacrum Palatium*, w stylu, jak wiemy, starej, rzymskiej architektury. Etykieta wstępu tam przypominała podobno obyczaje bizantyjskie – czy na pewno, nie wiem, bo przecież pamiętamy, co też w obyczajach Ottona zdawało się możnym Niemiec tak wyzywająco bizantyjskie.

Zmienił Otton swą pieczęć: zastąpił podobiznę Karola Wielkiego – Rzymem, który uosabiała kobieta. Nie widziałem jej odcisku; przypuszczam, że owa kobieta miała kojarzyć się przede wszystkim z Temidą, rzymską sprawiedliwością. Podobno Willigis, stary arcybiskup moguncki, miał za złe nowemu środowisku Ottona same już próby odnowienia cesarstwa rzymskiego – choć nie wydaje mi się to jednoznaczną prawdą, bo przecie cesarzem Rzymian ogłosił się już był jego własny przyjaciel lat młodości. Mogło mu się za to naprawdę bardzo nie podobać usunięcie z pieczęci wizerunku Karola Wielkiego – była to już bowiem otwarta zdrada wobec tradycji państwa Franków. Nie mówiąc już o tym, że te mędrki widać nie bardzo słuchały starego arcybiskupa...

Na swoim włoskim dworze królewskim instalował Otton wschodnio-rzymskie, czyli bizantyjskie tytuły. Kanclerz, biskup Heribert, stał się *logotetą*, a kiedy objął arcybiskupstwo Kolonii – nawet *archilogotetą*, arcy-kanclerzem. Do tej pory pisma cesarskie opatrywano obustronnym odciskiem bulli, okrągłej metalowej pieczęci, w przymocowanym do dokumentu kawałku wosku; teraz będzie się bullę odciskało w rozgrzanym ołowiu, a w razie szczególnej ważności dokumentu – w srebrze lub nawet złocie, tak jak w Bizancjum. Na marginesie: to od takich pieczęci pochodzi określenie specyficznych, a ważnych dokumentów cesarskich i papieskich – bullami (taką „złotą bullę" wydał właśnie Bazyli II Wenecjanom). Otton III każe teraz sporządzić dla siebie i drugą bullę, nieco mniejszą niż ta z głową Karola Wielkiego, z własną już podobizną i napisem w otoku *Aurea Roma*, Złoty Rzym.

Wiadomości te aż prowokują do podejrzeń, że wszystko sprowadzało się do teatru, do gry pozorów, w której brał udział mędrzec z Aurillac jako doradca zabaw młodocianego fantasty. Ale ja uparcie tropię ich politykę nie w pozorach, lecz w faktach, które pozostaną widomymi śladami tej polityki. Myślę, że zasadnie.

Młody cesarz trzyma władzę mocno w ręku. Czuje się odpowiedzialny za stan Kościoła, ale też w jego sprawach sam podejmuje decyzje o zasadniczym znaczeniu. Pamiętamy spór o inwestyturę Gerberta, prawda? Otóż to właśnie Otton III rozstrzygnie teraz, *imperatore jubente*, rozkazem cesarskim, na synodzie w Rzymie w maju 998 r., jak należy rozwiązywać podobne problemy. Dostarczył mu pretekstu niekończący się spór o diecezję między dwoma hiszpańskimi biskupami, który trafił w końcu przed tron papieski. I właśnie Otton III – w żadnym jego postanowieniu tak, jak w tym, nie czuje się tyle Gerbertowej inspiracji i Gerbertowego doświadczenia! – rozstrzyga, że decydować ma zgromadzenie biskupów (nie król, nie żaden miejscowy władca!), za zgodą seniorów państwa, a papieżowi pozostaje zatwierdzić decyzję lub ją odrzucić.

Grzegorz V nie może odrzucić decyzji kuzyna. Nie zapytano go zresztą o zdanie. Otton III wolał nie liczyć na rozsądek i zmysł prawno-organizacyjny swego dawnego kapelana. Nie to chyba w nim poważał.

W roku 997 zmarł Jan, stary arcybiskup Rawenny, ten, który wespół z Willigisem koronował trzyletniego Ottona III. I Otton postanowił przekazać tę metropolię – swemu nauczycielowi, doradcy i powiernikowi, czyli Gerbertowi z Aurillac. Grzegorz V i teraz nie mógł nie zaakceptować tej propozycji. W bulli nominacyjnej z 28 kwietnia 998 r. oświadczał się nawet z żywą sympatią dla Gerberta...

Tak to po ostatecznym spacyfikowaniu rzymskiej rebelii, a więc wiosną roku 998, Gerbertowi przypadnie godność w stosunkach włoskich o najwyższym znaczeniu – arcybiskupstwo Rawenny. Na Półwyspie Apenińskim – druga pozycja po papieżu, z piętnastoma podległymi biskupstwami, i to takiej rangi, jak Parma, Rimini, Modena, Bolonia czy też Ferrara, zarazem – metropolia z prawem bicia własnej monety!

Osadzenie Gerberta w Rawennie miało swój symboliczny sens. Nawiązywało do ich wspólnych marzeń. To stolica dawnego egzarchatu raweńskiego, kiedyś – siedziba egzarchy, czyli namiestnika cesarza rzymskiego, cesarza Bizancjum, a warto przypomnieć, że to cesarstwo bizantyjskie i jego poddani uważali się za „Rzymian", *Romajów;* Italię w ich pojęciu zamieszkiwali barbarzyńcy – pogląd zresztą, jak już wiemy, wcale nie tak daleki od prawdy. W VI wieku ustanowili ten egzarchat zwycięscy wodzowie Justyniana, a dopiero w połowie VIII wieku podbili go, i to na parę zaledwie lat, Longobardowie, których z kolei przepędził Pepin Mały, król Franków, oddając egzarchat papiestwu. Rawenna, miasto handlowe, z własnym portem, w czasach bizantyjskich przyciągała najbogatszych ludzi wschodniego cesarstwa. Kochali ją. Jeden z nich, bankier z Syrii, Julian, sfinansował budowę słynnego ośmiokątnego kościoła San Vitale. Port gwarantował miastu życie i dobrobyt; z wiekami dopiero zamulenie kanału miało Rawennę zdegradować.

Rawenna oznaczała zarazem ciągłość, symbol trwałości rzymskiej. Od – podobno – IX wieku działała tutaj słynna szkoła prawnicza, starsza od bolońskiej. Jako prawnik mogłem z historii prawa wnioskować, że powstała znacznie wcześniej, jeszcze za czasów bizantyjskich, ale inna praca Pierre'a Richégo, „Edukacja i kultura w Europie Zachodniej VI–VIII wieku", dowiodła, że szkoła ta działała jeszcze za Ostrogotów! Teraz, oparta na wzorze greckich szkół notarialnych, kształciła notariuszy, zajmujących się sprawami własności ziemskiej, oraz adwokatów; funkcjonowała więc tutaj w sposób nieprzerwany – być może z pauzą na krótkie panowanie Longobardów – stara cywilizacja prawa, całkowicie sprzeczna z narastającą feudalną dowolnością decyzji i zobowiązań.

Nowy arcybiskup Rawenny pozostanie wszakże Gerbertem z Aurillac. Przekroczył wedle naszych obliczeń pięćdziesiątkę, ale to w Rawennie będą mu przypisywali ową głowę odpowiadającą „tak" lub „nie" na jego pytania, czyli – wedle moich przypuszczeń – jego opisywany przez Richera globus nieba. Pozostanie tym samym technikiem i tym samym uczonym.

Sądzę, że zawsze młody umysł Gerberta dalej się w Rawennie rozwija. Prowadząc spór z dzierżawcami dóbr kościelnych, w przewadze – tutejszą drobną szlachtą, lenników lenników (zwanych później *valvassores*, czyli, moim zdaniem, po prostu połownikami, którzy mieli oddawać właścicielowi ziemi połowę plonów), będzie niewątpliwie korzystał z wiedzy Rawenny.

Dzierżawcy ci uważali swoje feuda za własność dziedziczną. Wielki Marc Bloch pisał, że Kościół nadawał im ziemię, korzystając jednak ze „starych rzymskich form prawnych, zwłaszcza emfiteuzy". Emfiteuza jednak, dzierżawa wieczysta, to instytucja dopiero epoki rozkładu cesarstwa, nigdy wcześniej myślą prawną wielkich jurystów nie objęta. Jej pierwszą próbę prawnego ujęcia spotykamy dopiero z końcem V wieku (!), kiedy zachodniego cesarstwa już w ogóle nie ma. Emfiteuzie przez długi czas „wieczystość", *ius perpetuum*, w ogóle nie przysługiwała, a już na terenie egzarchatu Rawenny pojawiła się ona dopiero z bizantyjskimi podbojami, nie były to więc żadne „stare rzymskie formy prawne". I wcale nie rozumiałbym zabiegów Gerberta jako prostej „feudalizacji". Raczej akurat odwrotnie – jako próbę powrotu do pierwotnego *ius emphyteuticum*, bez *ius perpetuum*, dla uzyskania, przy umowie osobistej, określonych feudalnych zobowiązań ze strony dzierżawców. Arcybiskup Rawenny chciał, by to feudum było dzierżawą, ale opartą na klasycznym związku osobistym, bez praw dziedziczenia, na związku, który po śmierci danego beneficjenta trzeba odnowić, zwróciwszy własność, przynajmniej formalnie, Kościołowi.

Nie chodziło zaś o sam czynsz. Chodziło o obowiązki wasali, którzy powinni na wezwanie stawić się zbrojnie do obrony kraju. I oczywiście, sama wiedza prawnicza Rawenny, rzymska, a nie feudalna, zwłaszcza przy braku jednoznacznych ujęć tak w kodeksie Justyniańskim, jak i we wcześniejszym, Teodozjańskim, nie wystarczyłaby w tym sporze do zwycięstwa. Zwłaszcza że po stronie przeciwnej opowiedział się potężny Arduin, margrabia podalpejskiej Ivrei (w dzisiejszym Piemoncie), pierwszego ongiś centrum Longobardów. Zdecydowało poparcie Ottona.

Między jedną a drugą pokutną pielgrzymką do greckich eremitów Południa Otton zwołał we wrześniu roku 998 synod w Pawii. Wziął stronę swoich kościelnych wasali, biskupów i opatów, którzy ograbiani z dóbr przez świeckich feudałów, nie mogli wywiązywać się z obowiązku pomocy zbrojnej dla swego władcy. Arduina zaś wespół z papieżem wręcz – upokorzyli. Nie w sporze z arcybiskupem Rawenny. Arduin, co pomija legenda, która chce w nim widzieć pioniera zjednoczenia Włoch, miał na sumieniu – zabójstwo. I to zabójstwo, za które ciążyła na nim – ekskomunika. Zabił – biskupa. Biskupa pobliskiego, leżącego już w dolinie Padu, Vercelli, Piotra. I za to na synodzie papież z cesarzem nałożyli na Arduina ciężką i upokarzającą pokutę. Winowajca poczuł się bardzo dotknięty; nie dotarło do niego, że mógł zapłacić głową.

Czy wszyscy razem, wspólnie z Ottonem, zrazili sobie wartego pozyskania człowieka ogromnych ambicji? Czy Ottona zawiódł talent zdobywania zdolnych ludzi? Arduin był na pewno człowiekiem bardzo zdolnym. Zdolnym i wściekle ambitnym. Nie mniej, niż jego ojciec. Ale późniejszy nieco kronikarz włoski napisze o nim, że wprawdzie był dzielnym człowiekiem, za to polityk był zeń kiepski. Gwałtowny i apodyktyczny, potrafił zrażać do siebie nawet tych, którzy go popierali i z nim sympatyzowali.

Wedle Witolda Dzięcioła na tymże synodzie rozpatrywano także sprawę niekanonicznej żony Roberta, króla Francji. Wedle Pierre'a Richégo Robert oddalił Bertę dopiero w roku 1001. Niemniej źródła francuskie upierają się, że Roberta ekskomunikowano już w roku 997, a i rok 998 jako data jego małżeństwa z prowansalską jędzą nie podlega raczej wątpliwości. Być może Robert, ożeniwszy się z Konstancją, związku z Bertą nie zerwał – co by wyjaśniało charakter niekochanej Prowansalki i następne skierowane przeciw Robertowi decyzje synodu w Rzymie ze stycznia 999 roku...

Ta Pawia rysuje wpływ Gerberta na Ottona nie tylko w sferze decyzji o własności kościelnej (przy okazji załatwił obronę własności opactwa Bobbio). Pierre Riché dorzucił tu informację dla nas bezcenną, której nigdzie wcześniej nie spotkałem: Gerbert razem z Ottonem złożyli hołd prochom Boecjusza. Bo też tu właśnie, w Pawii, w tym samym kościele św. Piotra-w-Złotym-Niebie, gdzie obradował synod, spoczywały ziemskie szczątki Boecjusza – obok grobu św. Augustyna, przeniesionego tu z Afryki po najeździe Arabów. Gerbert marzył, by cesarz wystawił filozofowi pomnik – prawdopodobnie w pałacu cesarskim, a sam napisał dla tego pomnika specjalne epitafium (do publicznej wiadomości podał je w 1983 r. na sympozjum, poświęconym Gerbertowi, T. E. Moehs):

„Kiedy Rzym potężny rozciągał swe prawa na ten glob, ty, suwerenie Boecjuszu, ty, który byłeś ojcem i pochodnią [miłości] ojczyzny, zarządzałeś, będąc konsulem, sprawami Państwa. Ty poprzez swoje studia niosłeś światło i nie potrzebowałeś korzyć się przed geniuszem greckim. Twój boski duch zachowywał porządek wśród mocy świata. Pod pijanym mieczem Gotów ginęła wolność rzymska. Tytuły chwały zyskałeś ty, konsul i wygnaniec, swoją wsławioną śmiercią. Teraz Otton III, duma cesarstwa, który sam siebie przeszedł w sztukach wzniosłych, ocenia cię godnym wejścia do swego pałacu. Stawia na wieki pomnik ku czci twoich prac i pragnie uczcić twe zasługi najwyższą nagrodą".

Ten wybór mówi wszystko...

Mniej trudności miał Otton na Południu. Tam jego czar działał; czuł się tam zresztą, wśród ludzi kultury bizantyjskiej, jak u siebie. Stary opat Nil odrzucał wszelkie jego propozycje awansów, pustelnik nie chciał i nie zamierzał opuścić swej skalistej groty z kościołem św. Michała we wnętrzu Monte Gargano, ale – modlił się za duszę cesarza, skalaną w jego rozumieniu grzechem zemsty. Otton pielgrzymował tutaj dla chwały swego przyjaciela Wojciecha. Przychylność Nila robiła zaś dobre wrażenie na mieszkańcach i feudałach włoskiego

Południa. Otton III bez walki uzyskał tutaj więcej niż jego ojciec z bronią w ręku.

Ma teraz przy sobie jeszcze jednego zwolennika wizji odbudowy „cesarstwa Rzymian". Na swego nowego kanclerza, kanclerza króla Włoch, przybrał sobie nowego biskupa Vercelli, Leona, o pierwotnym, longobardzkim, czyli germańskim imieniu Warin – wyznawcę starożytnej wiedzy i tradycji. Pozostał po nim znamienny poemat z roku 998 ku czci Grzegorza V i Ottona III; Leon, jak cytuje go Benedykt Zientara, wzywa w tym wierszu Grzegorza V, by „pobudził siły Rzymu, aby Rzym postąpił ku władzy pod Ottonem III; niech papież przywróci prawa rzymskie, niech naprawi Rzym dla Rzymu, aby Otton mógł okryć go chwałą panowania". Papież i cesarz mają w jedności i zgodzie współpracować w rządach nad chrześcijańskim światem; prymat dostojeństwa przypada papieżowi, bo też i ten Rzym nabiera charakteru wpół mistycznego; nie chodzi o władzę, Rzym staje się tu mitem lepszego świata, mitem Złotego Wieku, który oni jednak uważają za świetlaną przyszłość chrześcijańskiego . Oczywiście, co dla nas ważne, jest w tym poemacie i Gerbert; Leon wie, kto jest motorem ich wspólnych dążeń.

Imię Warin przemawia za longobardzkim rodowodem Leona; to paradoksalne, bo longobardzka *Italia*, czy to północna, czy to kapuańska bądź benewencka, żywiołowo nienawidziła wszelkich znamion dominacji Rzymu, a znów Rzym wzajem wyrażał się o Longobardach jak najgorzej. Leon przypominał poglądami Alberyka ze Spoleto, owego *patrycjusza* Rzymu, który chciał widzieć Wieczne Miasto „republiką". Leon będzie bowiem podkreślał w dokumentach cesarstwa rolę *populus Romani* jako podstawy *rei publicae*, co jest najjaskrawszym sygnałem, że ten patriota Rzymu nie mógł już czuć się Longobardem. Wiązałbym go raczej z rodem książąt Spoleto, którzy wprawdzie także wywodzili się z longobardzkich źródeł, ale od pokoleń już nie identyfikowali się z pogardzanymi w Rzymie potomkami wojowniczych brodaczy. Leon, choćby nawet pochodził gdzieś z Lombardii, mógł być „Longobardem" tylko w znaczeniu spoletańskim.

Ottonowi pomógł na południu – częściowo – i Gerbert. Już jednak jako – papież.

XXI

Pan Papież Sylwester

Słowa ojca Nila, oczywistego świętego, poruszyły w Ottonie struny nieprzeczuwane. Do tej pory najwyraźniej nie czuł ciężaru grzechów, które niosła wojna, zadawanie śmierci, zniszczenia i krzywda niewinnych. Karę, jaka spotkała uzurpatora, Nil zakwalifikował jako zemstę i Otton wyraźnie żałował tego, co z Grzegorzem zrobili. Otton zaś, mimo swej wysublimowanej inteligencji, która zwykle podważa sens wszystkiego, z dobrocią włącznie, był, jak wynika z tego, co o nim wiemy, człowiekiem po prostu dobrym. Naturalnie – w granicach dobroci średniowiecza.

Po grudniowym synodzie udał się znowu na południe, do Nila. Znowu dla pokuty. Wrócił do Rzymu zimą 999 roku (przedwcześnie, z przyczyny, którą zaraz poznamy).

Nie dopatrujmy się w tych pokutach fałszu czy też pretensjonalności. Wiara w owych czasach była prosta i jasna, długotrwałe zaś posty same wyzwalają doznania o charakterze olśnień, iluminacji i przeżyć mistycznych; kiedy poszczący oczekuje kontaktu ze światem nadprzyrodzonym, kiedy nie istnieje dlań przedział między doczesnością a życiem pozaziemskim, świat nadprzyrodzony spełnia wezwanie i przychodzi; z tej wiedzy korzystają dziś nagminnie dla prania mózgów sekty w rodzaju sekty Moona.

Dziewiętnastoletni, wrażliwy, nadinteligentny młodzian

miał wszelkie zadatki na mistyka. Mógł nawet w ten sposób głęboko duchowy przeżywać swą misję odbudowy cesarstwa, jako raczej więzi duchowej narodów, niż podległości politycznej; mistycyzm mógł wkraczać wówczas i do polityki. I to mistycyzm niepozowany, niekłamany. W owych czasach świat Boski nieraz interweniował w życie śmiertelników bezpośrednio – często rękami innych śmiertelników. Bo oto proroctwo Nila zrealizowało się: dwudziestoośmioletni czy też dwudziestodziewięcioletni papież Grzegorz V niespodziewanie 18 lutego 999 roku – zmarł (mamy też inną datę, 12 marca, ale wobec toku dalszych wydarzeń jest ona zbyt późna).

Czy zmarł własną śmiercią? Wiele kronik mówiło, że padł ofiarą zabójstwa bądź został otruty; zabójcy mieli mu nawet wyłupić oczy, jak je wyłupiono Filagatosowi. Ale nic nie wiemy o jakimś śledztwie, ściganiu winnych, a nawet o podejrzeniach, które rozprzestrzeniały się równie szybko jak plotki. Ja osobiście mam odczucia na ten temat mieszane – komary z bagien Pontyjskich niosły tu śmierć zawsze, ci przybysze z północy, nieuodpornieni, padali tu jak muchy, wspomnijmy równie przedwczesną śmierć Ottona II. Każde zresztą zapalenie płuc, ba, zapalenie ślepej kiszki, oznaczało w tamtych wiekach wyrok nieodwracalny. Przeżywali w tej cywilizacji tylko najsilniejsi lub szczęściarze.

Tyle że Otton III odebrał jeszcze jedno potwierdzenie: okrutna kaźń wiarołomnego biskupa nie podobała się Panu. Zdecydował się więc na jeszcze jedną pielgrzymkę do Monte Gargano; tylko Nil mógł zaradzić klątwie, którą mimowolnie rzucił. Otton nie ogłosił wyboru nowego papieża; wyspowiadał się, a ściągnięty ze swego odległego eremu Romuald przygotował go do pielgrzymki. Młody cesarz ruszył w marcu na południe – boso.

Piotr Damiani zanotuje po latach, że wtedy po raz pierwszy obiecał Otton Romualdowi zrzec się tronu i podjąć życie pustelnika. Wielu historyków rozprawia o kryzysie duchowym Ottona w owej chwili, o kryzysie psychicznym na tle religijnym; nie biorą pod uwagę, że Otton mógł naprawdę głęboko przeżywać odpowiedź Pana Boga – tym bardziej, że właśnie podczas tej pielgrzymki doszła go inna jeszcze fatalna wiadomość: na północy zmarła jego *matricia*, regentka, której zostawił władzę nad swym północnym królestwem, ciotka Matylda. Otton mógł się tylko zastanawiać, czy na tym się skończy. Co charakterystyczne jednakże, „kryzys duchowy" nie przeszkodzi mu niedługo potem, w trakcie kolejnej kary Boskiej, podejmować decyzji męskich i zdecydowanych.

Jeśli Otton bał się, że nie skończy się na Grzegorzu i na Matyldzie, miał rację. Po powrocie z Gaety do Rzymu odprawiał pokuty ze swym młodym przyjacielem, biskupem Wormacji, Franco. Ruszyli obaj w pielgrzymkę do Subiaco, do pustelni św. Benedykta z Nursji; jeżeli Nil nie potrafił zaradzić, należało zwrócić się do źródła benedyktyńskiej pobożności. Ale Pan Bóg nie przestał się gniewać: w tej podróży zmarł właśnie i młody Franco.

Pierre Riché podaje inną, bardziej skrótową historię owych miesięcy; rzekomo Otton III w przyspieszonym tempie przybył do Rzymu, by uniknąć wyboru jakiegoś anty-papieża. Ale sama data powrotu do Miasta, 29 marca, dowodzi, że powrót wcale nie nastąpił od razu, że nie wchodziło w rachubę podejrzenie zbrodni, że obawiać się kontr-wyborów Otton po prostu nie musiał.

Być może Bóg chciał mu zwrócić uwagę i na inny grzech: być może Otton wprowadził na tron papieski nie tego człowieka, którego powinien... Było jasne, że dwudziestopięcioletni Bruno, jego kuzyn, nie mógł pod żadnym względem równać się z wielkim umysłem ojca Gerberta z Aurillac, z jego charakterem i oddaniem Bogu, zdecydowaniem w służbie Bożej; Bruno był nikim w Kościele, wielkość Gerberta widziała i uznawała cała chrześcijańska Europa i zapewne dziwiła się, że dostrzec jej tylko nie potrafi uczeń, przyjaciel i realizator wspólnych planów.

Tak wyobrażam sobie rozumowanie Ottona, które go doprowadziło do szeregu błędów, do decyzji, podejmowanych w najlepszej wierze, jednakże – arbitralnych i nie liczących się z zasadami gry w cesarską doczesność. Z początkiem kwietnia tegoż 999 r. przeprowadzi wybór swego przyjaciela, arcybiskupa Rawenny, na biskupa Rzymu, czyli – na papieża. 2 kwietnia Gerbert zostanie wybrany, 9 kwietnia – konsekrowany przez trzech biskupów, biskupów Ostii, Albano i Porto. Rzekłbym – z marszu, gdyby nie to, że to było – z pielgrzymki. Od razu po powrocie z Subiaco i po śmierci Franco.

Niestety, Otton tę elekcję raczej zarządził, niż przeprowadził. Z oczywistymi błędami. Nie dość, że biskupem Rzymu został – znowu! – biskup innej diecezji, to jeszcze Otton nie dochował tradycyjnych form wyboru przez duchowieństwo i szlachtę Rzymu, a potem aklamację ze strony ludu; tłum, który wiwatował po konsekracji, nie udzielał, wbrew opinii Pierre'a Richégo, swojej aklamacji, to były tylko wiwaty. Otton III błądził zapewne nieświadomie, bo jeden z jego dyplomów, cytowany przez Marca Blocha, powiada wprost:

„Przez miłość do św. Piotra wybraliśmy na papieża naszego preceptora pana [*dominum*] Sylwestra i z wolą Bożą wyświęciliśmy go i ustanowili papieżem" (tłum. E. Bąkowska).

Widać mu nawet nie wpadło do głowy, że mogłoby być inaczej. A tekst dyplomu formułował niezawodnie Leon, biskup z Vercelli, jego *logoteta*, który liczył, że „pod osłoną potęgi cezara papież obmyje świat z jego grzechów".

Gerbert przyjął po konsekracji imię Sylwestra II. Imię to nie pojawiało się wśród imion papieskich od czasów Sylwestra I, od epoki Konstantyna Wielkiego, i miało wagę symbolu:

Sylwestrowi I przed wiekami Konstantyn Wielki, udając się na wschód, do swego ukochanego Konstantynopola, przekazał rzekomo pewną niezwykłą darowiznę, *donację*, a jej przedmiotem była, ni mniej, ni więcej, świecka władza nad zachodnimi prowincjami cesarstwa rzymskiego.

Dokument, stwierdzający tę donację, zmajstrowano w rzeczywistości dopiero w połowie VIII wieku, wedle dzisiejszego stanu badań – w samym Rzymie. Ale wtedy, na przełomie tysiącleci, wierzono w autentyczność tekstu, wydawała się ona zresztą logiczna wobec poglądów Konstantyna i wobec jego stosunku do Kościoła. Treść tego dokumentu Gerbert znał wcześniej; jak pamiętamy – jeszcze z Reims, bowiem autorzy *Pseudo-Izydora* w IX wieku pomieścili rzekomy tekst Konstantyna wśród swego zbioru dekretów. Już wtedy jednak, o czym Gerbert musiał wiedzieć jako uczony, kwestionowano autentyczność i dokumentu, i samej donacji. Czy więc Gerbert chciał tym sposobem, jak dorozumiewają się uczeni naszych czasów, zamanifestować ambicję zdobycia dla Kościoła władzy świeckiej?

To znów raczej anachronizm, popełniany z odległości wieków. Między rokiem 999 a epoką Grzegorza VII upłynie zaledwie niecałe osiemdziesiąt lat, ale w tych osiemdziesięciu latach kryje się lat kilkaset. Tak bywa w historii. Kościół roku 999 nie tylko nie może roić o sprawowaniu władzy świeckiej poza rolą feudałów, jaką spełniają lokalnie biskupi i opaci klasztorów; trudno mu nawet marzyć o niezależności od władz świeckich. Marzy na razie, by sami biskupi mogli wybierać swoich metropolitów; jego biskupów desygnują przecie władcy, to oni wręczają swym nominatom insygnia urzędu ze słowami „przyjmij ten Kościół", a żaden z tych władców nie ma zamiaru wyrzec się takiego prawa; papież może co najwyżej, jak w przypadku samego Gerberta i jak to niedawno postanowił Otton III, nie zaakceptować decyzji. Ba, Kościół sam przecież nie wybiera nawet swoich papieży!

Myślę, sądząc po faktach, że Gerbert – Sylwester II chciał uniezależnić władzę duchową od władzy świeckiej i w pełni ją też uduchowić. Imię Sylwestra miało zaś przypominać zorientowanym, że Kościół kiedyś był czymś znacznie więcej niż dziś, za czasów Sylwestra II; miało zakreślać pole ambicji. Co do Ottona, zapewne pochlebiało mu uznanie go Konstantynem swojej epoki. Nie wyobrażam sobie, żeby – znając Gerberta z Aurillac – bał się Sylwestra II. Fakty zaś ukazują, że będą współpracowali dalej, i to jeszcze bliżej. A także – intensywniej.

Papież Sylwester pomoże swemu cesarzowi w operacjach na terenie południa Włoch. Samą mediacją. Jego autorytet i jego wielkość działają. Poddają się temu autorytetowi dawne księstwa „longobardzkie", które dają się związać z Ottonem, jak też domeny formalnych wpływów bizantyjskich, gdzie wśród wybieranych na miejscu *duków* (dożów, książąt), oficjalnych namiestników cesarza Bizancjum, pojawią się ludzie bliscy Ottonowi.

Uda się pozyskać także – kłopotliwe księstwa Kapui i Neapolu. Otton, podobno cierpiący na kryzys duchowy, wymanipuluje ich książąt ze zręcznością przebiegłego gracza, nie bez udziału jednak, jak sądzę, swego przyjaciela-papieża. Narzędziem będzie tu niejaki Ademar, wprawdzie rodowity Kapuańczyk, wychowany wszelako w Niemczech. To człowiek Ottona, obdarzony przezeń tytułem margrabiego (czyli, jak pamiętamy, hrabiego marchii pogranicznej, grupującej kilka hrabstw zobowiązanych do wspólnej obrony). Ademar okpi i wyruguje obu duków, Otton III dokończy dzieła, zsyłając ich na wygnanie na północ, do Niemiec. Ademar obejmie oba księstwa...

Cesarstwo rozszerza swój zasięg. To cesarstwo, które będzie prawdziwym cesarstwem rzymskim, to cesarstwo, w którym zapanuje wspólna, jedna dla wszystkich, rzymska sprawiedliwość.

W sprawach praktycznych Otton III, przeżywający rzekomo ów kryzys duchowy, zachowuje praktyczną trzeźwość: na terytorium arcybiskupstwa Rawenny Gerbertowi jako metropolicie przysługiwały prerogatywy, których nie miał na tych ziemiach żaden poprzednio papież, formalny ich zwierzchnik, choć ziemie te wchodziły w skład Państwa Kościelnego, tyle że nie zostały mu przez cesarzy zwrócone. Teraz Rawenna też nie weszła w skład Państwa Kościelnego; pozostała przy cesarzu – który podobno tak kochał swego nauczyciela.

Dokumenty świadczą, że dyskusje postępują dalej, że rodzą się dalsze, nowe idee. Dokument z 7 maja dla biskupstwa Vercelli pisał oczywiście sam Leon. I nie sprawy tegoż biskupstwa są dla nas w jego tekście ważne. Rysuje się w nim pewna ideologia: cesarstwo oznacza przedłużenie bądź też próg Królestwa Bożego, restauracja cesarstwa staje się kwestią dobra Kościoła. I pojawia się słownictwo Gerbertowe, pojęcia używane przez Gerberta, który wolał i frazeologię, i merytoryczną zawartość języka starożytnych – z jego *honestas*, uczciwością, przyzwoitością, jako podstawą etyki. Bo dla Gerberta dbać o nią to jedyna filozofia, jedyne lekarstwo na życie, jakie można znaleźć; a ze skłonności do niej wynieść można „niejednokrotnie liczne pożytki".

Wreszcie najważniejsza innowacja terminologiczna – wymarzone cesarstwo Rzymian zowie się *res publica*, a zatem – rzeczą pospolitą, sprawą publiczną, republiką, czyli przedmiotem własności wszystkich obywateli.

I nie jest to przypadek ani jednorazowa pomyłka. W wystawionym jesienią dyplomie dla klasztoru Farfa znowu mówi się o restauracji cesarstwa. Nie z inicjatywy samego Leona czy papieża-uczonego. Dokument mówi o naradzie, która takim wnioskiem zaowocowała. Brali w niej udział, obok Leona – Hugon, hrabia Toskanii, i kanclerz Heribert. I dyskutowali *pro restituenda re publica*! O restytuowaniu republiki! Nie za plecami Ottona III, nie przeciw niemu. Z nim.

Nie wiem, co z tego rozumiał świat dookoła nich. Obawiam się, że niewiele, albo i nic. Ich współcześni brali to wszystko za operacje słowne, z którymi ich wyobraźnia wiązać zresztą niczego nie mogła. A być może w ogóle nic z tego do nich nie docierało...

Sylwester podejmuje energicznie dzieło naprawy obyczajów w obrębie samego Kościoła. W tej mierze nic go od kluniatów nie różni. Wykorzystuje więc swoje przyjaźnie i kontakty. Pietro Orseolo II rządzi Wenecją, gdzie możliwości handlu i bogacenia się potrafią znieprawić duszę każdego, z duchownymi włącznie. Papież prosi Piotra, by w czasie lokalnego synodu (nie „soboru", jak napisał Nikołaj Sokołow) doprowadził do „wyrwania" zła z korzeniami. Pisze z oburzeniem:

„Wszyscy biskupi i kapłani jawnie współżyją z kobietami i na podobieństwo wymieniaczy pieniędzy [*cambiatores*] uganiają się za światowymi pannami, a zamiast służbą Bożą, zajmują się sprawami świeckimi, które im przynoszą korzyści materialne" (cyt. za Sokołowem, tłum. Zdz. Dobrzyniecki).

Nie przypuszczam, by to była jedyna inicjatywa Sylwestra II w tych sprawach. Sojuszników w swym dziele naprawy Kościoła ma w samych władcach – wszyscy oni liczą na powrót do bezinteresowności i skromności wymagań wśród tych ludzi wykształconych i oddanych, których spodziewają się czerpać z kręgu Kościoła do swej służby. Sami też władcy traktują serio swą odpowiedzialność przed Panem Bogiem: jeśli Bóg nie przepuści nawet papieżowi i pokutującemu gorliwie cesarzowi, jeśli nadal zsyła nań bolesne dopusty, czegóż spodziewać się może jakiś król znacznie mniej potężny i mniej dla Pana Boga zasłużony?

Ta epoka mnoży królów, którzy chcą przynajmniej uchodzić za pobożnych; widać wypada. Nie hamuje to nikogo w mordach i okrucieństwach; praktyki religijne i kluniacka skromność mają wyjednać u Boga przebaczenie. Bolesław Pobożny wyrżnął Sławnikowiców i ma za co Boga przepraszać. Na tronie króla Francji zasiądzie Robert, który zyska przydomek Pobożnego, wręcz wyżywając się w spełnianiu praktyk religijnych. O jego zaś dworze, o tym, co ludzi Roberta raziło i co nie było w ich kręgu przyjęte, najlepiej wiemy z głosu mnicha Rodulfa, czyli Raoula Glabera, który obserwował orszak wiozący Robertowi ową Konstancję, nową żonę z bogatej, kwitnącej, bujnie żyjącej Prowansji:

„Zaczęli w on czas napływać do Francji i do Burgundii, przychodząc z Owernii i z Akwitanii, ludzie najpróżniejszego umysłu, cudaczni przez swe obyczaje i ubiór, nieumiarkowani w orężu i uprzęży końskiej, włosy mający aż do połowy czaszki postrzyżone, brody golone na podobieństwo błaznów, odziani w portki wielce nieskromne, niezdolni do dochowania wierności i zaprzysiężonego pokoju".

Georges Duby (tłum. H. Szumańska-Grossowa) użył tego cytatu, by zilustrować różnorodność obyczaju, ówczesny partykularyzm. Dodam tu, że moda na północy, w kraju *langue d'oui*, bliska jest germańskim tradycjom Franków i Sasów, którzy do niedawna święcie wierzyli w magiczną siłę swoich bród... Podczas gdy w Normandii golono całą twarz, zaś Anglosasi w Anglii zostawiali sobie tylko cienkie wąsy.

Ja z Rodulfa czytam pewne podstawowe, rysujące się wtedy innego rodzaju przedziały. Kluniatami stają się władcy i ta akwitańska swoboda tak samo, jak mnichowi, nie podoba się samemu królowi Francji, znacznie uboższemu od książąt Akwitanii. Ale nawet, jeśli władcy mają w skromności życia poddanych swój interes zbieraczy podatków, fakt pozostaje faktem.

A propos Roberta i spraw królestwa Francji: zwycięski mędrzec, jak zwycięski Cezar, nie ma wrogów. Z końcem 999 roku papież Sylwester II specjalną bullą utwierdzi Arnulfa na arcybiskupstwie Reims.

O papieżu-uczonym, a nie polityku, wiele ciekawych, nieocenionych danych przynosi książka Pierre'a Richégo. Poczynając od drobnego, ale istotnego szczegółu: nowy papież posługiwał się w podpisach tachygrafią, pismem skrótowym, ograniczającym słowa do sylab, czego podobno, wedle Richégo, nauczył się we Włoszech. Riché nie mówi, gdzie się tego nauczył i kiedy, ale też stenografia nie ma szczęścia do historii. Historycy nie są w ogóle zgodni co do tego, czy ów starożytny system notacji, z którego wyrosła nasza stenografia, wynaleziono już w Grecji, czy też grecka stenografia (od greckiego – wąsko, ciasno pisać) wzięła impuls z Rzymu. Rzymską cywilizację nauczył jej wyzwoleniec Cycerona, Tyron, Tiro, jego bibliotekarz i sekretarz, a zarazem serdeczny przyjaciel, a już sam źródłosłów imienia Tyrona świadczy najdowodniej o jego na pewno nierzymskim pochodzeniu (zresztą Rzymianin nie mógł być wtedy niewolnikiem). Potem jego *notae Tironianae* doskonalili następcy, aż uporządkował cały system – Seneka (stąd – zwano go *notami Seneki*). Tak czy inaczej, znany był całej elicie kulturowej świata po-rzymskiego i nie sądzę, by musiał Gerbert czekać aż do pobytu w Italii, by się z nim zapoznać.

Dokumenty pontyfikatu sporządzali dwaj notariusze papiescy, Piotr i Antoni, a jak podaje Riché, równie dużą rolę w promulgowaniu kolejnych bulli odgrywał bibliotekarz papieski, Jan, biskup Albano. Wypuścili razem porcję dokumentów i pism ogromną, jak na cztery lata pontyfikatu.

Gerbert wniósł w to papiestwo dzikich czasów swoje księgi i archiwa; część z nich, jak podaje Riché, znamy dzięki temu, że jako dar Sylwestra II dla Ottona III trafiły do biblioteki w Bambergu (jeszcze jeden przyczynek do kwestii, czy Otton czuł się Grekiem, czy Sasem). Czy przyjechały z Reims wszystkie jego książki? Wątpię; jeden z jego listów mówi wyraźnie o książkach, które zostawił w *Galii*, o książkach, których odpowiednika nie znalazł w księgozbiorach Rzymu!

Riché wątpi również, czy przewiózł ze sobą całość swoich archiwaliów, nagromadzonych w ciągu swej kariery. Część korespondencji i papierów przekazał później swemu przyjacielowi, Konstantynowi, przyszłemu opatowi Micy, ale Riché zasadnie domyśla się, że archiwa swoje sam Gerbert przesiał, odcedzając wszystko, co mogłoby komuś zaszkodzić; jeśli nawet nie, weźmy pod uwagę, że Gerbert przekazywał teksty swoich listów jako swoiste podręczniki retoryki, dobrał więc raczej tylko te, które w jego opinii mogły służyć za wzór...

Korespondował nadal z uczniami i przyjaciółmi. Nie zaniedbywał kontaktów z Aurillac; mamy również ów list do Adelbolda, ucznia Notkera z Liège, który to Adelbold zostanie później biskupem Utrechtu.

Od swego ucznia, Richera, dostał manuskrypt, spisany własną ręką autora, ową „Historię Francji"; znów bezcenna informacja Riché'go – dwa listy, datowane na czerwiec roku tysięcznego, zostały skopiowane na ostatniej stronie tej księgi, która także powędrowała do Bambergu!

Papież Sylwester II nie przestał być uczonym Gerbertem.

Sylwester II nie ograniczał się do własnej korespondencji.

Pierwszy „Żywot" Wojciecha spisał, na co wszelkie dane wskazują, ów Jan Canaparius z Awentynu. Podobno od razu wiosną roku 998. Czy z inspiracji Ottona III lub Gerberta? Bardzo prawdopodobne; wiemy, że wersja z Monte Cassino została „podana", *edita*, do wiadomości publicznej przez Sylwestra II, co oznacza, że ją nasz bohater przynajmniej redagował (niektórzy polscy uczeni upierali się wręcz przy jego autorstwie).

Co do mnie, sądzę, że Canaparius mógł zabrać się do pisania i bez żadnych inspiracji; opinia świętości towarzyszyła przecie Wojciechowi już podczas obu jego pobytów w Rzymie, a było naturalne, że znający go, umiejący pisać mnich, zarazem – przyjaciel, poczuje się zobowiązany do podjęcia takiego zadania.

Pisać zaczął być może już w roku 998, ale szczegóły, które mu podać mógł o samym męczeństwie Wojciecha Radzim-Gaudenty, pochodzić muszą z czasu po przyjeździe Radzima do Rzymu w roku 999. Nic jeszcze wtedy nie wiadomo o wykupieniu ciała przez władcę Polski, a tym bardziej o pogrzebie, co dowodzi, że wcale to nie poszło gładko i szybko; „Żywot", napisany później przez św. Brunona z Kwerfurtu, mówi o „wielkich pieniądzach", które Bolesławowi przyszło Prusom zapłacić. I ja bym wierzył legendzie, która opowiada, że musiał Bolesław dać im tyle złota, ile ważyło ciało. Nie ma w tym nic nieprawdopodobnego, a pięknie mówi o tamtych czasach legenda cudu wdowiego grosza, który dopiero przechylił szalę – cudu wcale też prawdopodobnego, skoro waga miała być równa; gdyby tak się naprawdę stało, tym „groszem" (grosz wtedy jeszcze się nie narodził) był zapewne, o paradoksie historii, jakiś srebrny arabski dirhem, bo monet Mieszka i Bolesława było raczej za mało...

Polski przyjaciel Ottona i Gerberta miał więc swojego męczennika. Proces kanonizacyjny wszczął Sylwester II, przy pełnym poparciu i asyście Ottona, zaraz. Nie czekał dziesięciu lat i nie odsyłał sprawy do komisji. Przebiegła ta kanonizacja bardzo szybko. Tak samo szybko Sylwester II wyświęcił Radzima na arcybiskupa i ustanowił arcybiskupstwo w Gnieźnie, także nie bez koniecznej akceptacji, a może nawet inicjatywy

Ottona: już 2 grudnia 999 r. Radzim pod swym chrześcijańskim imieniem Gaudentego figuruje w dokumencie cesarskim jako *arcybiskup świętego Wojciecha*. Było więc już i arcybiskupstwo, i arcybiskup, i męczennik wyniesiony na ołtarze. W takim tempie potrafił działać tylko ten papież – inżynier.

Teraz dojdzie do wydarzenia, jak na ówczesne stosunki, zgoła wyjątkowego, zapowiedzianego notabene w owym dyplomie dla klasztoru Farfa: cesarz uda się z pielgrzymką do ciała swego świętego przyjaciela na terytorium państwa jeszcze trzydzieści parę lat temu – pogańskiego. Nasi historycy wiążą tę decyzję z „sukcesem dyplomacji Bolesława", ale nie przesadzajmy – całej tej dyplomacji był w Rzymie tylko Radzim, towarzysz podróży Wojciecha i świadek męczeństwa; o nikim innym nie wiemy. Żadna zaś zręczność dyplomatyczna nie mogła wyrównać mądrości i determinacji Sylwestra II, który tu miał z pewnością głos decydujący.

Pielgrzymki nie zaplanowano w imię interesów Bolesława, mimo całej Ottona dla Bolesława przyjaźni. Zaprojektowano ją w imię przyszłości chrześcijaństwa i *republiki* wielkiego związku chrześcijańskich ludów. Teza części naszych historyków, że erygowanie arcybiskupstwa w Gnieźnie było sprzeczne z interesami cesarstwa i Niemiec (!), przenosi na rok 999 sytuację o dziesięć lat późniejszą – Thietmar miał to rzeczywiście Ottonowi za złe, ale wtedy już niczego z myśli Ottona nie rozumiano i rozumieć nie chciano.

Datę pielgrzymki dobrano tak, by Otton mógł spędzić u grobu św. Wojciecha początek roku tysięcznego, jeśli by go liczyć od początku marca, lub przynajmniej początek roku kościelnego, liczonego w Rzymie papieskim od 25 marca, święta Zwiastowania Najświętszej Pannie Marii. I wcale bym nie wykluczał, że Otton ruszył w drogę z nadzieją uzyskania łaski Boskiej, czyli przebaczenia za grzech, który mu wypominał stary Nil...

XXII

Rok tysięczny: boso do Gniezna

Na czas niezwykłej podróży do świata nowego chrześcijaństwa Otton uzupełnił swój oficjalny teraz tytuł; miał brzmieć *servus Jesu Christi et Romanorum Imperator Augustus*. Nie był w tym pierwszy; jego ukochana babka, owa Burgundka rodem, świątobliwa cesarzowa Adelajda, podpisywała się *servorum Dei ancilla*, służebnica sług Bożych. Znamienny był tylko moment tej zmiany.

W pielgrzymce tej towarzyszył Ottonowi wysłannik papieski, wielki jałmużnik papieski, *oblacjonariusz* Robert, sądząc po imieniu – ktoś z terenów Francji (skłonny byłby przypuścić, że to ów Norman z Normandii, który w XI wieku zostanie arcybiskupem Trewiru). Towarzyszył też najpewniej Ottonowi jego kanclerz „północny", świeżo nominowany w 998 r. arcybiskup Kolonii, teraz więc archilogoteta, Heribert, i cała kancelaria. Spośród możnych z terenu Niemiec dołączył później Ekkehard z Miśni.

Wigilię 24 grudnia 999 roku spożyli jeszcze w Rawennie, ale już w Nowy Rok przekraczali Alpy. Tu prawdopodobnie doszła ich wiadomość o śmierci owej ukochanej babki Ottona, Adelajdy, regentki z lat 991–995 (miała lat sześćdziesiąt osiem, przeżyła swego męża, Ottona Wielkiego, o dwadzieścia sześć lat). Charakterystyczne, że Otton nie zawrócił w tym momencie z drogi, nie skierował się na północ, do Moguncji i Akwizgranu, by swą babkę pogrzebać, lecz ciągnął szybko – jak obliczał Schramm, w tempie czterdziestu kilometrów dziennie – w stronę Gniezna. W końcu stycznia biskup Gebhard witał go w Ratyzbonie.

Bolesław wyjechał Ottonowi naprzeciw aż na Śląsk, na ziemie Dziadoszan. Wystąpił okazale, z taką pompą, że po wieku z górą Gall-Anonim będzie się unosił nad olśniewającym bogactwem zarówno polskich gospodarzy, jak samego przyjęcia; Bolesław chciał jak najlepiej uczcić niezwykłego gościa, ale ten, zbliżywszy się do Gniezna, mimo chłodu – był to marzec, pierwsze dni wiosny – zsiadł z konia, zzuł obuwie i boso szedł aż do grobu świętego przyjaciela; niedarmo na czas tej podróży przybrał tytuł, śladem apostoła Pawła, „sługi Jezusa Chrystusa"; szedł boso nie cesarz, a *servus Jesu Christi*.

Bolesław nie dał się jednak zmylić; nie zapomniał, że to *Imperator Augustus*. Huczne uczty i przebogate prezenty, które dostał każdy choćby ciura cesarskiego orszaku, godne były nie Ottona – sługi Chrystusa, lecz Imperatora Augusta. I ten Imperator uznał w nim brata, współpracownika cesarstwa, przyjaciela i „sprzymierzeńca narodu rzymskiego". Rzymskiego! Cytat jest z Galla-Anonima, piszącego o ponad wiek później, ale ta dokładność nieomylnie potwierdza autentyzm jego relacji. Tak mógł powiedzieć tylko Otton. Nie dziwne, że wracał Otton od grobu św. Wojciecha „wesoło, z wielkimi darami", jak odnotował Gall-Anonim.

Na ziemiach swego państwa teraz to Bolesław miał władzę inwestytury, czyli mianowania biskupów, których dopiero potem władza duchowna konsekrowała tudzież intronizowała. Podobno w czasie uczty Otton zdjął ze swej głowy diadem cesarski i włożył na głowę Bolesława; zapamiętano to w Gnieźnie jako swoistą koronację, a w każdym razie gest świadczący, że Otton uważa Bolesława za godnego korony. Dostał jeszcze Bolesław jako symbol związków z cesarstwem i władzy – kopię Świętej Włóczni, włóczni św. Maurycego, z częścią oryginalnej *sacrae lanceae*, która za czasów Ottonów była symbolem opieki świętego nad cesarstwem dynastii saskiej. Nie tylko nie miało to znamionować podległość cesarstwu, a przeciwnie – cesarz jakby dzielił się swym patronem i swoim insygnium władzy. Otton III zaś jako cesarz nie robił gestów przypadkowych; sens tych gestów był jednoznaczny, Bolesław mógł liczyć na jego poparcie w kwestii koronacji – i co więcej, sądzę, że Otton wcześniej omawiał to z Sylwestrem II. Sylwester II niedługo potem przekaże koronę innemu przyjacielowi św. Wojciecha, Stefanowi, Otton III zaś wyśle mu jakiś fragment Świętej Włóczni z częścią relikwii do wprawienia w jego własną włócznię, upoważniając Stefana, by się nią posługiwał tak jak cesarz; wniosek stąd, że i korona dla Bolesława musiała mieścić się w programie ich obu, cesarza i papieża.

I nie było Gniezno jakimś wybuchem euforii. Kancelaria pracowała. Dzięki niej, dzięki dokumentowi wystawionemu w Gnieźnie dla... biskupa Vicenzy we Włoszech, znamy daty pobytu Ottona III w Gnieźnie.

Niejasna pozostaje tylko kwestia zaręczyn Bolesławowego syna, Mieszka, z siostrzenicą Ottona, Rychezą, córką rodzonej siostry Ottona, Matyldy, z palatynem reńskim, Ezzonem. Nie mamy żadnych wyraźnych danych, by ten fakt przypisać spotkaniu w Gnieźnie. Mieszko był już w wieku do żeniaczki, zaręczyny też mogły formalnie odbyć się *per procura*, bez obecności samej narzeczonej, małej jeszcze dziewczynki, ale wybrałby się wtedy z Ottonem przynajmniej ktoś z rodziców Rychezy. Myślę, że zasadne będzie przypuścić, że w Gnieźnie, gdzie Otton zobaczył młodego Mieszka, chłopca już wykształconego, mówiącego po łacinie, narodził się pomysł tego małżeństwa. Takiej supozycji da się bronić.

Czy w powrotnej drodze Bolesław towarzyszy Ottonowi do Kwedlinburga, gdzie dwór był już na pewno 31 marca 1000 roku, czy aż do Akwizgranu, do którego podobno dotarli razem 19 maja 1000 roku?

O tych datach i o wspólnej podróży informuje nas współczesny wydarzeniom rocznikarz z Kwedlinburga; nie mamy podstaw mu nie wierzyć, bo wiozą obaj relikwie po swoim świętym. Część z nich Otton ofiaruje katedrze w Akwizgranie, część przeznaczy dla kościółka, który ufunduje na cześć Wojciecha w Rzymie, dziś znanego jako kościół św. Bartłomieja na wyspie w nurcie Tybru. Ciekawe, że Thietmar, tak wrogi potem Bolesławowi, odnotowuje entuzjastyczne powitanie Ottona III po powrocie; jak pisze, żaden cesarz w Rzymie nie był nigdy większą chwałą otoczony!

Nie wiem nic o pogrzebie babki Adelajdy; być może wstrzymywano się z nim do powrotu cesarza i odprawiono egzekwie dopiero teraz. Dojdzie za to w Akwizgranie do wydarzenia cokolwiek szokującego współczesnych: Otton otworzy grób Karola Wielkiego. Otworzy go, zrywając posadzkę. Jak pisze Thietmar – zrobiono to potajemnie, licząc się więc z potencjalnym niezadowoleniem, jeśli nie wręcz zgorszeniem. Historycy mają owo przedsięwzięcie za dowód ówczesnej wiary w uczestnictwo i wpływy wielkich zmarłych na życie doczesne, za dowód, że Otton próbował nawiązać mistyczny kontakt ze swoim wielkim poprzednikiem, pionierem odrodzenia cesarstwa, poprzez jakąś relikwię z jego grobu. Ja byłbym skłonny przypuścić, że obaj, czyli Otton i Sylwester II, przemyśliwali o ewentualnej kanonizacji Karola Wielkiego, a na to trzeba było jakichś widomych znaków jego świętości, nade wszystko zaś – relikwii. Innymi słowy, chodziło raczej tym razem o kontakt fizyczny, a nie mistyczny...

Odbyło się to w aurze najwyższej czci. Do grobu zeszły tylko cztery osoby. O znaczeniu zaś, jakie wówczas przywiązywano do męczeństwa św. Wojciecha, świadczy to, co do francuskiej kroniki

Ademara z Chabannes dopisze w sto lat potem jakiś nieznany interpolator – że Otton w zamian za relikwie ich wspólnego przyjaciela, za jego ramię, ofiarował Bolesławowi złoty tron Karola, wyjęty rzekomo z grobu. Zgoła to nieprawdopodobne, ale jako domysł czy ubarwienie narracji – bardzo charakterystyczne. Tak co do miary, jaką przywiązywano do relikwii po świętym, jak co do przyjaźni łączącej Ottona z Bolesławem.

Szczątki Karola ubrano w białe szaty i obcięto im paznokcie, które, jak wiadomo, nie przestają rosnąć po śmierci. Podobno wyjęto z czaszki złoty ząb – znak dla dziejów stomatologii, że zęby wprawiać umiano znacznie wcześniej, niżby ktokolwiek podejrzewał (chyba że ów ząb wprawiono już zwłokom). I podobno zabrano krzyż, który miał Karol na piersi.

Z Akwizgranu Bolesław uda się do domu, Otton III – do Rzymu.

W cień wielkiej pielgrzymki do grobu św. Wojciecha zeszły tutaj równoczesne decyzje Sylwestra II i Ottona III dotyczące państwa Stefana węgierskiego, którego, jak się przekonamy, słusznie nazwano Wielkim.

Stefan I, wbrew temu, co napisał nasz znakomity historyk Węgier, prof. Wacław Felczak, koronował się wcale nie dzięki temu, że „wykorzystał dogodną koniunkturę na dworze cesarskim i papieskim". I nie wymanewrował naszego Bolesława. Bolesław byłby też dostał swoją koronę. Korona Stefana I była logiczną konsekwencją programu Ottona III i Sylwestra II. Programu, który – jak ukazuje tempo kanonizacji Wojciecha i powołania arcybiskupstwa w Gnieźnie – odsłaniał zdecydowanie w charakterze tego papieża. Ten papież myślał szybko, szybko podejmował decyzje i szybko je realizował. To nie Stefan był cwaniakiem, który nabrał naiwnych i ukradł koronę przesyłaną Bolesławowi, lecz Otton i Sylwester dysponowali informacjami o Stefanie, które wskazywały, że mają do czynienia z kolejnym wybitnym, wartym wsparcia, bliskim sobie władcą. Otton sam go poznał, a mieli o nim przede wszystkim opinie samego Wojciecha, który go pamiętał z chłopięcych jego czasów i pojechał z nim na Węgry w roku 996, zanim powędrował do Bolesława. Wiedzieli o nim więcej niż my, potomni; dysponowali wiadomościami z innych źródeł, których nie znamy, które może kiedyś uda się rozszyfrować. Bo wprawdzie koronę można by ukraść, ale nie sposób ukraść decyzji papieskiej o ustanowieniu arcybiskupstwa w Ostrzyhomiu (Esztergom), które dawało Stefanowi jego własny na Węgrzech Kościół – z ośmioma biskupstwami!

Państwo Stefana, jeszcze przed pół wiekiem państwo zbójów, niszczycieli i rabusiów, takich samych jak Polanie i wikingowie, dalekie było jeszcze od stabilizacji. Ojciec zostawił Stefanowi jako spadek polityczny konieczność walki z plemiennymi książętami, którzy wcale nie myśleli podporządkować się wspólnej władzy. Na południu rządził Kupan, którego Stefan zdołał ostatecznie pokonać dopiero w roku 998, i to dzięki posiłkom od swego szwagra z... Bawarii; nad Cisą dążył znów do niezależności – Achtum, Ajtony, władca „Czarnych Węgrów", który przyjął chrześcijaństwo wschodnie.

Gejza przed śmiercią, w roku 996, uzyskał dla Stefana żonę z Bawarii, córkę Henryka Kłótnika, Gizelę. Interpretuje się to jako związek z opozycją przeciw Ottonowi – ale, po pierwsze, sam Henryk Kłótnik już nie żył, po drugie, tenże Henryk Kłótnik należał, o czym zapominamy, do cesarskiej rodziny, był stryjecznym bratem Ottona II, ojca obecnego cesarza, zaś brat Gizeli, Henryk bawarski, w razie bezdzietności Ottona III mógł aspirować do korony króla Niemiec i cesarza Rzymu. Gizela była zatem córką cesarskiego rodu i to się liczyło najbardziej; tak jak w oczach historyków liczyć się musi fakt, że Henryk oddał siostrę jakiemuś byłemu poganinowi. Nie była najmłodsza; co najmniej w wieku męża; stąd i całego męskiego potomstwa miał Stefan, mimo wielu z pewnością wysiłków, tylko jednego syna. Jedno jest dla mnie oczywiste: Stefan już w roku 996 był postacią wybitną.

Nie miejmy złudzeń: jak Bolesław, tak i on w roli władcy nie znał pardonu i jeśli wymagały tego okoliczności, równie bywał okrutny. Ale – budował państwo. I robił to fachowo. Bardziej fachowo niż nasz Bolesław. Znacznie bardziej nawet: zostały po nim dwa zbiory przepisów prawnych, dwie kodyfikacje. Jaki był w tym udział Astryka, mnicha, który został arcybiskupem Ostrzyhomia, po węgiersku zwanego Esztergom, nie wiem, ale na pewno umiał zbudować sobie Stefan kompetentną kancelarię. Spośród mnichów, naturalnie. Któryś z nich musiał być jego kanclerzem. Najprawdopodobniej – Astryk właśnie, czyli – Anastazy, uczeń św. Wojciecha, opat benedyktyńskiego klasztoru z Pecsavarad.

Opierał się Stefan, co logiczne, na swoim duchowieństwie. Ustanowił dziesięcinę na korzyść Kościoła, a własne arcybiskupstwo oznaczało, że to on będzie dobierał biskupów.

Wszystkie decyzje na ten temat musiał podjąć Sylwester II w porozumieniu z Ottonem III w ciągu tegoż samego roku 1000. Kancelaria papieska musiała wydać odpowiednie bulle, by ustanowić arcybiskupstwo w Ostrzyhomiu i zaakceptować Astryka na stolcu arcybiskupa. Potem dopiero mógł Astryk przywieźć koronę z Rzymu i w roku 1001 Stefana koronować.

Historia w świecie niepisanym toczyła się także. I nie wykluczyłbym supozycji, że Bolesław spieszył do domu na wieść o tym, co się dzieje na Bałtyku. Jak pamiętamy, jego siostra, Świętosława, Sygryda Storrada, czyli Dumna, w 994 lub 995 roku straciła swego szwedzkiego męża, Eryka Zawsze Zwycięskiego.

Wyszła potem za Swena Widłobrodego, groźnego władcę Danii. Jak do tego małżeństwa doszło, opowiedziały nam sagi. Inna wersja mówi, że starało się o nią dwóch jarlów norweskich, ale ich odrzuciła. Jak było naprawdę, nie wiemy, ale wydanie siostry za Swena zgadza się w pełni z linią polityki Bolesława Chrobrego – oskrzydlił tym sposobem Słowian połabskich, przeciwników swoich i swego przyjaciela, Ottona III.

Podobno to Sygryda – gdyby wierzyć sagom – ze złości na Olafa Tryggvasona, w którym się nieszczęśliwie kochała, zmontowała sojusz przeciw niemu. Połączyli przeciw Olafowi siły jej syn, Olaf Skoetkonung, rządzący teraz Szwecją, jej aktualny mąż i – Wendowie, czyli jacyś Słowianie pomorscy.

Olaf, przyjąwszy sam chrześcijaństwo podczas zbójowania w Anglii i uwolniwszy Norwegię spod duńskiego panowania, szczepił chrześcijaństwo w swoim kraju przymusowo, rozkazem, groźbą i terrorem. Wysłał, jak pamiętamy, specjalnego misjonarza-rycerza na Islandię, by nawrócił jej mieszkańców; w roku tysięcznym Leif Erikson, syn Eryka Rudego, odkrywcy „Zielonego Kraju", Grenlandii, pożeglował krzewić chrześcijaństwo i tam. Przemawiały za nowym Bogiem Olafa jego własne sukcesy, a potężniał coraz bardziej.

Olaf pływał na łupieżcze wyprawy od krajów słowiańskich na wschodzie (zwano go „Wendobójcą") aż po Irlandię. Jego słynny statek, *Ormen Lange*, „Długiego Węża", opisywał w dwieście lat później Snorri Sturlason w swoich sagach na Islandii. Zbudowano „Długiego Węża" podobno zimą z roku 999 na tysięczny. Czy sagi nie przesadzały z jego rozmiarami, liczbą trzydziestu czterech par wioseł i liczbą ośmiu wioślarzy przy każdym?

Mam ma półce ukochany mój album, piękne dzieło Norwega, Bjoerna Landstroema, „Statek", z wizerunkami i konstrukcjami statków morskich od zamierzchłej prehistorii do atomowych łodzi podwodnych, i wiem z niego, że na odkopanych dębowych statkach wikingów odstęp między otworami na wiosła wynosił 98 centymetrów. Bjoern Landstroem wyliczył, że „Długi Wąż" musiał mieć około 45 metrów długości. Choć więc na pewno nie mieścił kilkuset ludzi, ani, jak pisał

Marian Adamus, zbrojnej, trzydziestosobowej siły uderzeniowej na dziobie, to mógł imponować. Przeciętne *drakkars*, „smoki" wikingów, liczyły od dwudziestu do trzydziestu metrów długości i mieściły kilkudziesięciu ludzi, wioślarzy i wojów zarazem, a pośrodku, w razie potrzeby, towary lub też bydło i konie. Przede wszystkim zaś – łupy.

To prawda, że dla ochrony długich łodzi przed przełamaniem obwiązywano je wzdłuż burt od dzioba do rufy specjalnymi linami, ale Farley Mowat w swoich „Wyprawach wikingów" niesłusznie oskarża ich załogi, że byli to raczej rzeźnicy, niżeli żeglarze. Ci rzeźnicy byli świetnymi żeglarzami, a w rzeczywistości łatwiej żegluje się na pełnym morzu, na długich falach, niż na zdradliwych, piętrzących się przy burzy i łamiących falach przybrzeżnych. Pływali ci rzeźnicy na szlakach niesłychanie odległych i mało świadectw na kamieniach runicznych mówi o ich katastrofach morskich...

Ci rzeźnicy szukali chwały i łupów. W tej kolejności. I w świecie wikingów same sukcesy Olafa z jego rosnącą sławą starczyłyby do konsolidacji przeciw niemu wszystkich innych awanturników, zawistnych i gotowych spróbować się z nim w boju. Także i w bezpośrednim starciu: Olaf sam słynął morderczymi rzutami swej włóczni, każdy zaś marzył o glorii tego, który go pokona.

Jednakże dla pokonania Olafa sprzymierzyły się bardzo różne siły i to wskazuje, że nie sam normański zew krwi dopingował jego przeciwników, zwłaszcza że mały władca Szwecji, Olaf, przyszły *Skoetkonung*, liczył sobie ledwie koło jedenastu lat. Od Mariana Adamusa wiemy, że Olaf Tryggvason wedle sag ruszył wtedy na wyprawę przeciw Wendom, a więc na Bałtyk, przeciw którymś Słowianom – i to nie z jedenastoma okrętami, lecz w sześćdziesiąt okrętów. Na wodach cieśniny Oeresund, między duńską Zelandią a duńską wtedy, dzisiaj szwedzką Skonią, w pobliżu Svolde czy Svolder (dziś nieistniejącego, a leżącego, wedle współczesnych nam historyków, prawdopodobnie na wyspie Ven), doszło w roku 1000 do słynnej Bitwy Trzech Królów.

Nie wydaje się, by to była potyczka rozdęta jedynie przez sagamadrów, opowiadaczy sag, do rozmiarów wielkiego wydarzenia. Olaf na swoim sławnym „Długim Wężu" walczył przeciwko siedemdziesięciu jeden okrętom przeciwników, a mamy prawo odgadywać, że była to zasadzka i że naprawdę ci przeciwnicy dopadli tylko części flotylli Tryggvasona. Miał on ze sobą samych zuchów, z różnych krajów, nie tylko z Norwegii; byli wśród nich także woje ze Szwecji i Danii, jak też i... Słowianie, wszystko wytrawni żeglarze; umieli się bić, może i lepiej niż ludzie przeciwników, ale na taką przewagę było ich za mało. Sam Olaf zginął w tej bitwie i tylko legenda kazała go uratować z pogromu córce księcia *Burislafra*, Astridr, która ponoć wywiozła Olafa na małej łódeczce poza wody bitwy. Z rokiem 1000 ślad po Olafie ginie jednak całkowicie; jeśli owa córka Bolesława, którą znamy z sag jako żonę szpetnego jarla jomsborczyków, Sigvalda, naprawdę zdołała go uratować, to co najwyżej tak fizycznie poharatanego, że jako wojownik był skończony.

Czy jej obecność na wodach bitwy sugeruje, że trzecią siłą aliansu przeciw Olafowi byli zbóje jomscy z Wolinianami? Tak przypuszczał najkompetentniejszy znawca problemu, Gerard Labuda. Kazimierz Błahij cytował urywek z sagi: „zdala na miejsce bitwy przybyły statki Wendów i ostre miecze szczerzyły swe żelazne pyski przeciwko wojom", a Leon Koczy fragment z pieśni skaldów Hallfreda i Halldora: „Koło statków Winidów powstał nagle wielki zgiełk. Oszczepy padały tak, jak opisuję. Dzielny sternik opatrzony silną tarczą musiał wytrzymać niejedno spotkanie z zastępami wojów". I tu akurat chodziło raczej o sojuszników Olafa...

W przyszłości Swen ponoć domyśli się, że Sygryda wyszła zań tylko w złości na Olafa Tryggvasona. Czy naprawdę, jest rzeczą wątpliwą, skoro urodziła mu czworo dzieci, w tym dwóch synów, Haralda i Knuda, czyli Kanuta. O nich obu znany już nam biskup-kronikarz Thietmar powie, że był to iście jaszczurczy pomiot, pod każdym względem wart swego ojca. A to ojciec Kanuta, Swen Widłobrody, rozpoczął znowu regularne, przerażające napady na Anglię. Przy czym u boku miał – Słowian, i to nie jakichś nieokreślonych Słowian z któregoś tam plemienia, ale wyraźnie w Anglii identyfikowanych: po stu latach Orderyk Vitalis w swoich trzynastu tomach *Historiae ecclesiasticae* opisze tych piratów jako *Poleni*. Nie *Vendi* czy też *Volini* lub podobnie. *Poleni*. Jednoznacznie.

W 1004 roku Swen wypędził Sygrydę; dlaczego, nie wiemy. Zabrała ze sobą do Polski tylko swą córkę urodzoną ze Swena, Estrid, nazwaną tak widać po ciotce. Sygryda przebywała na wygnaniu do śmierci Swena w roku 1014; podobno Harald i Kanut przyjechali wtedy po nią do Chrobrego i przy sposobności zawarli z wujem przymierze. Kiedy wkrótce potem Kanut opanuje Anglię, wtedy, ogłosiwszy się jej królem, ożeni się z wdową po anglosaskim królu Etelredzie, Emmą. Synów po innym pretendencie do tronu, popieranym przez Londyn Edmundzie Żelaznobokim, *Ironside*, Kanut odeśle do wuja do Polski – z prośbą, żeby ich cichcem zgładził.

Na korzyść Bolesława świadczy, że tego nie zrobił. Odesłał ich dalej, na południe, do swego ciotecznego brata. Do kogo? Tym ciotecznym bratem był król Węgier, Stefan I. Dwaj młodzi Anglowie przeżyli tam bezpiecznie blisko dwadzieścia lat, aż do śmierci Kanuta w roku 1035. Tyle że to Kanut był północnym odpowiednikiem starszych o pokolenie wybitnych władców ze świata słowa pisanego i też przeszedł do historii z tytułem Wielkiego.

Ci, którzy powątpiewają w polańskie pochodzenie Sygrydy – mimo jednoznacznego świadectwa Thietmara i jej synowej, owej Emmy, nie powinni mieć wątpliwości co do związków między Kanutem a Bolesławem Chrobrym, znalazłszy owych dwóch chłopców z Anglii – na Węgrzech. Inną drogą nie mogli tam trafić. Innej drogi nie da się nawet wymyślić.

Dzieje tych chłopców z Anglii, którzy przez Danię i Polskę trafiają na dwór króla Węgier, powiązanego węzłami krwi z Wenecją, której przyszły doża ożeni się z siostrą przyszłego cesarza Bizancjum, najlepiej potwierdzają opinię, że właściwą wizją tamtych czasów była wizja Parnickiego. To, co tu opowiedzieliśmy, wykroczyło daleko poza najśmielsze supozycje ze „Srebrnych orłów". A mnich z Aurillac, który w roli papieża próbuje łączyć ten świat w jeden świat, w świat lepszy trochę i mądrzejszy, zasłużył na swojego Parnickiego. Na tym tle jego decyzje wcale nie wyglądają na utopijne.

Były to decyzje śmiałe, wyprzedzające historię. Tamten okres w ogóle w przedziwny sposób wszędzie zakwitał niezwykłymi ludźmi i niezwykłymi krokami, niezwykłymi osiągnięciami. Bo jak Akwitania miała swego Wilhelma Wspaniałego, Węgry Stefana, Niemcy Ottonów, tak nawet hrabstwo Prowansji miało swego – Wilhelma Wyzwoliciela. Ten Wilhelm po blisko półtora wieku zdołał bowiem zniszczyć gniazdo... arabskich korsarzy i rozbójników, którzy je sobie uwili w pobliżu dzisiejszego St. Tropez, w ówczesnym Fraxinetum (dziś Freinet); ich mocarna twierdza pozwalała im bezkarnie nękać Prowansję i szlaki podróżne przez Alpy Nadmorskie, gdzie grabili kupców i pielgrzymów. Dopiero Wilhelm w ostatnich latach pierwszego tysiąclecia, nie bez pomocy wojsk mnichów z Cluny, położył temu kres. Nie zalicza go się do ojców Francji. Ale ojcem Prowansji został na pewno.

I byłoby tych niezwykłości zapewne więcej, gdyby nie to, że historia się teraz nagle urwie. Przynajmniej – ta historia.

Współcześni odczytywali w Ottonie słabość ducha. W ich pojęciu ten pielgrzym i dobroduszny asceta nie mógł być mocnym człowiekiem. I dlatego nie trzeba już było nieobecności cesarza, by diabeł podnosił głowę. Latem 1000 roku zarodki buntu pojawiły się na północy cesarstwa, nie bez udziału niektórych biskupów.

Próbowali spiskowcy skaptować Henryka bawarskiego, ale Henryk – odmówił. Obaj ci ambitni Henrykowie, ojciec, a potem i syn, nie chcieli widać sytuacji, w której, gdyby się im powiodło, moralne prawo do buntu zyskaliby inni; ojciec nie pozbawił życia małego Ottona, syn nie podniósł rebelii przeciw Ottonowi dorosłemu. Otton III zabrał Henryka ze sobą do Rzymu; tyleż, jak sądzę, w nagrodę, co dla bezpieczeństwa, żeby go mieć pod kontrolą.

Wzywał Ottona do Italii papież. W Italii robiło się trochę niespokojnie. Na razie zbuntował się na terytorium Państwa Kościelnego hrabia Sabiny i Sylwester II przynaglał swego ucznia, by jeśli już nie w interesie papiestwa, to w swoim własnym – interweniował poprzez swoich i papieskich ludzi.

Sprzyjał atmosferze buntu rosnący cień cesarza Bizancjum. Bazyli II, zakończywszy wojny na Bliskim Wschodzie, wrócił do swej stolicy. Nie zajął się Zachodem, bynajmniej. Musiał zająć się wojną z Bułgarami. To w niej parę lat później zarobi na straszliwy przydomek *Bułgarobójcy* – po okrutnej kaźni kilkunastu tysięcy bułgarskich jeńców, którym każe wyłupić oczy, zostawiając po jednym oku co setnemu z nich, by odprowadził ślepców do kraju. Ale sama obecność Bazylego w Bizancjum wystarczy, by w Italii zaczęły odwracać się od Ottona III księstwa i miasta, które bez walki Otton w swoim czasie zhołdował.

XXIII

Kiedy umierają marzenia

Na razie ta odwrotna fala jeszcze nie ma widomych objawów. W styczniu 1001 roku odbywa się kolejny synod – w Rzymie. Przybywa z północy Willigis, arcybiskup Moguncji, stary przyjaciel rodziny Ottonów, przybywa Bernward z Hildesheim, toczy się bowiem spór o opactwo Gandersheim. Przybywa jednak też z St. Gallen – Notker Labeo; opowie się po stronie Ottona. Z odległości czasu wygląda to na jakąś próbę sił. I prawdopodobnie było nią: wiemy, że Willigis wystąpił przeciw odnowie cesarstwa, zaś Notker stanął po stronie Ottona i z Willigisem polemizował. Ale opór Willigisa pozwalał przewidywać nadchodzące burze.

Rozstrzyga się podczas tego synodu sprawa spornych pięciu biskupstw Pentapolu (na terenie dzisiejszej Umbrii i Marchii, obok Ankony i Rimini także Urbino w głębi półwyspu i inne miasta) oraz Rawenny. Nie byłoby to aż tak ważne, gdyby nie podstawy tej decyzji i towarzyszące jej okoliczności tudzież argumenty. Rzymski *logoteta* Ottona, czyli kanclerz królestwa Włoch, Leon z Vercelli, przygotował na zlecenie swego władcy specjalny dokument, w którym cesarz przekazywał „świętemu Piotrowi", a więc papieżowi – osiem spornych hrabstw, podkreślając, że czyni to

„z miłości do papieża Sylwestra", i tytułując go swoim nauczycielem.

Innymi słowy, owe hrabstwa Otton III przekazywał nie papiestwu, a Sylwestrowi II osobiście. Ze znamiennym komentarzem. Bo ten dokument zawiera pewne szczególne sformułowania o szczególnym zupełnie znaczeniu:

„Oświadczamy nieprzymuszeni, że głową świata jest Rzym, zaświadczamy, że Kościół Rzymski jest matką wszystkich Kościołów, ale też wyznajemy, że niesprawiedliwość [*iniuria*] i nieuctwo [*inscentia*] papieży długo blask tych tytułów przyćmiewały".

Nie można było mocniejszymi słowy potępić rzymskiego IX i X wieku; tak wydano miażdżący wyrok na praktyki rzymskie tych stu kilkudziesięciu lat. Pontyfikat Sylwestra II miał zatem przywrócić godność zszarganej świętej instytucji.

Dopiero na tym tle można rozważać sens innego, nader istotnego sformułowania. Dokument bowiem zaznaczał przy sposobności, że tzw. *donacja Konstantyna* jest falsyfikatem z X wieku.

Wielu historyków, nie znając prawdopodobnie tamtego, wcześniej przytoczonego zdania, zastanawiało się, czy Leon z Vercelli, a ściślej, czy Otton III nie podejmował tym sposobem ukrytej wojny ze swoim przyjacielem i nauczycielem. Byłoby to jednak nad wyraz dziwne i zarazem zgoła nielogiczne; nie ma doprawdy żadnych podstaw do takiego przypuszczenia. Choćby dlatego, że Leon sam był wyznawcą Gerberta, a i trudno sobie też wyobrazić, by tego dokumentu przed ogłoszeniem papież nie widział.

Trzeba tu rozszyfrować sens rzekomej *donacji*. Przekazywała ona papieżowi Sylwestrowi I władzę świecką nad zachodnią częścią cesarstwa, podczas gdy Konstantyn przenosił siebie i swoją władzę na wschód, do ukochanego Konstantynopola. Wnioskiem pośrednim, jednakże logicznie wypływającym z tego dokumentu, było to, że cesarz wschodniej części cesarstwa nie miał żadnej od tej pory władzy nad częścią zachodnią i prawdopodobnie dla takiego właśnie wniosku zmajstrowali ten dokument z końcem VIII wieku ludzie dworu ówczesnego papieża, Leona III, by mógł on prawomocnie ukoronować cesarzem – Karola Wielkiego, przekazując mu władzę nad zachodnim światem.

Uczony tej miary, co Gerbert z Aurillac, musiał rozumieć intencję dokumentu i nie mógł sam żywić żadnych wątpliwości na temat jego autentyzmu. Jeśli oni wszyscy razem pomylili się wtedy co do samego datowania i wzięli „donację" za produkt późniejszy, niż była w rzeczywistości, a więc za dzieło swoich bezpośrednich poprzedników, mało zasługujących na szacunek, to i tak trzeba im oddać zasługę, że rozpoznali falsyfikat. Czy rozpoznali intencje falsyfikatu, logikę, której miał służyć? Ba, tego nie wiemy. Wiemy tylko, że cesarstwo Rzymian Ottona III nie potrzebowało takich „upoważnień" historycznych i nie chciało się na kłamstwie opierać.

Miłość prawdy, właściwa umysłom w rodzaju Gerberta z Aurillac, jego etyka przyzwoitości, wykluczały posługiwanie się oszustwem, nawet w najszlachetniejszym celu – trzeba pamiętać, że całe ich grono toczyło wnikliwe i pryncypialne dysputy moralne w związku ze sprawami znacznie dwuznaczniejszymi niż ta. No i kwestia wizji przyszłości Kościoła. Jeśli Kościół miał się tak rozwijać, jak widział Go on, Sylwester II, należało raz na zawsze obalić ten falsyfikat, skreślić go z porządku dziennego. I tylko to się stało. Nie po to Sylwester II dawał arcybiskupstwa z władzą powoływania biskupów synom niedawnych pogan, żeby zostać ich świeckim władcą.

Otton III zmienił tytuł, przybrany z okazji pielgrzymki do Polski, kiedy to słowa *Imperator Augustus* poprzedził zwrotem „sługa Jezusa Chrystusa". Jego dyplom ze stycznia 1001 r. mówi o nim teraz *Otton Tertius, Romanus, Saxonicus et Italicus, apostolorum servus, dono Dei Romani orbis Imperator Augustus,* „Otton Trzeci, Rzymianin, Sas i Włoch, sługa apostołów, darem

Bożym Imperator August rzymskiego świata". „Rzymskiego świata", a więc i tego wschodnio-rzymskiego... W tytule „sługi apostołów" możemy z kolei odczytać, że właściwym panem, przynajmniej – duchowym, rzymskiego *patrimonium* jest apostoł Piotr, a więc jego następca, papież. Ale też i znajdujemy tu odpowiedź dla wszystkich, którzy posądzali Ottona o wyrzeczenie się swej saskiej proweniencji; mógł się tu określić, i nawet bardziej by tu pasował *Germanus* lub *Theutonicus* – jak się przyjęło już na terenie Italii nazywać mówiących po niemiecku przybyszów zza Alp; tymczasem Otton mówi o sobie – Sas.

Pierwszy sygnał nie zapowiada jeszcze katastrofy. W styczniu wybuchają zamieszki w Tivoli, które, zdaniem Pierre'a Richégo, rywalizowało z Rzymem. Zabito jednego z przyjaciół młodego cesarza, zamknięto bramy miasta przed jego zbrojnymi. Wedle jednych historyków rozruchy uśmierzono, a kiedy sprawcom groziły ostre represje, interweniowali za łagodnością papież wraz z Bernwardem z Hildesheim i Otton dał się uprosić – ułaskawiając winowajców. Wedle Richégo, cesarz, popierany w tym przez papieża i Romualda z Pereum, sam był za negocjacjami – wbrew Bernwardowi, który doradzał bezwzględną rozprawę.

11 lutego 1001 r. jednak, po synodzie, wybucha otwarta i pełna już rebelia. W samym Rzymie. Czy w łagodności Ottona III odczytano słabość, jak chce Pierre Riché? Nie sądzę. To było coś więcej i coś innego. Bo Rzym zgadzał się na tytuł cesarza, ale nie zgadzał się na to, by rządził on i mieszkał w Rzymie. Cesarza z Północy Rzym potrzebował jedynie dla przeciwwagi wobec uroszczeń tych brudasów z włoskiej północy i południa, Longobardów. Nie życzył go sobie na miejscu, a już na pewno nie jako władcy samego Rzymu! Nastroje takie panować musiały powszechnie, skoro na czele rebelii nie stanął

wcale żaden z Krescencjuszy, jakby się tego można było spodziewać, lecz jeden z przysięgłych zwolenników cesarstwa, człowiek z rodu dawnych książąt Spoleto, dziś – hrabiów Tusculum, Grzegorz, którego Otton III wyznaczył dowódcą floty (nieistniejącej zresztą)!

Rebelianci oblegli pałac Ottona na Awentynie, chcieli Ottona zmusić do poddania. Wedle jednej wersji zajęli także zamek św. Anioła, wedle innej Otton przebił się jednak ze swymi ludźmi do tej twierdzy, którą kiedyś sam z takim trudem oblegał. Tu był bezpieczny. Wersje dalszego przebiegu wypadków też się różnią. Wedle jednej, którą podaje Pierre Riché, przemówił do rebeliantów Bernward z Hildesheim, który takie zrobił na nich wrażenie, że zrezygnowali i sami oddali przywódców buntu w ręce cesarza. Jego mowę przytoczył jego późniejszy biograf, towarzyszący biskupowi podczas tych wydarzeń, i swą relacją zyskał jej historyczną sławę. Co do mnie, śmiem wątpić, czy w ogóle doszło do tego przemówienia; inne źródła mówią bowiem, że wkrótce nadeszły posiłki włoskie i niemieckie spoza Rzymu, że więc powstanie załamało się ze zgoła bardziej prawdopodobnych i prozaicznych przyczyn.

Otton III nie krył swojego żalu i rozgoryczenia – jego, który zaniedbał dla nich swoją ojczyznę, *patriam*, i bliskich, jego, który sławę Rzymu zaniósł tam, gdzie nigdy przodkowie dzisiejszych Rzymian stopy nie postawili, jego, dobroczyńcę Rzymu, który faworyzowaniem Rzymian naraził się wszystkim, opuścili ci, którzy mu najwięcej zawdzięczali. Tak myślał, tak mówił i pisał.

Ale też oni wcale nie chcieli mu niczego zawdzięczać. I uwierzyli, że tego słabeusza da się przegnać, a Bizancjum pomoże. Co do ich postawy nie mogło być żadnych wątpliwości. Wieczne Miasto przestało być miastem dla Ottona i papieża bezpiecznym. Zarówno Hugon, hrabia Toskanii, jak Henryk bawarski, który odebrał tu lekcję Rzymu w najdosadniejszej wersji, radzili, by Rzym opuścić.

W połowie lutego tegoż 1001 r. papież i cesarz opuścili Rzym, udając się do Rawenny. Bernward pospieszył za Alpy, sprowadzić posiłki.

Nie załamali rąk. Kancelaria papieska funkcjonowała nadal, systematycznie i nienagannie. 4 kwietnia odbyli ważne w Rawennie zgromadzenie, któremu przewodniczył młody cesarz. Uczestniczył w tym posiedzeniu nie tylko Leon, biskup z Vercelli, kanclerz Ottona jako króla Italii, ale też sam Odilon, opat Cluny, oraz Romuald, który przybył tu ze swego Pereum. Był też i Astryk, który miał udać się na Węgry.

Otton III w okresie postu umartwiał się, odwiedzał często Pereum, erem Romualda. Spotkał tam, zauważmy na marginesie, syna Bolesława Chrobrego, nieznanego z imienia, najpewniej tego z Węgierki, czyli prawdopodobnie Bezpryma o węgierskim właśnie imieniu, który – jak zanotuje po latach św. Piotr Damiani – podarował Romualdowi w swoim bądź ojca imieniu pięknego konia. Był tam również Brunon z Kwerfurtu, w przyszłości następny po Wojciechu przyjaciel Bolesława; też myślał iść w ślady Wojciecha. To wtedy Otton III, według Brunona, ślubował złożyć w ciągu trzech lat koronę, „przekazać koronę lepszemu od siebie", rozdać majętności odziedziczone po matce i zostać mnichem. Czy miał już dosyć wszystkiego? A właśnie...

W przerwach między modłami w klasztorze św. Apolinarego w Rawennie i wizytami w Pereum Otton III przez arcybiskupa Mediolanu nawiązał raz jeszcze kontakt z Bizancjum w sprawie ewentualnego swego małżeństwa z którąś bratanicą Bazylego II. Innymi słowy, cesarz w Ottonie wcale jednak nie rezygnował i nie wiem, czy świadectwo Brunona jest w pełni wiarygodne. Niektórzy z naszych uczonych domyślali się, że jako owego następcę umyślił sobie Otton – Bolesława, którego wedle Brunona darzył takim uczuciem, jak nikogo innego. Ale nawet gdyby tak było, gdyby nie odgrywało tu roli uwielbienie, jakie żywił dla Bolesława sam Bruno z Kwerfurtu, nie ma żadnego dowodu, nic nie przemawia za tym, by w ogóle Otton chciał rezygnować z tronu, a tym bardziej, by chciał swym następcą widzieć kogoś, kogo by nigdy jego sascy rodacy nie zaakceptowali. Mógł wchodzić w rachubę jako realny kandydat do następstwa Ekkehard z Miśni, mąż dzielny, mądry i prawy, ale, jak powiadam, nie mamy nic, co by takie zamiary Ottona ujawniało.

Przychodzi wiosna i rebelia ogarnia całą Italię. Neapol i Kapua wypędzą Ademara. Gaeta, Salerno i Amalfi też pozbędą się ludzi Ottona. Zhołdowane księstwa odpadają jedno po drugim, z księciem Benewentu, Pandulfem, inspiratorem tej rebelii, na czele.

Co się stało?

Można odpowiedzieć prosto – że stało się dokładnie to, co normalnie działo się w tamtych czasach przy każdej okazji, ilekroć wasalom wydawało się, że uwolnią się od podległości swemu suwerenowi.

Można też odpowiedzieć, że Sylwester II z Ottonem III próbowali dokonać przeszczepu, narzucając średniowieczu – inną historię, lepszą i piękniejszą, ale wykraczającą poza realia, zaś rzeczywistość ówczesna ten przeszczep odrzuciła. Dlatego wróci wariant historii głupszy, mniej ambitny, dowodzący, że historia tylko w krótkich okresach doświadcza wielkich wzlotów, a zazwyczaj toczy się po linii najmniejszego oporu społecznej materii...

Otton po Wielkanocy spotkał się z Piotrem Orseolo II, który, podbiwszy chorwackie wybrzeża Dalmacji, ogłosił się jej księciem, wzmacniając pozycję Wenecji; Otton przebywał u niego *incognito* w Wenecji, trzymał do chrztu następne dziecko doży, tym razem – dziewczynkę. Trudno sobie wyobrazić, by liczył na pomoc Wenecji w walce z Rzymem; myślę, że liczył raczej na kontakty młodego doży z Bizancjum.

Pietro Orseolo II myślał wszelako jedynie o panowaniu Wenecji na Adriatyku, ku temu zmierzał konsekwentnie, bezwzględnie i skutecznie, nie żenując się normalnego wtedy okrucieństwa. Zręczność wykazywał niebywałą: prawa do miast wschodnich wybrzeży Adriatyku rościli sobie cesarze Bizancjum, pobierali od nich daniny, one wzajem uważały za swoje prawo, teoretycznie przynajmniej, oczekiwać obrony w razie zagrożenia. Pietro powoływał się na akt Bazylego II, który rzekomo odstąpił Dalmację Wenecji. Ale w źródłach bizantyjskich nikt nie znalazł śladu nawet takiego aktu. Czy Pietro Orseolo go zmyślił, jak podejrzewał Nikołaj Sokołow?

Byłbym ostrożny w oskarżeniach; późniejsze wydarzenia świadczą, że Bizancjum żadnych nie żywi do Wenecji i do jej doży pretensji. Orseolo też skrupulatnie podtrzymuje dobre stosunki z Bizancjum; w przyszłości, wyznaczywszy swego syna, Giovanniego, swoim współrządcą, wyśle go do Bizancjum, gdzie dostanie Giovanni za żonę – córkę rodu Argirosów (nie, jak napisał, Sokołow, Argirosa). Będzie to siostra przyszłego cesarza Romana, pierwszego i jedynego z tego rodu (temu szanowanemu prefektowi miasta następny po Bazylim cesarz, jego młodszy brat, Konstantyn VIII, na łożu śmierci da rękę swej córki Zoe, kolejnej potem w Bizancjum przechodniej żony paru cesarzy).

To prawda, że ojciec Pietra Orseolo, Pietro Orseolo I, sam w swoim czasie złożył urząd doży i wstąpił do klasztoru. Ale Pietro Orseolo II był ostatnim partnerem do rozmów na takie tematy. Rozsadzały go energia i ambicja. Wiedział, że tworzy zręby przyszłego mocarstwa, ba, że na morzach Wenecja już jest mocarstwem! Przy całej swej pobożności dyskusję na temat porzucenia władzy miałby za absurd.

W kwietniu 1001 r. przebywał w Rawennie, jak wiemy, Astryk-Atanazy, który dotarł tu z Węgier. Stefan I, jak Mieszko, odda swe państwo pod opiekę papieża, ale to znaczy teraz coś zupełnie innego, niż iście symboliczny gest Mieszka. Podejrzewa się często, że bullę Sylwestra II, ustanawiającą dla niego arcybiskupstwo w Ostrzyhomiu, sfałszowano, nie ma jednak żadnych podstaw do takich podejrzeń: kroki podejmowane przez nich obu, Ottona i Sylwestra, są logiczne i konsekwentne.

Od Sylwestra, najprawdopodobniej, Astryk dostanie dla Stefana cząstkę z Krzyża Świętego, od Ottona – taką samą kopię pozłacanej włóczni św. Maurycego, *lanceae deaureatae*, jaką dostał w Gnieźnie Bolesław, lub ułamek relikwii do wprawienia we własną włócznię Stefana. Astryk zabierze również dla Stefana koronę, o której Thietmar nie bez dumy zanotuje, że była dziełem rąk rzemieślników niemieckich. Myślę, że Gaudenty-Radzim, gdyby wtedy przybył do Rawenny (czy też wcześniej do Rzymu), dostałby takąż koronę; bo, jak widzimy, żadnej dyplomacji tu Stefan nie uprawiał – co najwyżej cesarz z papieżem kalkulować mogli, że ze strony Stefana przyjdą jakieś ewentualne posiłki, parę oddziałów bitnych, budzących jeszcze przerażenie Europy Węgrów. Ale i na to nie mamy żadnych dowodów.

Astryk ukoronuje Stefana w dzień Wniebowzięcia Najświętszej Marii Panny, 15 września 1001 r. Jak łatwo obliczyć, prawie zaraz po powrocie na Węgry. Tak samo Gaudenty ukoronowałby Bolesława, gdyby go Bolesław posłał dostatecznie wcześnie do Italii...

W maju Otton III, otrzymawszy posiłki z Niemiec, wyprawi się znowu na Rzym. Bez rezultatu. Ale nie rezygnuje. W lipcu pójdzie na Rzym jego Sas, Dedi-Ziazo, którego w swoim czasie zrobił był *patrycjuszem* Rzymu. Dedi też wróci z niczym. Tyle że sam Otton pójdzie dalej na południe, spacyfikuje pozostałe zbuntowane terytoria, w lipcu zmusi do uległości Pandulfa. Do grudnia cała dotychczasowa cesarska Italia z wyjątkiem samego Rzymu będzie z powrotem pod kontrolą Ottona. Nową ekspedycję na Rzym szykuje teraz Otton na grudzień.

Jak widać, młody cesarz, polityk ze skłonnościami do mistycyzmu, wcale się nie poddaje. Możemy rozumieć z tego, że tym bardziej nie poddaje się w swych nadziejach i sam Sylwester II. W końcu z tym Rzymem tak było już nieraz.

Po przywołaniu do porządku niedawnych wasali z terenu Italii Otton III ze swoimi oddziałami wraca na jej północ. Nie do Rawenny. Aż do Pawii. I jeśli gdzie mogłoby go było w roku 1001 odnaleźć domniemane poselstwo Włodzimierza, władcy Rusi, to raczej teraz i tutaj, w lecie lub wczesną jesienią.

Historycy kwestionują samo już takie poselstwo; co do mnie, jestem zdania, że źródła, jakimi dysponujemy, zwłaszcza w odniesieniu do wieków takich, jak wiek X i XI, dają nam obraz tylko części, i to drobnej, wydarzeń i działań ludzkich w tym czasie. Tak więc, jak nie możemy potwierdzić tego poselstwa ani jego celu, nie możemy go też wykluczyć. A wydaje mi się ono domniemaniem koniecznym: nie ma jeszcze wtedy mowy o jakimś zupełnym podziale chrześcijańskiego świata, biskup rzymski jest nadal papieżem wszystkich chrześcijan, wobec powyższego jest rzeczą logiczną oczekiwać, że państwo chrześcijan nowo-ochrzczonych podejmie próbę nawiązania kontaktu z papiestwem. Można by się nawet raczej dziwić, że Włodzimierz tak późno tego kontaktu szuka. Przy tym Włodzimierz musiał słyszeć o niezwykłym rzymskim cesarzu; być może go to wręcz zafrapowało, a na pewno nie chce być skazany na związek jednostronny, wyłącznie z Bazylim II.

Wie o nim to, co my dziś wiemy, a na pewno i więcej; chrześcijanie zachodni wydają się, rzecz prawdopodobna, bardziej bezinteresowni w swej misji cywilizacyjnej.

Jedyne, co mogło mu utrudnić wysłanie poselstwa, to znalezienie drogi, którą należałoby je wyprawić. Nie miał po zachodniej stronie swych granic przyjaciela, który by jego ludzi przepuścił lub przeprowadził do granic cesarstwa. Drogę na Węgry blokowali mu Pieczyngowie. Jedyny szlak zatem, jaki pozostawał, to Bizancjum i stamtąd, okrężną morską drogą, weneckimi statkami do Italii. Jeżeli gdzie więc szukać potwierdzenia takiego poselstwa, to przede wszystkim w archiwach weneckich – bez żadnej jednak gwarancji, że się takie potwierdzenie znajdzie, nawet, jeśli posłowie Włodzimierza faktycznie tak podróżowali *ad limina apostolorum*, do głowy Kościoła.

Późną jesienią Otton ze swymi oddziałami rusza znowu na południe. W grudniu po drodze, już niedaleko Rzymu, w Todi, na terenie Umbrii, odbędzie synod. Znów pojawią się skłóceni biskupi zza Alp, ciągle w sporze o nieszczęsne opactwo Gandersheim...

Ci przybysze z północy poinformowali zapewne Ottona, że spora grupa niemieckich wielmożów ciągle nie rezygnuje ze spisków dla obalenia Ottona. W tym samym czasie inna przykrość spotyka cesarza – umiera Hugon, hrabia Toskanii, jego zwolennik, przyjaciel i doradca; to kolejna wielka strata.

Sam Otton również choruje; jak nam to przekaże po latach Piotr Damiani, Romuald podobno ostrzegał Ottona, że jeśli jeszcze raz wyprawi się na Rzym, to nie zobaczy więcej Rawenny. Mogła to być typowa przepowiednia *post factum*, która spełniła się przed jej ogłoszeniem, ale mogło też być i tak, że Otton już chorował, że to była ta sama mordercza malaria, „trzeciaczka", zaś Romuald, człowiek obdarzony zmysłem obserwacji i zakonną wiedzą medyczną benedyktyna, dostrzegł tę chorobę i przekonywał Ottona, by zrezygnował z eskapady, której wycieńczony organizm może nie wytrzymać. Otton jednak nie spasował i ruszył pod Wieczne Miasto.

Nie zobaczy już jednak więcej nie tylko Rawenny, ale i samego Rzymu. Śmierć dopadnie go w małej miejscowości, gdzie koncentrował swoje siły zbrojne, 40 kilometrów od Rzymu, w Paterno koło Civita Castellana, 24 stycznia 1002 roku.

Legenda głosiła, że otruła go w zemście za śmierć męża piękna wdowa po Krescencjuszu; ale nie miałaby nawet jak do niego dotrzeć, choroba zaś i tak najwyraźniej robiła swoje. Nie wiemy dokładnie, co to było, jakaś być może zresztą genetyczna słabość tkwiła w tej linii Ludolfingów, bo przecie i ojciec, Otton II, żył bardzo krótko, podczas gdy linia bawarska biła rekordy długowieczności. Ja bym jednak przypuszczał, że ich wszystkich zabijało właśnie Południe ze swymi gorączkami, na które miejscowi byli jakoś uodpornieni; najlepszy dowód, że z trzech sióstr Ottona, które nie opuszczały Niemiec, Matylda, matka naszej Rychezy, dożyła prawie pięćdziesiątki, Zofia, późniejsza ksieni Gandersheim, sześćdziesiątki, zaś Adelajda, ksieni Kwedlinburga, lat sześćdziesięciu pięciu. Ludolfingów zabijały raczej komary niż przeciwnicy.

Dwór trzymał dość długo śmierć młodego cesarza w tajemnicy. Transportowi zwłok na północ groziły po drodze różne niebezpieczeństwa, niewiele brakowało, a konwój byliby zagarnęli Longobardowie. Ukryć jednak tego, co zaszło, nie dało się już na północy Włoch – antycesarska opozycja longobardzkiej proweniencji obwołała się błyskawicznie i już 15 lutego 1002 roku żelazną koronę Longobardów włożono na skronie znanego nam, ambitnego margrabiego Ivrei, Arduina. Dopiero zaś w niedzielę Wielkanocną, 5 kwietnia 1002 roku, zwłoki Ottona III po wielodniowych egzekwiach pogrzebano w prezbiterium katedry w Akwizgranie – obok Karola Wielkiego.

Rozprzężenie ogarnęło również Niemcy. Coś się w świecie ówczesnym bezpowrotnie załamało. Henryk bawarski nie mówił już – po doświadczeniach rzymskich – o *renovatio Imperii Romanorum*. Mówił o – *renovatio Imperii Francorum*. Na Heribercie wymusił przekazanie mu włóczni św. Maurycego, zatrzymawszy jako zakładnika jego brata, Henryka, biskupa Wuerzburga. 30 kwietnia zamordowano skrytobójczo Ekkeharda z Miśni, najbardziej liczącego się Henrykowego kontr-kandydata do korony. W Merseburgu próbowano zamachu na polskiego Bolesława, uratowali go niemieccy przyjaciele, książę saski, Bernard I Billung i Henryk ze Schweinfurtu, margrabia z rodu Babenbergów. Henryk II jako król nigdy sprawców nie pociągnął do odpowiedzialności. Panowanie zaczął od niszczycielskiego najazdu na ziemie swego kuzyna, Hermana II, księcia Szwabii. Królem koronował go w Moguncji, nie w Akwizgranie, bardzo już stary Willigis.

XXIV

Co zostaje po wielkich ideach

Krąg przyjaciół Ottona III i Sylwestra II śmierć młodego cesarza pozbawiła ich wiązadła. Prawda, wszyscy świetnie dawali sobie radę; instynkt, jak widać, Ottona III i Gerberta z Aurillac nie zawiódł. Nawet Robert Pobożny, którego niektórzy panowie francuscy wyśmiewali przecież jako zupełne zero, będzie spisywał się wcale nieźle, powiększając domenę królewską i umiejętnie manewrując między silniejszymi od siebie. No a Bolesław, który dostanie przydomek Chrobrego, węgierski Stefan I Wielki, wenecki Pietro Orseolo II, będą najwybitniejszymi władcami swej epoki.

Żaden z nich nie był wzorem cnót, mówiąc najdelikatniej. O świętości Stefana długo można by dyskutować, zwłaszcza w sytuacji, gdy nikt nie zadbał o wyniesienie na ołtarze ani Gerberta z Aurillac, ani Ottona III. Ale byli naprawdę mocnymi osobowościami i skutecznymi władcami swych krajów. I może trochę mniej krwiożerczymi rozbójnikami, niż pozostali władcy tych czasów. Sprawa synów Edmunda Żelaznobokiego dobrze to ilustruje.

Papież Sylwester II wrócił na Lateran do Rzymu, opanowanego przez Krescencjuszy. Ci jednak, choć Rzym był w ich rękach, nie poważyli się uwięzić mędrca, zagłodzić go czy udusić. Sama decyzja Sylwestra II znamionuje niezwykłą pozycję, jaką zajmował w ówczesnym świecie chrześcijańskim –

był pierwszym od lat papieżem, którego buntownicy rzymscy mieli w ręku i nie zrobili mu nic... Być może udał się do Rzymu, godząc się z myślą o swoim męczeństwie. Jednakże nikt go nie tknął. Znając losy poprzedników, umiemy to docenić – jak docenić musieli i jego współcześni. Jana Krescencjusza wybrano patrycjuszem Wiecznego Miasta i tytuł Dediego stracił znaczenie. Ale to nie wiązało się ze sprawami kurii rzymskiej.

Kuria rzymska działała po powrocie Sylwestra II do Rzymu jakby się nic nie stało. Naszego bohatera, odnotujmy dzięki Richému, podpisywano pod bullami, opracowywanymi przez jego notariusza Piotra, w różny sposób – „biskup rzymski i papież powszechny", „papież najwyższy i powszechny, wikariusz błogosławionego Piotra, sługa sług Bożych", ale także – „Sylwester, zwany także papieżem Gerbertem". Rozstrzygał spory kościelne, interweniował w obronie biskupa, uwięzionego przez swego lokalnego feudała, karcił ostrą epistołą niesfornego i buńczucznego Ascelina, który teraz na odmianę próbował uwięzić swego starego wroga, Arnulfa, arcybiskupa Reims.

Choroba dopadła naszego bohatera 3 maja 1003 roku, w kościele podczas mszy; zmarł w dziewięć dni później, 12 maja 1003 roku. Jak myślę, zgryzota wzmocniła atak choroby.

Następni papieże, obierani przez Krescencjuszów, nie interesowali się dziedzictwem ani moralnym, ani umysłowym po wielkim papieżu. Dopiero jego dawny współpracownik, biskup Albano, Pietro Buccaporci (wg historii Kościoła – di Luni), który Sylwestra podziwiał, sam wyniesiony na tron papieski w roku 1009, przyjąwszy imię Sergiusza IV, wzniósł naszemu bohaterowi grobowiec w bazylice św. Piotra. Opatrzył go wzruszającym epitafium ku czci „klucznika niebios", jak nazwał Sylwestra, epitafium, które, rzecz charakterystyczna, nie pominęło i Ottona. Zawierało m.in. zdania:

„Cesarz Otton III, któremu był zawsze wierny i oddany, ofiarował mu ten kościół. Obaj oni wsławili swe czasy blaskiem swej mądrości; czas się [wtedy] rozweselił; występek został zdruzgotany".

Prawdopodobnie Sergiuszowi IV nawet nie przyszło mu do głowy, że za sto lat z okładem w dalekiej Anglii tamtejszy kronikarz odmaluje jego przyjaciela jako czarownika sprzysiężonego z diabłem...

Autor współczesnej książki o Bolesławie Chrobrym, doskonały znawca epoki, Andrzej Feliks Grabski, napisał, że Otton roku tysięcznego szukał w wyjętym z grobu Karolu Wielkim siły, której brakowało jemu samemu. Nie sądzę, żeby Otton czuł się człowiekiem słabym. Miał zresztą wspaniałą rezerwę siły w potężnej osobowości swego przyjaciela, Sylwestra II. Późniejsza rzekoma decyzja, by w ciągu trzech lat porzucić tron i podjąć życie pustelnika, budzi moje głębokie wątpliwości; nawet, gdyby Ottona życie doczesne naprawdę zraziło i znużyło, jego nauczyciel i przyjaciel wezwałby go do pełnienia nadal swych chrześcijańskich obowiązków. Moim zdaniem, obaj przerośli raczej swoją epokę, wyprzedzili ją, niż okazali się na nią za słabi. To, co robili, robili precyzyjnie i skutecznie.

Nie byli może wielkimi graczami politycznymi. Na pewno taki Pietro Orseolo swoją obrotnością polityczną ich przewyższał. Ale przyjrzyjmy się dorobkowi Gerberta z Aurillac:

– władcą Francji został Hugon Kapet, który na pewno był i chciał być władcą całej przyszłej Francji, a nie tylko dzielnicy, zwanej naonczas *Francją;* idea jednej *Galii* znalazła w nim i jego synu skutecznych realizatorów;

– dwa potężne ówcześnie państwa pogańskie, państwo Piastów i państwo Arpadów, utrwaliły się w chrześcijańskich ambicjach, otrzymały swoje inwestytury samodzielności i dzięki nim samodzielnie się potem przez wieki rozwijały; to decyzje Sylwestra II o tym przesądziły;

– chrześcijaństwo zachodnie prawie podwoiło terytorialnie swe domeny, a dokonało się to i umocniło bez użycia miecza;

– sprzeciw wobec demoralizacji duchowieństwa został wsparty przez intelektualistę na papieskim tronie i być może dzięki temu reakcja oczyszczająca nie obróciła się przeciw intelektualnemu dorobkowi klasztorów, tych laboratoriów cywilizacji i kultury; co więcej, rozwojowi intelektualnemu świata zachodniego będą przez długi czas, blisko dwa stulecia, przyświecały wzory ustanowione przez ucznia Gerbertowego, Fulberta, biskupa Chartres, ojca tamtejszej szkoły.

To, że własna epoka zapomniała Gerberta z Aurillac łatwo i szybko, nie powinno nikogo dziwić. Wiek XI w całym chrześcijańskim średniowieczu był wiekiem najbardziej ze wszystkich średnim.

Pytanie, jaka miała być ich Europa? Odczytujemy ją nie tylko ze słów, ale przede wszystkim z ich polityki. Miała być Europą równych sobie, samodzielnych państw, poddanych jedynie Bogu, ale i wobec Niego równych. Nie zadaliśmy sobie jednak nigdy pytania, jak oni wyobrażali sobie to cesarstwo rzymskie, ich cesarstwo rzymskie odwzorowujące starożytny ideał.

Nie znam pracy, która by próbowała ustalić treść stereotypu tego starożytnego wzoru; Pierre Riché tym się nie interesował, jego praca w podsumowaniu przytacza zwroty świadczące, jak Gerbert pojmował Boga i moralność, jakim był nauczycielem, pisarzem i przyjacielem, o polityce nie ma tam niczego.

Henryk Serejski zdemistyfikował domniemaną „rzymskość" monarchii Karola Wielkiego – choć ja postawiłbym tu niejakie znaki zapytania, bowiem zachodzą dość duże różnice między tym, co odczytał, na pewno trafnie, Serejski, a tym, co wiemy o różnych praktycznych działaniach Karola Wielkiego. W pewnej, dość zasadniczej dla funkcjonowania państwa dziedzinie Karol Wielki brał bezpośredni wzór właśnie z samego cesarza Augusta, nie z Konstantyna Wielkiego czy św. Augustyna.

Cesarz August zastrzegł był dla siebie osobiście opiekę nad wielkimi szlakami drogowymi. Tak samo – Karol Wielki. Jego specjalne rozporządzenie z 793 r. dotyczyło naprawy dróg i mostów. Chciał przywrócić klasyczny rzymski system drogowy, a nie konstantyński czy chrześcijański, bo niczego takiego nie było. Wyznaczył komisję drogową, z którą obowiązani byli współdziałać lokalni wasale – i też naprawiono wtedy sporo dróg, a zbudowano i kilka nowych. Słowem, jako administrator Karol Wielki miał ambicję dorównania Rzymianom klasycznym, a nie *państwu Bożemu* św. Augustyna. Z kolei i my tutaj możemy jedynie, przy tym – bardzo ostrożnie, rekonstruować Rzym Ottona III i Sylwestra II na podstawie tego, co wiemy o ich działaniach.

Przypomnę tu nabożeństwo Ottona III dla „Institutiones" Justyniana. Myślę, że Gerbert, studiujący starożytność i sam uczący starożytności niesklamanej, musiał to nabożeństwo podzielać, albo je nawet wręcz Ottonowi przekazał. I nie była to fanaberia intelektualna, skierowana ku marzeniom, a przeciw rzeczywistości. Popularna, przewijająca się w wielu opracowaniach teza, że sądzono w tamtych czasach bez wiedzy o prawie, tylko na zasadzie własnej oceny słuszności, nie ma się nijak do faktów – romanizujący się Germanie natychmiast przystępowali wszędzie do spisywania prawa, a tam, gdzie nie dotarło pismo, prawo pamiętali i głosili specjalni, otoczeni szacunkiem mędrcy. Prawo nie było więc utopią Gerberta i Ottona.

Ich starożytne cesarstwo, jak sądzę, jest w ich wyobrażeniu państwem – przede wszystkim – prawa, porządku i pokoju. Jeśli Jezus mówił, by oddać cesarzowi, co cesarskie, a co Boskie, Bogu, miał na myśli cesarstwo rzymskie z jego pokojem, porządkiem i prawem. Była to władza może i nielubiana, bezwzględna, obca, stąd wręcz znienawidzona przez zelotów, obrońców niepodległości Judei, ale – szanowana. Bóg, który nie chciał mieć narodu wybranego, Bóg, który chciał być Bogiem wszystkich ludzi przed Nim równych, Żydów, Greków, Persów i Rzymian, bez różnicy, szanował władzę państwową, która gwarantowała bezpieczeństwo i spokój.

Cesarstwo wschodnie w epoce obu naszych bohaterów, u przełomu tysiącleci, miało już za sobą i przeżywało nadal rozmaite wewnętrzne perturbacje; samo Bizancjum rozrywały walki o władzę, namiętne rywalizacje i wściekłe spory. Cesarstwo wschodnie nie było więc i nie mogło być tym upragnionym ideałem. Zachowało szereg instytucji, a także stare, rzymskie prawo, ale daleko mu było do państwa, które szanował Zbawiciel. Nie chodziło zatem, jak sądzę, o to, by odtworzyć na Zachodzie drugie Bizancjum, mimo wszystko. I na pewno nie o to, by odrodzić Imperium Romanum Kaliguli czy Nerona.

Przypomnę: oni wcale nie myśleli o *Imperium Romanum*. Odrodzić chcieli *Imperium Romanorum*, imperium Rzymian (!), a więc wszystkich jego obywateli, to imperium, którego obywatelem czuł się Jezus. Dlatego przywiązywałbym ogromną wagę do owej skromnej różnicy paru liter między *Imperium Romanum* a *Imperium Romanorum*. Jeśli pojawiło się pojęcie *res publica*, to w ogóle chodziło o zupełnie inne państwo niż zhierarchizowane wedle ideału Ortegi y Gasseta społeczeństwo feudalnego średniowiecza. To program rewolucji politycznej, którą miał od góry przeprowadzić młody cesarz.

Dla Kościoła Sylwester II nie pragnął funkcji władczych. Nie podniósł wszak żadnego protestu wobec dokumentu, przygotowanego przez Leona z Vercelli. Przeciwnie, wyposażał w moc decydowania o stanowiskach kościelnych – nowych, samodzielnych, chrześcijańskich władców. Prawda, wiedział, że oni sami zaangażowani są w postępy chrześcijaństwa i zainteresowani czystością obyczajów w Kościele; sam będzie prosił Piotra Orseolo, by to on ukrócił rozwydrzenie w środowisku duchowieństwa dogatu weneckiego. Dlatego wystarczy Gerbertowi prawo akceptowania decyzji tych władców. Ale też jego akceptacja dla nich pociąga za sobą jakieś wobec nich wymagania, których nie odtworzyliśmy.

Mają mu pomóc w naprawie Kościoła. Ale czy tylko?

Głównym źródłem bogactwa, dostępnym dla rycerzy tych władców, dla ich drużyn, są wciąż wojny, a nie ich własne dobra lenne. Te dobra, dotykane niekiedy różnymi dopustami Bożymi, nieurodzajami, powodziami, nie mówiąc już o morach i zwykłych chorobach, nie wystarczają, bywa, dla utrzymania tych, którzy w nich dla pana pracują. Ale najbardziej i najczęściej niszczą tę pracę wojny i rozboje.

Klasztory odgrywają podwójnie ważną rolę w tej cywilizacji rozbójników, pozwalają bowiem skryć się bezpiecznie okolicznym chłopom i mieszkańcom podgrodzi. *Raubritter* nie jest bynajmniej specjalnością krajów, mówiących różnymi dialektami niemczyzny; przypomnijmy, że w XI wieku ów Hugon, syn Roberta Pobożnego, maltretowany przez matkę, ową trzecią żonę Roberta, babę-jędzę, miał jej tak dosyć, choć załatwiła mu sukcesję tronu, że uciekł z dworu i – rozbijał się po drogach Francji jako rycerz-rozbójnik.

Kościół jest w tej cywilizacji jedynym nosicielem pokoju. Nie tylko poprzez pracę zakonników. To w łonie Kościoła rodzi się potępienie absurdalnych, grabieżczych, niszczących wojen prowadzonych dla samej wojny. Prawda, biskupi są feudałami, często – utalentowanymi rycerzami i dowódcami, jak Gizyler z Magdeburga czy ów biskup z Minden. Opactwa trafiają w ręce ludzi świeckich. Ale wzorem dla Kościoła Sylwestra II jest *Pax Romana*, pokój tamtego cesarstwa, cesarstwa wymarzonego przez Gerberta i Ottona. Ten wzorzec drastycznie różni się od współczesnego im obrazu świata wojen prywatnych, podejmowanych w świecie Franków, z reguły na mocy starogermańskiej *faida*, zemsty rodowej, u nas zwanej wróżdą. Zanikły one w jakimś stopniu pod władzą Karola Wielkiego, ale potem *faida* podniosła znowu głowę, a już zwłaszcza akurat w X wieku. Dlatego pewnie zresztą Europa Zachodnia tak rozkwitła ówcześnie – zamkami. Bo zamki na pewno nie rosły z pobożności...

Tych wojen nie ma w podręcznikach historii, ponieważ historia, z reguły – historia państw, tematyką takich wojen się nie para. Tymczasem było to istne przekleństwo epoki. Nie mylmy ich z rozbojem rycerskim na drogach. Bandytyzm to jedno. A to były regularne wojny, formalnie wypowiadane, toczone aż do momentu zawarcia rozejmu bądź pokoju.

Obejmowały, z definicji, wszystkich członków rodziny walczącego, czy kto chciał czy nie chciał; nie zobowiązywały tylko tych kuzynów, z którymi związek małżeński nie wymagałby już dyspensy kościelnej z powodu zbyt bliskiego pokrewieństwa. Cierpieli zawsze zaś najbardziej – ci najmniej winni...

Dla rycerstwa była wojna sposobem dochodzenia swych racji praktyczniejszym i bardziej honorowym niż uciążliwa droga prawna – przy braku porządku sądowego. I podziwiać trzeba Hugona Kapeta tudzież jego potomków, że potrafili tak zręcznie unikać wojen ze swymi znacznie potężniejszymi wasalami; podziwiać trzeba też i zręczność warstw niższych, które potrafiły – albo i nie potrafiły – uchować jakoś swoje mienie ruchome, kobiety i bydło, zanim nadciągnęli ci rycerze, z reguły notoryczni rabusie, niszczyciele, gwałciciele i mordercy.

Z próby przeciwdziałania tej zmorze, na której opanowanie królowie Francji długo jeszcze będą za słabi, zrodzi się instytucja *Treuga Dei*, w znaczeniu dosłownym – Rozejm Boży, na którą, choć to jedna z najważniejszych inicjatyw Kościoła średniowiecza, zabrakło miejsca i w naszej polskiej „Historii Kościoła katolickiego", i w przygotowanej przez historyków angielskich, wydanej w Polsce „Popularnej encyklopedii średniowiecza", i w międzynarodowych encyklopediach kościelnych, które przejrzałem.

Myślę, że z zamysłami naszego bohatera wypada kojarzyć inicjatywy, podjęte na kolejnych synodach akwitańskich, w Limoges w roku 999 i w Poitiers w roku 1000. Paul Zumthor wiąże te inicjatywy z duchem Akwitanii, i słusznie; ale fakt, że najżywiej reaguje na tego ducha Burgundia, każe tego ducha szukać przede wszystkim w Cluny. Mnisi Cluny nie są bezbronni. Ich zgromadzenia pomogły przecie swoimi wojskami prowansalskiemu Wilhelmowi Wyzwolicielowi rozbić muzułmańskie gniazdo korsarskie we Freinet. Ale to oni zabiegają o pokój między ludźmi rycerskiego świata. Oni, a nie biskupi. Obok nich – król Robert, Robert Pobożny, wychowanek naszego bohatera. W 1023 roku będzie próbował przekonać do idei *rozejmu Bożego* – istnego rozbójnika, Henryka II, cesarza niemieckiego; kiedy jednak w tymże roku dwaj biskupi z archidiecezji Reims, z Soissons i Beauvais, namówią swoich baronów do zaprzysiężenia szacunku wobec „szlachetnych niewiast", inni biskupi bynajmniej się do ich apelu, dość skromnego, nie przyłączą. Nie będzie to wcale idea popularna.

Uchwali Treuga Dei w 1027 r., w roku następnej elekcji francuskiej, po śmierci Roberta, synod w Elne (aż za Pirenejami, w Katalonii!). Zakaże wojowania od środy wieczór do poniedziałku rano. W 1054 r. synod w Narbonne, znów na południu, rozszerzy zakaz na czas adwentu i wielkiego postu. Myślę, że obok mnichów kongregacji Cluny z południa przyszłej Francji miał w tych przedsięwzięciach niemały udział Fulbert z Chartres. Ale pierwsze kroki stawiano w czasach Gerberta z Aurillac – owe synody z lat 989 – 1000 próbowały ograniczyć wojny prywatne na tejże właśnie zasadzie, jaką przyjął synod w Elne. Niestety, jak dowodzą świadectwa z epoki, nie za wiele to dało; wojny prywatne będą powszechnym zjawiskiem jeszcze w XIII wieku. Niemniej ta inicjatywa i wysiłek są szczytnym wkładem ówczesnych, traktujących serio swą religię chrześcijan w cywilizację ludzką.

Jeśli nie odczytujemy za ideą cesarstwa Rzymian żadnej wizji politycznej, którą musi ona, jak widzimy, implikować, wszystko to zdaje się iluzją, zrodzoną w mózgach dwóch fantastów. Nie przypisuję im szerszych horyzontów niż te, które wedle widomych śladów reprezentowali. Ale: należący do tego kręgu św. Wojciech nie akceptuje niewolnictwa chrześcijan – czy oni akceptowali?

Spotkać można dziś autorów, zdaniem których nie znano wówczas pojęcia „wolności" ani nawet nie rozumiano takiego problemu. Jednakże ówczesny człowiek wolny doskonale znał atrybuty swego stanu – prawo do noszenia broni i prawo, że tak to określimy, do wiarygodności swego zeznania złożonego pod przysięgą. Kto zaś nie był wolny, niekoniecznie musiał być aż niewolnikiem; ten los społeczny stopniowały kolejne ograniczenia, aż po niewolnictwo właśnie, różniące się od siebie wieloma bardzo precyzyjnie ujętymi uprawnieniami i zobowiązaniami.

W kręgu benedyktynów, przynajmniej formalnie, na żadne różnice między synem człowieka wolnego i niewolnego nie pozwalano. Bóg nie akceptował niewoli i oni też nie mogli jej akceptować. Kościół sam niewolników nie wyzwalał, ale – wykupywał jeńców, zwykle przecież obracanych w niewolników, i uznał wyzwalanie swoich niewolników za doskonały sposób na pozyskanie Miłosierdzia Bożego. Nie karał niby sam zabójcy niewolnika, ale – nakładał nań dwuletnią ekskomunikę (czy teraz rozumiemy, na czym polegał praski rygoryzm świętego Wojciecha?).

Niewolnikowi przysługiwało prawo azylu w miejscach

świętych na równi z ludźmi wolnymi. Kościół zakazywał zrywania małżeństw niewolników, tak samo, jak małżeństw ludzi wolnych. I nie pozwalał rozbijać rodzin. Oczywiście, nie na wszystkich właścicieli niewolników to działało, a i same kościoły tudzież klasztory w ciągu dalszych stuleci miewały niewolników – różnych niewypłacalnych dłużników, dobrowolnych niewolników, pokutujących tak za grzechy, czasem znowuż niewolnych z daru dotychczasowego właściciela. Niemniej w oczach Kościoła nie było tytułem do chwały mieć niewolnika – i to się bardzo liczyło.

Wyzysk poddanych również chluby nie przynosił. Uczony biskup francuski, którego cytuje Jan Baszkiewicz, współczuje poddanym, gnębionym przez ludzi wolnych, czyli właścicieli, choć ma ich los za nieodwracalny – „łzy i jęki poddanych nigdy nie ustaną". Ale już Liutard z Vertus, z Vertus, 30 km na południe od Reims, głosi w Szampanii około roku tysięcznego protest przeciw uciskowi. Związany z naszymi bohaterami Bolesław Chrobry zasłynie swoją sprawiedliwością i ochroną poddanych, a przynajmniej takim go odmaluje Gall-Anonim. Nawet jeżeli sam Gall-Anonim, najwyraźniej – człowiek wywodzący się z warstw niższych, poucza tak swoich współczesnych o równości ludzi i obowiązkach władcy wobec najmniejszych spośród jego poddanych, to wątek ten zasługuje na uwagę. Nie znam żadnej pracy, analizującej poglądy społeczne Galla-Anonima; w coraz nowych książkach, poświęconych klasztorom średniowiecza, też nic o tym nie ma. Ale cesarstwo Rzymian Gerberta z Aurillac i Ottona III musiało mieć jakieś poglądy i w tej kwestii. *Res publica* to państwo równych sobie i równych wobec prawa, wolnych obywateli. No i nie zapominajmy, że każdy, kto mógł zetknąć się z Ewangelią, każdy człowiek niższego stanu, ale oczytany, czerpał z chrześcijaństwa bunt przeciw krzywdzie ludzkiej – nie przypadkiem w czasach nowożytnych wszystkie ruchy socjalistyczne brały początek z Ewangelii... Tak działała ona zawsze.

Kościół nie był wprawdzie z założenia republikański, ale ze swej idei był Kościołem ubogich, wręcz nawet wrogim własności prywatnej. Ideałem, wokół którego obraca się hagiografia, jest święty biedak, *sanctus pauper*. Wzory społeczne wyznaczała Ewangelia ubóstwa, naśladowaniem Chrystusa była dobrowolna bieda, niedarmo legenda o świętym Aleksym cieszyła się aż takim powodzeniem. Wśród benedyktynów nie wolno używać słów „moje", „twoje"; wszystko jest – „nasze". Dochodziło do tego, że spierano się, czy mnich ma swoje własne członki uważać za swoje, czy też za własność konwentu. Zakony nie znały prywatnej własności jako instytucji swego życia społecznego.

Co tu dużo mówić: św. Augustyn wszelką własność, która wykraczała poza to, co potrzebne dla zaspokojenia podstawowych potrzeb człowieka, uważał za „własność cudzą". Szczęściem, współczesny mu św. Hieronim był człekiem nieco przytomniejszym, mniej oderwanym od życia. To on rozsądnie zinterpretował nauki ewangeliczne, dane przez Jezusa bogatemu młodzieńcowi. Inaczej dogmatycznym obowiązkiem chrześcijanina, nie tylko ideałem dla poszukiwaczy doskonałości, stałoby się porzucenie świata i majątku. Wtedy zaś nie miałoby chrześcijaństwo szans na pozyskanie wyznawców wśród ludzi władających ówczesnym światem.

Gerbertowi tym łatwiej było skłaniać się do kluniackich ideałów ubóstwa, że – jak zwracałem uwagę – ludzie intensywnego życia umysłowego nie przywiązują się na ogół do niczego poza swoim warsztatem pracy, poza książkami. Tacy jak on w średniowieczu wcale nie odczuwali komunizmu zakonnego jako dolegliwości; Otton III ze swą czcią dla życia zakonnego zdradzał te same upodobania, życie doczesne ze swymi atrakcjami mnożyło mu wszak jedynie kłopoty, zajmujące tak cenny czas, który poświęcić można by rozmyślaniom.

Programowa Gerbertowa skromność życia i potrzeb, cechująca ludzi stale pracujących, niosłaby w skali masowej konsekwencje dokładnie takie same, jakie podsumował Hipolit Taine w przypadku skutków ubocznych skromności benedyktynów: akumulację kapitału i produkcję bogactwa.

Z drugiej strony, podkreślmy, bez wzoru Gerberta i jego wychowanków intelektualizm klasztorny nie przetrwałby presji kluniatów. Pod ich naciskiem doszłoby najprawdopodobniej do wtórnego, nie przesadzę, niemal pełnego zerwania ciągłości kulturowej i cywilizacyjnej. Kanclerz Grzegorza VII, Piotr Damiani, późniejszy święty, będzie nazywał nauki świeckie „głupstwem i błazeństwem"; Cluny, które z latami obejmie swą kongregacją około trzech tysięcy klasztorów w całej Europie, zabroni swoim mnichom studiowania prawa i medycyny (!), ponieważ wymagałoby to kontaktu z dziełami starożytnych. Nawet cystersi, kolejny ruch na rzecz prostoty i ubóstwa, kolejni zarazem później pionierzy cywilizacji, uważali początkowo, że nauka odciąga zakonnika od jego właściwego powołania. Wiek XI to nie żaden postęp, to zahamowanie rozwoju Europy. Jego pointą będzie barbarzyństwo wojen krzyżowych, idea mordowania w imię wiary. To nie była już Europa Gerberta z Aurillac i Ottona III.

Europa ich obu, Europa owego szczególnego kręgu przyjaciół, wyprzedzała ich czas. Ta Europa z tysiącletnim wyprzedzeniem wydaje mi się cennym dorobkiem mądrych ludzi. Cenną próbą. Propozycją ideałów, do których dziś dopiero staramy się zbliżać. Dlatego spisałem te szkice.

Indeks osobowy

Abbon z Fleury 145, 224, 242
Andegawenowie 12
Abd ar-Rachman II 31, 39, 70
Abd ar-Rachman III 38
Achtum (Ajtony), ks. Czarnych Węgrów 302
Adalberon I, arcyb. Metzu 155
Adalberon z Ardenów, arcyb. Reims 137–140, 142, 143, 147, 153–163, 165, 166, 178, 182–186, 195, 198–201, 203, 204, 207–210, 217, 220, 224, 241
Adalberon, bp Verdun 183, 185, 186, 207, 241
Adalberon, zw. Ascelinem 147, 153–156, 183, 198, 207–210, 212–214, 222, 223, 268, 269, 324
Adalbert, syn Berengariusza II 55
Adalbert z Trewiru 48, 58
Adaldag, arcyb. Bremy 34, 47
Adam z Bremy 187
Adamus, Marian 33, 229, 230, 305
Adela z Lodève 95
Adelajda, żona Ludwika V 197
Adelajda, żona Ottona I 55, 56, 152, 163, 165, 175, 178, 186, 196–200, 208, 235, 236, 267, 272, 297
Adelajda, córka Ottona II i Teofano, ksieni Kwedlinburga 321
Adelajda Bela-Knegini 46, 47, 190, 192, 197, 259
Adelbold, bp Utrechtu 114, 115, 294
Ademar z Chabannes 108, 114, 301
Ademar z Kapui, margrabia 289, 316
Adrald, opat St.Geraud 100
Agilbert I (Gilbert) 93–95, 97
Agilbert II (Gilbert) 94, 95, 97
Agilulf, król Longobardów 167
Agnieszka (Agnes), ż. Agilberta I 94
Alain z Lille (Alan ab Insulis) 91
al-Aziz, Fatymida, kalif 126, 127, 169, 170
Alaryk II, król Wizygotów 98
Alberyk ze Spoleto, patrycjusz Rzymu 54, 59, 161, 282
Al-Biruni 28
Aleksy, św. 132, 334
Alfons VI 125
Alfred Wielki, król 13, 17, 32
al-Hakam (el-Hakim), Fatymida 127, 128
al-Hakam (el-Hakim) II 38, 39, 109, 124–127
al-Hwarizmi 110
al-Madżriti, Abu al-Kasim Maslam 110
al-Mamun, kalif 123
Almanzor, Muhammad al-Mansur bi-Allah 127, 199, 204
Andegawenowie 12
Anicjuszowie 130
Anna, ż. Włodzimierza Wielkiego 206, 246
Ansgar, św. 33
Antemiusz z Tralles 87
Antoni, notariusz papieski 293
Archimbold, arcyb. Tours 259
Arduin, margrabia Ivrei 279, 280, 321
Arpadowie 325
Argirosowie 317
Arnulf, arcyb. Reims 207, 208, 210–215, 217, 220, 221, 233, 234, 241, 268, 269, 293, 324
Arnulf, bp Orleanu 166, 214, 215
Arnulf II, hr. Flandrii 205
Arystoteles 82–84, 103
Astrid (Astridr), ż. Sigvalda (wg sag) 249, 306
Astryk (Atanazy), arcyb. Esztergom (Ostrzyhomia) 303, 315, 318
Athelstan, król Anglii 32, 150
Atrydzi 12
August, cesarz rzymski 69, 327
Augustyn, św. 56, 72, 75, 77, 88–90, 116, 281, 327, 334

Babenbergowie 64
Bach, Jan Sebastian 90
Baldwin, hr. Flandrii 223
Banaszak, Marian 140
Bardas Fokas, p. Fokas, Bardas
Bardas Skleros, p. Skleros, Bardas
Barnes, Harry E. 102, 103
Baszkiewicz, Jan 21, 149, 150, 157, 197, 333
Bazyli Wielki, św. 77
Bazyli II, zw. Bułgarobójcą, cesarz 52, 53, 169, 206, 207, 246, 247, 260, 261, 276, 309, 315, 317, 319
Bazyli, wielkorządca cesarstwa wschodniego 169
Bąkowska, Eligia 20, 287
Beatrycze (Beatrice), ż. Ferriego 155, 182, 184
Becker, Howard 102, 103
Beda Czcigodny 18, 73
Benedykt z Aniane (Witiza), św. 67, 76
Benedykt z Nursji, św. 68, 71–73, 75–77, 130, 218
Benedykt V, papież 60, 61
Benedykt VI, papież 161

Benedykt VII, papież 49, 157, 161, 165, 172
Berengariusz (Berenger) z Milhaud 95
Berengariusz II, margr. Ivrei 38, 55, 56, 58, 59, 134
Bernard I Billung 322
Bernard z Carlat 94, 95
Bernard z Clairvaux, św. 75
Bernelinus 113
Bernon, opat Cluny 96
Bernward, bp Hildesheim 238, 245, 247, 256, 272, 310, 313-315
Berta, ż. Roberta Pobożnego 259, 269, 280
Bertilda, ż. Bernarda z Carlat 94
Bertold z Bryzgowii 274
Bertold ze Schweinfurtu, Babenberg 64
Bezprym 315
Billungowie 43
Bloch, Marc 118, 119, 278, 287
Błahij, Kazimierz 190, 306
Boecjusz, Manlius Torquatus Severinus Boethius 82, 89-91, 100, 103, 130, 131, 179, 217, 281
Bogdanowicz, Piotr 238, 244
Bogusza 266
Bolelut 243
Bolesław Chrobry, król 8, 42, 45, 67, 159, 187, 190, 192, 194, 196, 202, 226, 228-231, 233, 244, 248, 249, 256, 263-265, 273, 274, 295, 296, 298-304, 306, 315, 318, 322, 323, 325, 333
Bolesław I Srogi (Okrutny) 41, 42, 44, 61, 201
Bolesław II Pobożny 45, 62, 64, 65, 154, 187, 194, 201, 203, 231-233, 256, 292
Bolesław III Krzywousty 226
Bonfilla, p. Miro Bofilla
Bonifacy (Winifred z Wessexu), św. 132
Bonifacy VII (Francone di Ferruccio) 161, 179, 195
Borel, p. Rajmund Borel
Bouchard Czcigodny 166
Brunon, arcyb. Kolonii 152
Brunon z Karyntii, p. Grzegorz V
Brunon z Kwerfurtu, św. 73, 202, 266, 295, 315, 316
Bubnow, N. 110
Bujak, Franciszek 86
Burke, James 18, 84, 85, 112

Caloprini, ród wenecki 171
Campo, mnich z Farfa 74
Canaparius, p. Jan Canaparius
Candiano IV, Pietro 171, 235, 247
Candiano, ród wenecki 235
Canepanova, Pietro, p. Jan XIV
Capella, Martianus Felix 81
Castelnuovo, Enrico 89, 106, 238, 272
Castro, Americo 15
Cezar, Gajusz Juliusz 119, 143, 146
Chindasvint, król Wizygotów 99
Coeuroy, André 90
Collins, Roger 33, 55, 191
Crombi, A.C. 85
Cyceron, Marcus Tullius Cicero 83, 164, 179, 211, 293
Cyrano de Bergerac 181

Cymiskes, p. Jan Cymiskes

Dąbrówka (Dubrawka) 40, 42, 61, 159, 225, 231
Dawson, Christopher 21
Dedi (Ziazo), patrycjusz Rzymu 318, 324
de Gaulle, George 138
del Rio, Angel 124
Dembski, Wojciech 15
Dezyderiusz z Cahors, św. 77
Dobrzyniecki, Zdzisław 172, 291
Dova, p. Tuve
Dowiat, Jerzy 61
Duby, Georges 17, 77, 88, 96-98, 100, 101, 138-140, 145, 157, 292
Dzięcioł, Witold 93, 129, 157, 129, 157, 199, 234, 251, 280
Dżauhar 170

Eadhilda, ż. Hugona Wielkiego 151
Ebbon, arcyb. Reims 141
Edmunda Żelaznobokiego synowie 307, 323
Edward, brat Ethelreda 175
Egbert, arcyb. Trewiru 182, 185
Einhard 56
Ekkehard, margrabia Miśni 274, 297, 316, 322
Emma, ż. Lotara III 152, 153, 160, 197, 198, 207, 208
Emma, ż. Kanuta Wielkiego 307
Eriugena, p. Jan Szkot Eriugena
Eryk Krwawy Topór 24, 34
Eryk Rudy 304
Eryk Segersaell, Zawsze Zwycięski 188-192, 230, 244, 248, 303
Eryk z Auxerre 102, 103, 115, 140
Estrid, c. Swena Widłobrodego i Sygrydy 249, 307
Ethelred, król Anglii 175, 307
Eudes z Chartres, hr. Vermandois 158, 184, 222, 259
Eugeniusz II, papież 79
Euklides 89, 113
Eulogiusz, św. 70, 202
Ezzon, palatyn reński 299

Fatymidzi 19, 49, 126, 170, 247
Felczak, Wacław 47, 301
Feldhaus, Franz Maria 105, 106, 117, 121-123
Ferri, ks. Lotaryngii 155, 182, 184
Filipowiak, Władysław 187, 229
Flodoard z Reims 142, 145, 146
Fokas, Bardas 53
Fokas, Nicefor 135, 169, 170, 261
Forannan, opat Armagh 19
Formozus, papież 53
France, Anatol 71
Franco, bp Wormacji 286, 287
Fulbert z Chartres 146, 269, 326, 331
Fulko Nerra, hr. Anjou 205
Fulwiusz Flakkus 97

Galileusz 10
Gall Anonim 12, 29, 225, 226, 298, 333
Gall, św. 18

Gauthier, budowniczy 88
Gebhard, bp Ratyzbony 298
Gejza 25, 40, 41, 45, 52, 53, 61, 62, 67, 190, 192, 193, 257, 259, 302
Gerald z Aurillac, św. 95–97
Gerald z Saint-Cere, opat St. Geraud 100
Gerannus, archidiakon Reims 137, 142
Gerberga, ż. Gilberta III 95
Gerbert z Aurillac, Sylwester II (12, 13, 14, 15) 7–10, 12, 20, 21, 25, 40, 50, 67, 68, 73, 80, 83, 88, 90, 92–101, 103-118, 120–126, 128–134, 136, 137, 140, 142–149, 154–157, 161, 163–168, 170, 174, 178–185, 195–201, 204–224, 232–235, 238, 240–245, 247, 250–252, 254–257, 268, 270–272, 276–283, 286–291, 293–296, 308–316, 318, 319, 323–331, 333–335
Gerbert, ojciec Bernarda z Carlat 94, 95
Gero, margrabia 43, 44
Gilbert III 95
Gizela, ż. Stefana Wielkiego 257, 302
Gizyler, arcyb. Magdeburga 172, 187, 329
Gnupa z Gotlandii 33
Godebald bp 192
Gołubiew, Antoni 12, 13
Gorm Stary 31–34
Gotfryd, hr. Ardenów i Verdun 154, 155, 159, 160, 184, 185, 241
Gozbert, opat Tegernsee 106
Gozlin, hr. Ardenów i Verdun 155
Gozlin, syn Hugona Kapeta 88
Grabski, Andrzej Feliks 325
Grabski, Władysław Jan 12
Grodecki, Roman 186
Grzegorz z Nazjansu, św. 77
Grzegorz z Tours 119
Grzegorz I Wielki, papież 73, 76, 77, 90
Grzegorz V (Bruno), papież 253–255, 260, 262, 268–270, 273, 274, 277, 282, 285, 286
Grzegorz VII (Hildebrand), papież 8, 288, 335
Grzegorz z rodu hr. Tusculum 314
Guifred, ks. Katalonii 105
Gunhilda, c. Haralda Dobrego 192
Guriewicz, Aaron 29
Gwidon z Arezzo 91
Gyula, ks. siedmiogrodzki 46

Haakon, jarl 36
Halldor 306
Hallfred 306
Harald Dobry, zw. Sinozębym 25, 30, 31, 34–37, 48, 52, 172, 188–190
Harald Jasnowłosy 32
Harald, syn Swena Widłobrodego i Sygrydy 306, 307
Hatta (Hathui), ż. Hugona Wielkiego 151
Hatto (Hitto), bp Vich 107, 113, 128–130
Haussig, Hans-Wilhelm 87
Helgaud z Saint-Benoit 139
Henryk, bp. Augsburga 64, 154
Henryk, bp Wuerzburga 322
Henryk Kłótnik, ks. Bawarii 64, 154, 175, 176, 180, 182, 183, 186, 235, 236, 245, 257, 302, 309
Henryk, ks. Bawarii, ojciec Henryka Kłótnika 56, 63
Henryk, ks. Burgundii, s. Hugona Wielkiego 223
Henryk, ks. Karyntii 64, 154
Henryk I Ptasznik 16, 33, 41, 57, 196
Henryk II, cesarz 8, 302, 309, 314, 321, 322, 331
Henryk IV, cesarz 7
Henryk ze Schweinfurtu, Babenberg 322
Herakliusz (Erakliusz) 105
Herbert z Troyes, hr. Vermandois 184
Heribert, arcyb. Kolonii 245, 250, 255, 276, 291, 297, 322
Herman II, ks. Szwabii 322
Heron z Aleksandrii 123
Hieronim, św. 334
Hinkmar, arcyb. Reims 140-142, 145, 216, 220, 233
Hitti, Philip H. 15, 108, 110, 204
Hitto, p. Hatto
Hodon, margrabia 44, 45
Horacy, Quintus Horatius Flaccus 130, 143, 144
Hrotsvitha 15, 57
Hucbald z Saint-Amand 91, 140
Hugon Kapet 58, 63, 88, 139, 148–151, 153–155, 158–161, 166, 178, 182–185, 196–201, 203–214, 216, 221–224, 234, 241, 259, 268, 269, 325, 330
Hugon Wielki 58, 139, 149–151, 155
Hugon z Prowansji 55
Hugon, syn Roberta Pobożnego 270, 329
Hugon, hr. Toskanii 291, 314, 320

Ibrahim ibn Jakub 14, 30, 36–38
Igor, kniaź 47
Isa (Jezus) ibn Nastur 126
Izydor z Miletu 87
Izydor z Sewilli 89, 141

Jakub, św. Starszy 97, 125
Jan, arcyb. Rawenny 174, 262, 277
Jan, bp Albano 293
Jan Canaparius 133, 218, 232, 268, 294, 295
Jan Cymiskes, cesarz 52, 135, 136, 169, 170
Jan Filagatos 166, 238, 252, 256, 260–263, 270, 272, 274, 285
Jan, malarz włoski 272
Jan, syn Krescencjusza I 179, 195, 253, 324
Jan XI, papież 54
Jan XII (Oktawian), papież 54, 55, 58-61
Jan XIII, papież 43, 60, 61, 128, 129, 131, 134, 137
Jan XIV (Pietro Canepanova), papież 167–169, 173, 174, 178–180
Jan XV, papież 195, 211–213, 221, 222, 234, 242, 243, 245, 252, 254
Jan Szkot Eriugena 18, 83, 89, 101–103, 115, 140
Jan z Gorze 108
Jaropełk 49
Jezus 68, 69, 71, 328, 334
Joanna d'Arc 20
Jordan, bp 132
Julian z Syrii, bankier 278

Justynian, cesarz 98, 235, 277, 327
Juszkiewicz, Adolf P. 111, 112, 114
Juwenalis, Decimus Iunius Iuvenalis 144

Kaligula 328
Kalwin 76
Kanut Wielki 306, 307
Kapetyngowie 20, 200
Karbowiak, Antoni 84, 85
Karol, ks. lotaryński 152, 153, 160, 182, 184, 197, 199, 200, 207–215, 221–223
Karol, s. Karola lotaryńskiego 207
Karol Łysy, król Francji 70, 101, 140, 141
Karol Młot 221
Karol Otyły (Gruby), król Francji 149
Karol Prostak (Głupi), król Francji 149, 150
Karol Wielki 15, 17, 23, 55–57, 68, 76, 77, 90, 98, 101, 104, 107, 112, 140, 153, 164, 171, 207, 253, 255, 272, 276, 300, 301, 312, 321, 326, 327, 330
Karolingowie 57, 137, 139, 149, 150, 152, 157, 162, 176, 182, 185, 186, 197, 199, 200, 203, 207, 210, 212, 214, 222, 224, 234, 267, 325
Kasjodor 82, 90
Kazimierz Odnowiciel 226
Kędzierski, Jerzy 51
Kiersnowski, Ryszard 25, 26, 56, 58, 127, 201, 238
Kizo 243
Klemens III, antypapież 7
Klodwig 138
Knowles, M. David 10
Koczy, Leon 189, 306
Kolumban, św. 18, 167
Konrad III Spokojny, ks. Burgundii 223
Konstancja, ż. Roberta Pobożnego 269, 270, 280, 292
Konstantyn, opat Micy 294
Konstantyn Wielki 72, 287–289, 311
Konstantyn V, cesarz Bizancjum 91
Konstantyn VII Porfirogeneta 134–136, 169
Konstantyn VIII 207, 244, 260, 317
Kosmas, kronikarz 42
Krescencjusz I 161, 179, 195
Krescencjusz II 179, 195, 274, 321
Krescencjusze 60, 161, 174, 211, 212, 234, 245, 253, 254, 260, 262, 270, 274, 314, 323, 324
Ktesibios z Aleksandrii 92
Kuksewicz, Zdzisław 103, 147
Kula, Witold 86
Kupan, lokalny władca węgierski 302

Labuda, Gerard 188, 189, 237, 306
Lambert, syn Reginara III 152
Lambert z rodu książąt Spoleto, cesarz 53
Landstroem, Bjoern 304
Ledgarda, ż. Rajmunda Borela 104
Le Goff, Jacques 10, 77
Leif Erikson 304
Lelong, Charles 20, 119
Leon, arcyb. Sardu 274
Leon, arcyb. Synady 260, 262, 274
Leon, opat z Awentynu 218, 220–222, 234, 242, 254, 268
Leon (Warin), bp Vercelli 282, 287, 290, 291, 310, 311, 315, 329
Leon IV, papież 79
Leon VIII, papież 59-61
Libic książęta, p. Sławnikowice
Libucjusz z Moguncji 48
Liutard z Vertus 333
Liutprand z Kremony 54, 60, 134, 135
Liwiusz, Titus Livius 143, 146
Lobet, p. Sunifret Lobet
Lotar, król Italii 55
Lotar I 141, 152
Lotar III, król Francji 137, 139, 150, 151–156, 158–160, 162, 176, 178, 182–185, 197, 207, 210, 222
Ludolf 16
Ludolfingowie 16, 149, 151, 176, 179, 321
Ludwik, s. Karola lotaryńskiego 207, 222, 223
Ludwik Jąkała, król Francji 149
Ludwik Pobożny, cesarz 76, 91, 92, 141
Ludwik IV Zamorski, król Francji 149, 150
Ludwik V Gnuśny, król Francji 149, 182, 183, 197–199
Lukan, Marcus Anneus Lucanus 143

Łowmiański, Henryk 37

Madziarzy, p. Węgrzy
Mahomet 70
Majol, opat Cluny 163, 165, 173
Mandrou, Robert 140
Marcin, św. 119, 256
Matylda, córka Ottona II i Teofano, ż. Ezzona 299, 321
Matylda, „matricia" cesarska 272, 286
Meysztowicz, Walerian 21
Mez, Adam 26, 203
Miccoli, Giovanni 10
Michelet, Jules 9
Mieszko I 25, 28–30, 36–47, 52, 53, 61–65, 67, 159, 160, 172, 186, 187, 189–196, 225, 226, 228, 229, 231, 295, 318
Mieszko II 299
Milis, Ludo J. R. 9, 79
Minois, Georges 10, 18, 108, 112, 115
Miro Bonfilla 107
Mlada (Maria) 61, 62, 231
Moehs, T. E. 281
Molska, Alina 102
Morart, budowniczy 88
Morosini, ród wenecki 171
Moulin, Leo 78, 79, 121
Mowat, Farley 305
Mściwój, ks. Obodrytów 31

Nakon, ks. Obodrytów 30, 35–37
Neron 328
Nestor, kronikarz 229
Nil, św. 219, 162, 274, 281, 284, 285, 296

Nobilie z Lodève, ż. Agilberta II 95
Noterius, b. Lionu 256
Notker Labeo 240, 310
Notker z Liège 114, 183, 241, 272, 294

Obert II, markiz Ligurii 178
Oda (Uoda, Huoda), matka Gozlina i Adalberona I 155
Oda, ż. Mieszka I 159, 160, 194, 225
Odilon, opat Cluny 80, 273, 315
Odolryk, arcyb. Reims 155
Odon, opat Cluny 90, 96
Odon, król Francji 150
Odon II, hr. Blois 205, 223
Odylen 228
Olaf Skoetkonung 191, 302–305
Olaf Tryggvason 51, 52, 67, 248, 304–306
Olga 25, 47–49, 52
Omar, kalif 76, 77
Ommajadowie, ród kalifów 15, 38
Orozjusz 103
Orseolo, Pietro Orseolo I 317
Orseolo, Pietro Orseolo II 235, 246, 252, 273, 291, 316, 317, 323, 325, 329
Orseolo, Giovanni 317
Orseolo, Otton 252, 257, 273
Ortega y Gasset, José 98, 99, 328
Orygenes 70
Ostrogorski, Georg 135, 136
Otryk z Magdeburga 101, 114, 121, 164–165, 201, 238
Otton I Wielki 15, 34–36, 39, 41–49, 55–63, 66, 108, 128, 129, 134–136, 151, 152, 156-159, 161, 175, 196, 197, 253, 297
Otton II 19, 36, 45, 46, 58, 61, 62, 64, 65, 114, 126, 129, 134, 136, 137, 151–155, 157–176, 178, 183, 186, 189, 201, 261, 285, 302, 321
Otton III 29, 39, 65, 67, 121, 136, 157, 163, 170, 176, 179, 182, 183, 186, 195, 197, 198, 200, 201, 217, 220, 222, 223, 234–238, 240, 241, 243–247, 250–257, 260–263, 266–268, 270–277, 279–291, 294–304, 308–316, 318–321, 323–325, 327, 330, 334, 335
Otton, s. Karola lotaryńskiego 207
Otton, ks. Karyntii 253

Pachomiusz, św. 71
Palnatoki 188, 189, 229, 230
Pandulf, ks. Benewentu 316, 319
Parnicki, Teodor 12, 13, 21, 62, 196, 308
Paweł, św. 62, 298
Pepin Mały 91, 132, 221, 277
Persjusz Flakkus, Aulus 143
Petroald 167, 178
Piastowie 325
Piątkowska, J. 9
Piekosiński, Franciszek 86
Piligrim, bp 62
Piotr św., Damiani 285, 315, 320, 335
Piotr, bp Vercelli 280
Piotr, prefekt Rzymu 60
Piotr, notariusz papieski 293, 324
Pitagoras 111
Pius XII, papież 68
Pliniusz 28
Pompejusz, Gnejusz Pompejusz 143
Poppo, misjonarz 34
Poppon, bp Utrechtu 175, 183
Porfirios, neoplatonik 82, 130
Possart, Jadwiga 102
Postumus Albinus 97
Przemyślidzi 232
Przybywój 228

Racemund 38
Radożycka-Paoletti, Maria 10
Radzim (Gaudenty) 233, 257, 266, 295, 296, 318
Rajmund (Ramon) Borel 104, 105, 107, 109, 127–130, 199, 204
Rajmund Pons 104
Rajmund z Lavaur 100, 130, 179, 180
Ramward, bp Minden 267
Raul Glaber, p. Rodulf Glaber
Reginar III, ks. Lotaryngii 152
Reginar IV, syn Reginara III 152
Remigiusz, św. 138
Remigiusz z Auxerre 102, 103, 115, 140
Renier, hr. Bastogne 155
Riché, Pierre 8–10, 68, 80, 83, 85, 92–94, 99–101, 104, 105, 107, 108, 111, 115, 122, 128, 130–132, 137, 140, 142, 143, 152–154, 156–158, 163, 165–171, 180, 197, 199, 204, 205, 207, 209, 210, 221, 242, 257, 259, 280, 286, 287, 293, 294, 313, 314, 324, 326
Richer 90, 94, 104, 112, 118, 128–132, 142–147, 165, 181, 183, 200, 209, 213, 222–224, 233, 242, 247, 294
Rimbert, św. 34
Robert, arcyb. Rouen 206
Robert, oblacjonariusz papieski 297
Robert Mocny 149, 150, 200
Robert Pobożny, król Francji 63, 90, 139, 146–149, 204–206, 222, 259, 268–270, 280, 292, 293, 323, 329, 331
Robertyni 149, 201
Rodulf (Raul) Glaber 22, 292
Roger (ps. Teofil) 105, 106
Rollon (Rolf Gangr, Piechur) 206
Roman, cesarz Bizancjum z rodu Argirosów 317
Romuald, św. 73, 165, 202, 273, 285, 313, 315, 320
Rorykon, bp Laon 153
Rosset, Adriana 97, 124
Rotard, bp Cambrai 158
Rudolf, ks. Burgundii, król Francji 150
Rycheza, ż. Mieszka II 299
Rykdag, margrabia 187, 190
Ryszard I Stary, książę 11, 206, 270
Ryszard II Dobry 270

Sajd, sędzia toledański 15
Salustiusz, Caius Sallustius Crispus 146, 224

Schramm, Ernst Percy 237, 243, 260, 262, 298
Scotus, p. Jan Szkot Eriugena
Seguin, arcyb. Sens 199, 243
Seneka, Lucius Anneus Seneca 15, 293
Serejski Henryk 11, 56, 326
Sergiusz III, papież 54
Sergiusz IV (Pietro Buccaporci – di Luni), papież 324, 325
Sergiusz, arcyb. Damaszku 132
Sicco, kapłan pruski 266
Sigvald, jarl Jomsborga 230, 248, 249, 306
Silnicki, Tadeusz 74
Simon, Marcel 72
Sisinnios II, patriarcha bizant. 262
Skleros, Bardas 53
Sławnik, ks. Libic 47, 233
Sławnikowice 201, 233, 292
Sobiebór (Sobiesław) Sławnikowic 231, 233
Sokołow, Nikołaj 171, 172, 291, 317
Sosnowski, Stanisław 123
Spoleto, książęta, p. Tusculum, hrabiowie
Sprague de Camp, L. 105, 114, 121
Stacjusz, Publius Papinius Statius 144
Stefan, diakon rzymski, wysłannik Benedykta VII 157
Stefan II, papież 91, 221
Stefan VII, papież 54
Stefan Wielki (Waik), św. 46, 47, 192, 244, 252, 257–260, 263, 264, 299, 301–303, 308, 318, 323
Storrada, p. Świętosława
Strzelczyk, Jerzy 18, 130, 131
Sturlason, Snorri 304
Styrbioern 188–190
Sunifred Lobet 107, 117
Swen Widłobrody 36, 172, 187–192, 244, 248, 249, 303, 304, 306, 307
Sybel, von, Heinrich 102, 103
Sygryda p. Świętosława
Szacka, Barbara 102
Szacki, Jerzy 102
Szumańska-Grossowa, Hanna 96, 145, 292
Szymanowski, Adam 108

Środa, Krzysztof 85
Światosław 30, 48
Świętosława (Sygryda, Storrada) 192, 197, 230, 244, 247–249, 303, 304, 307

Tacyt, Publius Cornelius Tacitus, 27, 143
Tatarkiewicz, Władysław 103
Taine, Hipolit 74, 334
Teodora, ż. Jana Cymiskesa 136
Teodoryk Wielki, król Ostrogotów 82, 130, 131
Teodoryk (Dytryk), margrabia 159, 186
Teofano, cesarzowa Bizancjum 135
Teofano, ż. Ottona II 134, 136, 137, 153, 163, 165, 166, 169, 170, 175, 176, 178, 180, 184, 186, 187, 189, 191, 194–198, 200, 201, 213, 217, 235, 236, 271
Teofil, p. Roger
Terencjusz, Publius Terentius Afer 143
Teudon, bp Cambrai 158
Thierry, syn Ferriego 184
Thierry z Metzu, bp 182
Thietmar, bp, kronikarz 13, 46, 121, 159, 160, 187, 190, 192, 225, 228, 260, 296, 300, 307, 318
Thyra 32–34
Tove 31
Trebacjusz, przyjaciel Cycerona 83
Trudpert, św. 159
Tufa, p. Tove
Tusculum, hrabiowie (książęta Spoleto) 14, 54, 60, 74, 161, 282, 314
Tybald, bp. Amiens 156
Tybald zw. Szachrajem, hr. Vermandois 158
Tymieniecki, Kazimierz 38
Tyron, Tiro, wyzwoleniec Cycerona 293

Uhlirz, Matylda 237, 242, 250

Verdun, hrabiowie 222
Vermandois, hrabiowie 158, 184, 185, 198, 222, 223

Wacław, św. 41
Warin, arcyb. Kolonii 175
Wergiliusz, Publis Vergilius Maro 77, 130, 143, 144
Wichman 44
Widukind, kronikarz 43, 136, 159, 188
Wilhelm Długi Miecz, ks. Normandii 206
Wilhelm Pobożny, ks. Akwitanii 96
Wilhelm IV zw. Samochwałą, ks. Akwitanii 205, 223
Wilhelm V Wspaniały, ks. Akwitanii 223, 308
Wilhelm Wyzwoliciel, hr. Prowansji 308, 331
Wilhelm Zdobywca 70
William z Malmesbury, kronikarz 8, 122, 123
Willigis, arcyb. Moguncji 174, 178, 252, 254, 262, 275, 277, 310, 322
Wincenty z Beauvais 73
Witruwiusz, Marcus Pollio Vitruvius 87
Włodzimierz Wielki 25, 30, 49, 52, 53, 206, 229, 246, 319
Wojciech, św. 21, 46, 47, 61, 73, 80, 101, 114, 132, 133, 164, 201–203, 218–220, 231–233, 254–259, 263–267, 273, 281, 294–296, 298–303, 315, 332
Wrszowcy 232

Zientara, Benedykt 11, 57, 97, 136, 282
Zoe, cesarzowa Bizancjum 317
Zofia, córka Ottona II i Teofano, ksieni Gandersheim 321
Zumthor, Paul 70, 87, 331
Zuzanna, ż. Roberta Pobożnego 205, 259

Indeks nazw geograficznych i ludów Europy

Aarhus 34
Achaja 247
Adriatyk 317
Aggersborg 124
Akwileja 56
Akwitania 20, 80, 96, 97, 104, 205, 223, 292, 308, 331
Akwizgran 48, 57, 58, 61, 92, 152, 153, 174, 220, 221, 223, 234, 260, 266, 270, 272, 297, 300, 301, 321, 322
Albano, biskupstwo 287
Albeldo, opactwo 112
Albi 98
Aleksandria 14, 38
Alpy 56, 58, 59, 169, 170, 175, 179, 222, 245, 247, 252, 297, 313, 315, 320
Alpy Nadmorskie 163, 308
Alzacja 247
Amalfi 19, 246, 316
Amiens, biskupstwo 156
Andaluzja 110, 124
Anglia 17, 18, 22, 30-32, 36, 48, 51, 113, 172, 173, 175, 187, 188, 192, 248, 292, 304, 307, 308, 325
Anglosasi 32, 34, 148, 292
Anglowie 18, 307
Anjou, hrabstwo 205
Ankona 310
Antiochia 247
Apeniński, półw. 55, 134, 169, 219, 277
Arabia 170
Arabowie 26, 91, 109, 112, 114, 115, 117, 123, 125, 146, 171, 221, 281
Aragonia, królestwo 107
Ardenów hrabstwo 155
Arezzo 273
Arles, hrabstwo 269
Armagh 19
Asturia 125
Atlantyk 170
Aurillac 7, 19–21, 38, 81, 92–96, 100, 103, 104, 132, 179, 180, 227, 267, 276, 294, 308
Ausone, hrabstwo 107
Auxerre 81, 83, 102, 103, 115, 145

Bagdad 14, 26, 38, 49, 123
Bagdadzki, kalifat 25, 39, 49, 52, 170
Bałtowie 188
Bałtyk, m. 28, 188, 248, 265, 303, 305
Bamberg 294
Barcelona, miasto i hrabstwo 104, 107–109, 117, 125, 127, 132, 204
Bardewiek 267
Bari 219, 246
Bastogne, hrabstwo 155
Bawaria 16, 41, 175, 176, 252, 302
Bawarzy 16, 57
Beauvais 331
Belliac 93
Benewent 135, 316
Berlin 13
Bernicja 18
Bizancjum, miasto i cesarstwo 14, 19, 49, 52, 87, 91, 106, 130, 134, 135, 161, 169, 170, 176, 179, 198, 206, 207, 235, 238, 245–247, 256, 260, 261, 276–278, 289, 308, 309, 311, 314, 315, 317, 320, 328
Blois, hrabstwo 205
Bobbio, opactwo 18, 129, 165-168, 170, 174, 178, 180, 209, 220, 280
Bolonia 277
Bornholm 189
Bosfor, cieśn. 207
Brandenburg (Brenna) 43, 172, 243
Brema, miasto i arcybiskupstwo 34, 35, 173
Brenna, p. Brandenburg
Brenner, przełęcz 252, 273
Bretania 206
Brisach (Breisach) 183
Brugia 206
Brunświk 15
Brytania, Wielka 14, 17, 18
Brytyjskie, Wyspy, p. Brytania, Wielka
Bryzgowia 274
Brzewnów k. Pragi 61, 231
Bułgarzy bałkańscy 46, 309
Bułgarzy kamscy 28, 30
Burgundczycy 20
Burgundia 20, 55, 221, 223, 273, 331

Cahors 77
Camaldoli 273
Cambrai, miasto i biskupstwo 156–159
Canigou, góra 78, 98

Canossa 7
Carcasonne 20
Carlat 93, 94
Cedynia 45
Cdre, rz. 94
Charroux 211
Chartres 91, 146, 147, 224
Chazarzy 27, 30, 48, 52, 66
Chelles 233
Chersonez 53
Chiers, rz. 160
Chodlik 25
Chorezm 14, 25, 28, 30, 40
Chorwaci 227
Chur 26
Cisa, rz. 46, 302
Civita Castellana 321
Classe k. Rawenny 273
Cluny, opactwo 75, 76, 80, 88, 90, 96, 98, 101, 163, 173, 211, 224, 273, 308, 331, 335
Compiègne 185, 198, 199
Compostella, p. Santiago de Compostella
Corbeil, hrabstwo 223
Crotone (Cotrone) 19, 126
Czarne, m. 53
Czechy 17, 42, 46, 62, 64, 65, 193, 201, 203, 227, 255
Czeremisi 28
Czerwieńskie, Grody 229
Czesi 19, 64, 148, 191, 194
Czudź 28

Dalmacja 316, 317
Damaszek 38, 132
Dania 27, 31–35, 48, 53, 172, 188, 189, 248, 249, 303, 306, 308
Dniepr 48
Doleńcy 30
Dukielska, przełęcz 263
Dunowie (Duńczycy) 19, 25, 31, 32, 34, 64, 67, 187, 191
Dziadoszanie 298

Egipt 28
Elne 331
Erfurt 196
Étampes 58, 151

Farfa, opactwo 74, 165, 290, 296
Farsalos 143
Ferrara 273, 277
Finistere, przyl. 125
Finowie 28
Fionia 35, 188
Flandria, hrabstwo 156, 205, 206, 233
Fleury, n. Loarą 88, 145, 224, 256
Francja 11, 15–17, 19-22, 79, 87, 101, 109, 137, 145, 147, 148, 225, 227, 331
Francja, królestwo Franków zachodnich 20, 58, 64, 90, 101, 104, 107, 137, 138–140, 152, 158, 160, 179, 181, 182, 192, 197, 198, 200, 201, 203, 206, 220, 222–224, 227, 233, 234, 242, 243, 247, 256, 267, 268, 292, 308, 325, 329, 330
Francja, księstwo (hrabstwo Paryża) 146, 151, 206, 222, 224
Frankfurt n/Menem 38
Frankowie 16, 17, 56, 57, 76, 87, 96, 97, 99, 132, 133, 138, 221, 275, 277, 292, 330
Frankowie wschodni 14, 16, 22, 58
Frankowie zachodni 16, 58, 140, 183, 200, 255
Franków wschodnich królestwo 35, 58, 63, 65, 151, 152, 168, 170, 171, 174, 179, 187, 199, 220, 222, 234, 289, 296, 302, 308, 321
Franków zachodnich królestwo, p. Francja, królestwo
Fraxinetum (Freinet) 308, 331
Freinet, p. Fraxinetum
Freising, biskupstwo 106
Fryzja 33

Gaeta 219, 286, 316
Galia 17, 90, 97–99, 145, 165, 205, 221, 224, 225, 325
Galicja (hiszp.) 125
Gandersheim, opactwo 15, 57, 310, 320
Gdańsk 265, 266
Germanie 27, 255, 327
Germanie zachodni 27
Gerone, biskupstwo 107, 108
Gniezno 194, 244, 295, 296, 298, 299, 301
Goci 15
Gorze, opactwo 108, 155
Gotlandia 27, 28
Grecja 247, 250, 293
Grecy (Bizantyjczycy) 187
Grecy (starożytni) 90, 328
Grenlandia 13, 304
Grenoble 221

Halberstadt, biskupstwo 43, 58
Hamburg 31, 33, 172, 267
Hawela (Hobola), rz. 267
Hawelberg (Hobolin) 43, 172
Hedeby 32, 33, 36, 189
Hildesheim 228, 238, 245
Hiszpania 15, 27, 49, 87, 98, 104, 108, 110, 112, 117, 119, 124, 125, 127, 128, 192
Hobolin, p. Hawelberg

Iberyjski, półwysep, p. Pirenejski półwysep
Ilmenau, rz. 267
Ingelheim 207, 247, 253
Irlandia 17–19, 140, 304
Islandczycy 51, 52
Islandia 51–53, 304
Italia, p. Włochy
Itil 27
Ivrea, margrabstwo (Piemont) 38, 55, 167, 279, 321

Jelling 34
Jerozolima 128
Jomsborg, p. Wolin

Jordanne, rz. 95
Judea 328
Jumne, p. Wolin
Jutlandia 32, 36

Kair 169, 170
Kalabria 134, 169, 170, 238
Kalbe 160, 225
Kapua 135, 289, 316
Karlady (Karlady), wicehrabstwo 94, 95
Kartagina 81
Karyntia, księstwo 64
Kaspijskie, morze 30
Katalonia 101, 104, 105, 107, 108, 117, 128, 130, 199, 331
Kijów 25, 27, 48, 49, 52, 58
Kilonia 31
Koblencja 26
Kolonia, miasto i arcybiskupstwo 152, 175, 185, 257
Konstantynopol, p. Bizancjum
Kordowa 14, 25, 38–39, 49, 108–110, 114, 127, 199
Kordowy kalifat 25, 38, 49, 52, 55, 107–109, 114, 199, 204
Krakowska, ziemia 226
Kremona, miasto i biskupstwo 134
Kreta 135
Kwedlinburg 42, 45, 186, 189, 195, 272, 300

La Manche, Kanał 148
Langwedocja 95, 97
Laon, miasto i biskupstwo 147, 153, 156, 197, 198, 207–209, 211, 213, 214, 222, 223, 269
Lech, rz. 41
Leon, miasto i królestwo 125, 127, 204
Lędzianie (Lęchowie, Liachowie) 229
Liachowie p. Lędzianie
Libice 201, 232
Lidge (Leodium) 114, 148, 272
Liguria 178
Liguryjska, Zatoka 167
Limoges 331
Limousin 20, 100
Limuzyńczycy 20
Lindisfarne 18
Lion (Lugdunum) 97
Loara, rz. 17, 80, 88, 139, 140, 145, 185, 197, 224
Lodđve, wicehrabstwo 95
Logronio 112
Lombardia 56, 146, 168, 171, 246, 252, 272
Londyn 13, 18
Longobardowie 55, 56, 167, 252, 253, 277–279, 282, 283, 313, 321
Lot, rz. 77, 94
Lotaryngia 86, 108, 151–153, 155, 156, 158, 160, 182, 184, 197, 199, 200, 220, 234, 241, 247
Lotaryngia Dolna 152, 153, 182, 208
Lotaryngia Górna 182–184
Lueneburska pustać 267
Lugdunum, p. Lion
Lutecja, p. Paryż
Lutycy p. Wieleci

Łaba, rz. 51, 58, 172, 228, 267, 272
Łęczyca 266
Łużyce 59, 256
Łużyce Dolne 194

Madryt 110
Madziarzy, p. Węgrzy
Magdeburg 39, 40, 43, 44, 58, 65, 101, 114, 154, 164, 172, 201, 238, 243, 256, 264, 267, 268
Malente 31
Marchia (Włochy) 310
Marchia Hiszpańska 104, 107, 112
Marchia Łużycka 44
Marchia Miśnieńska 44, 187
Marchia Wschodnia 43, 44
Marchia Północna 44, 159, 186, 225
Margut n. Chiers 160
Marna, rz. 138, 184
Masyw Centralny 19
Mauretania 114
Mazowsze 226, 265
Mediolan 315
Meiningen 175
Meklemburgia 27
Merowie 28
Merseburg 39, 40, 44, 322
Metz 155, 222, 223
Micy, opactwo 294
Milet 87
Minden, biskupstwo 267, 329
Miśnia 44
Modena 277
Moguncja, miasto i arcybiskupstwo 48, 174, 185, 250, 252–254, 256, 297, 322
Mont-Saint-Michel, opactwo 78
Monte Cassino 133, 219, 294
Mordwinowie 28
Mouzon 234, 235, 241
Moza, rz. 160, 234, 241

Nadrenia 86, 247, 263
Narbonne 128 331
Narni, biskupstwo 60
Nawarra, królestwo 112
Neapol 289, 331
Neustria 80
Niderlandy 152
Niemiec, Republika Federalna 31
Niemcy 16, 31, 60, 63, 132, 138, 148, 227
Niemcy, królestwo, p. Franków wschodnich królestwo
Niemcy południowe 22
Nonantola, opactwo 165, 166, 268
Normandia 11, 78, 146, 206, 270, 292, 297
Normanowie 11, 19, 22–24, 32, 34, 63, 125, 138, 191, 206,
Northumbria 18
Norwegia 19, 32, 34, 36, 51, 304, 306

Novempopulania 20
Noyon 199, 209

Obodryci 30–32, 35, 189, 191, 244, 267
Odense 188, 227
Oeresund, cieśn. 305
Orlean, miasto, hrabstwo i biskupstwo 151, 214, 215, 221, 223, 267
Ostia, biskupstwo 287
Ostrogoci 82, 130
Ostrzyhom (Esztergom) 302, 318
Owernia 19, 94, 97, 292

Pad, rz. 163, 167, 273, 280
Panońska, dolina 67
Państwo Kościelne 290, 309
Parma 277
Paryż 13, 16, 20, 151, 154, 159, 221
Passawa, biskupstwo 64
Paterno 321
Pawia 163, 167, 168, 173, 179, 180, 252, 268, 270, 273, 279–281, 319
Pecsavarad 303
Pentapol 310
Pereum 273, 315
Perigord 100
Persowie 328
Piacenza, biskupstwo 252, 256, 272
Pieczyngowie 48, 320
Piemont, p. Ivrea
Pikardia 33, 156
Pireneje 78, 98, 104, 107, 114, 124, 128, 221, 331
Pirenejski, półwysep 15, 28, 39, 98
Poitiers 88, 205, 331
Polanie 23, 25, 26, 29, 41, 42, 51, 62, 159, 186, 194, 225, 229, 244, 249, 266, 302, 307
Polska 27, 94, 193, 227, 256, 258, 265, 308
Połabie 62
Połabscy Słowianie, p. Słowianie połabscy
Pomorzanie 226, 304–306
Pomorze 188, 226, 265
Pontyjskie, bagna 174, 268, 285
Porto, biskupstwo 54, 287
Poznań 62, 132, 229
Północ (Europy) 11, 28, 31, 124, 138, 190, 192
Północne, morze 248
Praga 14, 28, 31, 124, 138, 190, 192, 218, 219, 231, 254, 256
Preetz 31
Primut, p. Przemyśl
Prowansja 93, 95, 163, 292, 308
Prusowie 265, 266, 295
Prusy 202, 265
Przemyśl 39
Puy 211
Pyrzyczanie 188

Ramsay, opactwo 145
Rara (Rohr) 175
Ratyzbona 27, 298
Rawenna 61, 88, 114, 117, 163, 165, 262, 270, 273, 277–280, 287, 290, 297, 310, 315, 318–321
Rawenny egzarchat 59, 61
Redarowie 30, 44, 188
Reims, miasto i arcybiskupstwo 94, 112, 123, 137–143, 149, 155, 157, 158, 164, 180, 184, 198–200, 204, 208–217, 220–224, 234, 235, 241, 242, 254, 259, 267, 269, 288, 293, 294, 331, 333
Remiremont 198
Ren 32, 183, 267
Ribe 34
Rimini 277, 310
Ripoll, opactwo 108, 112, 132
Rossano 238, 240
Rouen, miasto i arcybiskupstwo 206
Rouergue, hrabstwo 104
Rusowie 14, 136, 228, 230, 246
Ruś 23, 30, 40, 47–49, 207
Rzym 14, 43, 45, 47, 54, 56, 57, 59–63, 80, 95, 105, 122, 128, 130–132, 134, 142, 156, 157, 161, 170, 172–174, 193–195, 215, 218–221, 232–234, 242, 245, 247, 253–256, 260–262, 264, 267, 270, 273–276, 282–284, 286–288, 294–296, 300–303, 309–311, 313–315, 317–321, 323, 324
Rzym starożytny 65, 72, 242
Rzymianie (X wieku) 59, 60, 173, 174, 275, 314
Rzymianie (starożytni) 57, 63, 84, 97, 134, 250, 327, 328

Sabiny hrabstwo 309
Saint Basle 214
Saint Denis, opactwo 221, 233, 256
Saint-Germain-des-Pres 88
Saint-Macre-de-Fismes 153
Saint-Remi 137, 138
Saint Tropez 308
Sakaliba (Sakalabija, Sakalaba) 27, 28, 39
Saksonia 13, 63, 176, 186, 221, 231, 250
Saksonia Dolna 13
Saksonia Górna 256
Salerno 19, 84, 147, 316
Sambia 265, 266
Sankt-Gallen 18, 240, 310
Santiago de Compostella 97, 125, 127
Sasbach 247, 268
Sasi 16, 18, 31–33, 36, 57, 64, 159, 173, 187, 248, 292
Schleswig-Holstein 31
Scytowie 28
Sekwana, rz. 154
Selenter 31
Senlis 151, 199
Sens, arcybiskupstwo 199
Serbowie 15, 227
Sewenny 95
Sewilla 108, 110, 125
Sigtun 192
Skandynawia 22, 29, 33, 67, 226
Skandynawowie 11, 49
Skonia 192, 305
Sklawini, p. Sakaliba
Słowacja wschodnia 263

Słowianie (Wendowie) 27, 28, 45, 124, 159, 193, 229, 306, 307
Słowianie połabscy 14, 19, 28, 35, 41, 43, 46, 51, 62, 64, 67, 172, 186, 188, 191, 203, 228, 243, 244, 247, 264, 270–272
Słowianie pomorscy, p. Pomorzanie
Soissons, biskupstwo i hrabstwo 223, 331
Solingen 234
Spoleto, księstwo 55
Stodoranie 14, 30, 267
Strasburg, miasto i biskupstwo 57, 94
Subiaco 286, 287
Svolder (Svolde) 305
Sycylia 19
Syria 247
Szampania 137, 205, 333
Szczecin 229
Szkocja 18
Szlezwik, miasto i biskupstwo 34
Szwabia 16, 176
Szwabowie 16
Szwajcaria 18
Szwecja 192, 249, 304, 306
Szwedzi 51, 191

Śląsk 203, 226, 298

Tarencka, zatoka 238
Tarent 170
Tarn, rz. 98
Tarragona 128
Tegernsee, opactwo 106
Teutonowie, p. Germanie
Tivoli 313
Todi 320
Toledo 108, 110, 125
Tortosa 14
Toskania 291, 314, 320
Tours 256, 259
Tralles 87
Trelleborg 124
Trewir 48, 141, 157, 182
Trittau 31
Tulle, opactwo 96
Tuluza 98
Turyngia 175
Turyngowie 16
Tybr, rz. 54, 300
Tyniec, opactwo 227
Tyrol 106

Umbria 310, 320
Unstrut, rz. 41
Uppsala 189, 248
Urbino 310

Ven, wyspa 306
Vercelli, biskupstwo 280, 282, 290
Verdun 14, 27, 140, 141, 155, 184, 185, 207
Vertus 333
Vicenza, biskupstwo 299
Vich, opactwo i biskupstwo 101, 107, 108, 112, 128, 129, 132, 227

Wagrowie 30
Walia 188
Waregowie 51, 52, 206
Watykan 79
Wendowie, p. Słowianie
Wenecja 134, 171, 235, 246, 252, 261, 276, 291, 308, 316, 317
Werona 56, 170, 171, 201, 220, 252
Westfalia 267
Wezera, rz. 248
Węgry 17, 46, 257–259, 263, 302, 307, 308, 315, 318
Węgrzy 14, 25, 41, 42, 45, 65, 67, 318
Węgrzy, Czarni 46, 263, 302
Wieleci (Lutycy) 30, 186, 188, 203, 243, 264, 267
Wielkopolska 25–27, 29, 226
Winchester, opactwo 86
Wisła, rz. 265
Wiślany, zalew 23
Wizygoci 98, 99, 125
Włochy 18, 19, 22, 27, 43, 49, 55, 56, 79, 80, 87, 88, 128, 131, 149, 160, 161, 163, 165–171, 201, 206, 214, 220, 244, 247, 252, 253, 261, 262, 272, 282, 289, 293, 299, 309, 310, 313, 316, 318–321
Włosi 255
Wogezy 184
Wolin (Jumne, Jom, Jomsborg) 14, 187–190, 226, 229, 230
Wolinianie 44, 188, 306
Wołga 30
Wrocław (Wratysław) 203
Wschód, Bliski 72, 109, 111, 309
Wuerzburg, biskupstwo 245

Zachód (Europy) 41, 48, 49, 63, 91, 106, 135, 198, 207, 227, 254, 261, 328, 330
Zelandia, wyspa 31, 305

Życz (Żytyce), biskupstwo 44
Żydzi 40, 124, 128, 246, 328

Podstawowa literatura dla zainteresowanych

I. Andersson, *Dzieje Szwecji* (tłum. St. Piekarczyk), Warszawa 1967

M. Banaszak, *Historia Kościoła katolickiego*, Warszawa 1987

J. Baszkiewicz, *Historia Francji*, Wrocław-Warszawa-Kraków–Gdańsk 1974

P. Bogdanowicz, *Zjazd Gnieźnieński w roku 1000*, „Nasza Przeszłość", t. XVI, 1962, s. 5–151

R. Collins, *Europa wczesnośredniowieczna 300–1000* (tłum. T. Szafrański), Warszawa 1996

G. G. Coulton, *Panorama średniowiecznej Anglii* (tłum. T. Szafar), Warszawa 1976

A. C. Crombie, *Nauka średniowieczna i początki nauki nowożytnej* (tłum. St.Ł. Pacewicz), Warszawa 1960

W. Czapliński, A. Galos, W. Korta, *Historia Niemiec*, Wrocław-Warszawa-Kraków 1990

W. Czapliński, K. Górski, *Historia Danii*, Wrocław-Warszawa-Kraków 1965

J. Dąbrowski, *Dzieje Europy od X w. do schyłku XIV w.* w: *Wielka Historia Powszechna*, Warszawa b.d., t.IV, cz.2

G. Duby, *Czasy katedr. Sztuka i społeczeństwo 980–1420* (tłum. K. Dolatowska), Warszawa 1986

G. Duby, R. Mandrou, *Historia kultury francuskiej. Wiek X–XX* (tłum. H. Szumańska-Grossowa), Warszawa 1963

W. Dzięcioł, *Imperium i państwo narodowe około r. 1000*, Londyn 1962

C. Erdmann, *Forschungen zur politischen Ideenwelt des Fruehmittelalters*, Berlin 1951

G. Faber, *Merowingowie i Karolingowie* (tłum. Zb. Jaworski), Warszawa 1994

W. Felczak, *Historia Węgier*, Wrocław-Warszawa-Kraków 1966

F. M. Feldaus, *Maszyny w dziejach ludzkości. Od czasów najdawniejszych do Odrodzenia* (tłum. St. Sosnowski), Warszawa 1958

H. Focillon – *L'an mille*, Paris 1952

Fustel de Coulanges – *Histoire des institutions politiques de l'ancienne France*, 5 wyd., I–VI, Paryż 1922 i dalsze lata

Gerbert – *Lettres*, wyd. J. Havet, Paris 1889

Gerberti Libellus de rationali et ratione uti. w: J. P. Migne – *Patrologiae Cursus Completus*, Series Latina, t. 139, kol. 159

J. A. Gierłowski, *Historia Włoch*, Wrocław-Warszawa-Kraków-Gdańsk-Łódź 1985

A. F. Grabski, *Bolesław Chrobry. Zarys dziejów politycznych i wojskowych*, Warszawa 1966

R. Grodecki, St. Zachorowski, J. Dąbrowski, *Dzieje Polski średniowiecznej* w dwu tomach, opr. J. Wyrozumski, Kraków 1995

R. Grodecki, *Polska piastowska*, Warszawa 1969
K. Górski, *Polska w zlewisku Bałtyku*, Gdańsk-Bydgoszcz-Szczecin 1947
A. J. Guriewicz, *Wyprawy wikingów* (tłum. St. Ludkiewicz), Warszawa 1969
O. Halecki, *Schyłek średniowiecza*, w: *Wielka Historia Powszechna*, Warszawa b.d., IV, cz. 2
H. W. Haussig, *Historia kultury bizantyńskiej* (tłum. T. Zabłudowski), Warszawa 1980
R. Heck, M. Orzechowski, *Historia Czechosłowacji*, Wrocław-Warszawa-Kraków 1969
W. Hensel, *Słowiańszczyzna wczesnośredniowieczna. Zarys kultury materialnej*, Warszawa 1965
P. K. Hitti, *Dzieje Arabów*, tłum. W. Dembski, M. Skuratowicz, E. Szymański, Warszawa 1969
M. Z. Jedlicki, *Stosunek prawny Polski do cesarstwa do roku 1000*, Poznań 1939
A. P. Juszkiewicz, *Historia matematyki w wiekach średnich*, (tłum. Cz. Kulig), Warszawa 1969
A. Kersten, *Historia Szwecji*, Wrocław-Warszawa-Kraków-Gdańsk 1973
J. Z. Kędzierski, *Dzieje Anglii do roku 1485*, Wrocław-Warszawa-Kraków 1966
R. Kiersnowski, *Moneta w kulturze wieków średnich*, Warszawa 1988
R. Kiersnowski, *Wstęp do numizmatyki polskiej wieków średnich*, Warszawa 1964
O. Kohlschuetter, *Venedig unter dem Herzog Peter Orseolo II*, Goettingen 1868
M. Kołaczkowska, *Kamienie i klejnoty*, Warszawa 1961
Zdz. Kuksewicz, *Zarys filozofii średniowiecznej. Filozofia łacińskiego obszaru kulturowego*, Warszawa 1986
G. Labuda, *Fragmenty dziejów Słowiańszczyzny Zachodniej*, Poznań 1964
U. Lindgren, *Gerbert von Aurillac und das Quadrivium*, Wiesbaden, 1976
T. Manteuffel, *Dzieje wczesnego średniowiecza* w: *Wielka Historia Powszechna*, Warszawa b.d., IV, cz.2
A. Mazahéri, *Życie codzienne muzułmanów w średniowieczu, wiek X–XIII* (tłum. E. Bąkowska), Warszawa 1972
G. Minois, *Kościół i nauka. Dzieje pewnego niezrozumienia. Od Augustyna do Galileusza* (tłum. A. Szymanowski), Warszawa 1995
L. Moulin, *Życie codzienne zakonników w średniowieczu (X–XV wiek)* (tłum. E. Bąkowska), Warszawa 1986
F. Mowat, *Wyprawy wikingów. Dawni Normanowie w Grenlandii i Ameryce Północnej* (tłum. W. Niepokólczycki), Katowice 1995
G. Ostrogorski, *Dzieje Bizancjum*, tłum. pod red. H. Evert-Kappesowej, Warszawa 1967
R. Palacz, *Od wiedzy do nauki. U źródeł nowożytnej filozofii przyrody*, Wrocław-Warszawa-Kraków-Gdańsk 1979
F. Picavet, *Gerbert, un pape philosophe d'apres l'histoire et la legende*, Paris 1897
K. Pieradzka, *Walki Słowian na Bałtyku w X-XII wieku*, Warszawa 1953
Pomniki dziejowe Polski. wyd. August Bielowski, t. I, Warszawa 1960
G. Procacci, *Historia Włochów*, tłum. B. Kowalczyk-Trupiano, Warszawa 1983
J. Ptaśnik, *Kultura wieków średnich*, Warszawa 1959

P. Riché, *Gerbert d'Aurillac, le pape de l'an mille*, Paryż 1987
A. Rosset, *Drogi i mosty w średniowieczu i w czasach Odrodzenia*, Warszawa 1974
F. Schneider, *Rom und Romgedanke im Mittelalter*, Muenich 1926
P. E. Schramm, *Kaiser, Rom und Renovatio*, I–II, Berlin 1929
M. H. Serejski, *Idea jedności karolińskiej. Studium nad genezą wspólnoty europejskiej w średniowieczu*, Warszawa 1937
T. Silnicki, *Z dziejów Kościoła w Polsce. Studia i szkice historyczne*, Warszawa 1960
M. Simon, *Cywilizacja wczesnego chrześcijaństwa. I–IV wiek* (tłum. E. Bąkowska), Warszawa 1979
N. Sokołow, *Narodziny weneckiego imperium kolonialnego* (tłum. Zdz. Dobrzyniecki), Warszawa 1985
L. Sprague de Camp, *Wielcy i mali twórcy cywilizacji. Od Imhotepa do Leonarda da Vinci* (tłum. B. Orłowski), Warszawa 1968
J. Strzelczyk, *Goci – rzeczywistość i legenda*, Warszawa 1984
J. Strzelczyk, *Iroszkoci w kulturze średniowiecznej Europy*, Warszawa 1987
Średniowiecze. Encyklopedia popularna, opr. H. R. Loyn (tłum. zespół), Warszawa 1996
St. Trawkowski, *Jak powstawała Polska*, Warszawa 1961
K. Tymieniecki, *Historia Niemiec do początku ery nowożytnej*, Poznań 1946
M. Uhlirz, *Jahrbuecher des deutschen Reiches unter Otto II und Otto III*, t. I (Otto II), Leipzig 1902
M. Uhlirz, *Jahrbuecher des deutschen Reiches unter Otto III*, Leipzig 1954
M. Uklejska, *Zarys rozwoju nauki i jej organizacji, cz. I Starożytność – Średniowiecze*, Warszawa 1963
M. Uhlirz, *Kaiser Otto III und das Papstum*, w: Historische Zeitschrift 162. 1940
H. Weiner, *Gerbert v. Aurillac*, Wien 1881
St. Zakrzewski, *Mieszko I jako budowniczy państwa polskiego*, Warszawa 1920
B. Zientara, *Świt narodów europejskich. Powstawanie świadomości narodowej na obszarze Europy pokarolińskiej*, Warszawa 1996
P. Zumthor, *Wilhelm Zdobywca* (tłum. E. Bąkowska), Warszawa 1968
J. Żylińska, *Piastówny i żony Piastów*, Warszawa 1972

Spis rzeczy

I. Przeszłość więcej niż przekorna 7
II. Jak wybiera się cywilizacje 21
III. Coś wtedy było w powietrzu Europy 36
IV. Niełatwo być Ottonem, nawet Wielkim 51
V. Cywilizacja benedyktyńska 66
VI. Od bizunów do architektury 79
VII. Młodość nierozszyfrowanego geniusza 93
VIII. Po co tam pojechał, co stamtąd przywiózł 107
IX. Podróże czarodzieja 121
X. Duch Reims i scholastyk Gerbert 134
XI. Między Robertynami, Karolingami i Ludolfingami . . . 149
XII. ...A jednak Henryk Kłótnik nie udusił tego dziecka . . . 163
XIII. Filozof i tajne rozgrywki 176
XIV. Co mogą pieniądze, co mogą arcybiskupi 191
XV. Tenże Gerbert, który był naszym scholastykiem 205
XVI. Kto zrobił Wolin twierdzą 218
XVII. Mały Sas, który mówi po grecku 231
XVIII. Ottonie, czas na cesarstwo Rzymian 245
XIX. Potrzebny jest wzór i wielkość wiary 259
XX. Ich cesarstwo Rzymian 271
XXI. Pan Papież Sylwester 284
XXII. Rok tysięczny: boso do Gniezna 297
XXIII. Kiedy umierają marzenia 310
XXIV. Co zostaje po wielkich ideach 323

Indeks osobowy 337
Indeks nazw geograficznych i ludów Europy 343
Podstawowa literatura dla zainteresowanych 348

Wydawnictwo „Iskry", Warszawa 1997 r.
Wydanie I.
Skład: FELBERG, Warszawa.
Druk i oprawa: Białostockie Zakłady Graficzne